De zolderkamer

Van dezelfde auteur:

Zoeken naar Gemma
Tegen de stroom in

Katy Gardner

De zolderkamer

2007 – De Boekerij – Amsterdam

Oorspronkelijke titel: Hidden (Michael Joseph)
Vertaling: Rosemarie de Bliek
Omslagontwerp: Wil Immink Design

Derde druk 2007

ISBN 978-90-225-4468-6

© 2006 by Katy Gardner
© 2006 voor de Nederlandse taal: De Boekerij bv, Amsterdam

Voorwoord

29 november 2003

Dave Gosforth haalde diep adem, rechtte zijn schouders en bleef op de drempel van het appartement staan, zijn grote vlezige handen gespannen langs zijn lichaam. Hoewel hij zijn adem inhield, drukte zijn dikke buik onprettig tegen zijn sporttenue. In gedachten zoog hij de overtollige centimeters in. Hij was van plan geweest een uur naar de sportschool te gaan, maar tot zijn opluchting had de oproep daar een stokje voor gestoken. Nu hij zich in een zaak moest vastbijten, kon het nieuwe fitnessregime, dat hij gisteren nog plechtig boven aan zijn lijst met goede voornemens had gezet, gelukkig in zijn achterhoofd onder de noemer 'later' worden opgeborgen. Het telefoontje had een nieuw begin ingeluid, een nog ongelezen boek dat hij binnen een paar seconden zou openslaan, even snel zou doorbladeren om te zien wat de plot was, om dan misschien wel meteen te weten hoe het afliep. Hij ging de hal binnen en gaf zijn ogen de kost.

Achter hem stond de voordeur met tralies iets open, geen spoor van braak te bekennen. Terwijl hij langzaam verder liep keek hij naar de vieze muren en de stapel ongeopende rekeningen op de mat. Er hing niets aan de muur, ook was er geen kapstok; het appartement ademde een sfeer van verwaarlozing en vergankelijkheid, als een pension voor mensen die aan de grond zaten. Links van hem was de woonkamer, die zou hij voor het laatst bewaren. Rechts was de keuken. Midden in de triplex deur zag hij het gat: waarschijnlijk van een harde trap, of van een lichaam dat er hard tegenaan was gevallen. Hij liep door en keek speurend om zich heen. Het was er zonder meer een bende. Omgevallen tafel, serviesgoed op de vloer, een doormidden geslagen houten kruk. In de gootsteen lag gescheurde vitrage, de plastic rail hing armetierig aan de geschonden muur. Iemand had zo te zien de dunne nylon stof in zijn geheel omlaag gerukt, hetzij uit woede, hetzij in een futiele poging tot zelfbehoud. Tussen de gootsteen en de omgevallen tafel zat het linoleum onder de krassen: pumps, achteruitgesleept. Op de muur zaten bloedvlekken, de ingetrapte deur was met bloed bespat en op de vloer lagen plassen gestold bloed. Er was werk aan de winkel voor het forensisch team.

Die momenten dat Dave zijn rechercheursbrein liet werken, gaf hij even toe aan de kick die hij voelde bij een nieuwe zaak. Hij wilde graag als eerste op de plaats delict zijn, zelfs voor de lijkschouwers of fotografen, wanneer alles nog onaangetast was. In dat opzicht leek hij op een hond die op de geur van zijn prooi afgaat; die eerste, bijna plechtige momenten van onderzoek, wanneer alle zintuigen op scherp stonden en hij in alle rust het bewijsmateriaal in ogenschouw kon nemen. Je kon heel wat te weten komen door alleen maar nauwlettend om je heen te kijken. Neem deze keuken, met uitzicht op een betonnen galerij in een miserabele woonkazerne uit de jaren zeventig aan de rand van Margate. De neonverlichting was aan, dus de moord moest 's nachts zijn gepleegd of in de winterse schemerochtend. De gebroken kom en uiteengespetterde cornflakes wezen op het laatste. De lijkschouwers zouden uiteraard het exacte tijdstip van overlijden vaststellen, maar te zien aan de beker verschaalde koffie bij de gootsteen schatte Dave het op twaalf uur geleden. Hoogstwaarschijnlijk was ze alleen geweest; er was geen andere beker of kom te bekennen. Op de tafel lag een mobiele telefoon, cadeautje voor de experts in telecommunicatie. Geen vaste aansluiting.

Uit de keuken liep een spoor bloed over een stuk beige vloerbedekking naar een vervuilde woonkamer. Zoals de meeste mensen die zo onfortuinlijk waren in dit deel van de stad te wonen had deze huurster geen cent te makken gehad. De versleten nylon vloerbedekking was tweede- of misschien

wel derdehands en lag los op de betonnen vloer; het gore gestreepte behang liet los aan de bovenkant. Op de muur tegenover de keuken zat tussen overjarige vlekken een verse rode
handafdruk. Iets verderop hing een bloederige pluk haar aan
een inkeping van het behang. Voorzichtig liep Dave de woonkamer in en keek nadenkend om zich heen. Het lijk van de
vrouw hing over de ingezakte bank, met het hoofd op de armen. Als die roestkleurige plas niet onder haar wasbleke gezicht had gelegen, zou je kunnen denken dat ze een dutje
deed. Hij keek naar haar dode gezicht: de gesloten zwaar op-
gemaakte ogen, de halfopen mond met felroze lippenstift en
een straaltje kwijl. De gescheurde schuimrubber bankbekle-
ding waarop ze lag was met bloed besmeurd; haar zwarte
peignoir was aan stukken gereten en wat er aan huid zichtbaar
was zat onder de sneeën. Het was geen prettig gezicht, maar
zijn eerste reactie was schok noch afkeer, slechts pure professionele interesse. Hij had in zijn loopbaan genoeg gezien om
dit aan te kunnen: steekpartijen, kogelwonden, mensen in au-
towrakken met afgerukte ledematen. Het raakte hem wel als
er een kind bij betrokken was, maar alle andere gevallen bena-
men hem niet werkelijk de eetlust.

Wat hem wel bleef verbazen was de puinhoop die sommige mensen van hun leven maakten. Deze woonkamer een deprimerende zooi noemen zou een eufemisme zijn. De vloer
was bezaaid met rommel: vuile borden, beschimmelde bekers,
lege pizzadozen en blikjes. Aan zijn voeten lag een kapotte asbak waaruit de peuken over de drempel lagen verspreid als
verschoten confetti. Een blik op de beschadiging in de muur
vertelde Dave dat het ding er vanaf de deuropening tegenaan
was gesmeten. In de kamer hing een lucht van verschaalde tabak en goedkope parfum en, doordat de gashaard de hele dag
had aangestaan, de overweldigende stank van een bloedbad.
Een paar goedkope klapstoelen bij de haard waren omgevallen. Met uitzondering daarvan, plus de bank, bestond het enige verdere meubilair uit een enorme breedbeeld-tv en nep-
notenhouten stereokasten waarop een lichtgevende lavalamp
prijkte. De tv stond aan: *East Enders*, onzinnig geratel als wake
voor de dode vrouw.

Even later stond Dave in de galerij bij de dienstklopper die haar had gevonden. Ze hadden de straat afgezet en de bewoners geïnstrueerd binnen te blijven tot ze ondervraagd waren. Twee verdiepingen lager had zich een groepje sensatiezoekers rond de politietape verzameld: kinderen op de fiets, jongeren met capuchontruien, een stel vrouwen, allemaal verrekten ze hun nek om een glimp van de lugubere details op te vangen. Het was niet het eerste geweldsdelict in de buurt en het zou ook niet het laatste zijn. Het wooncomplex stond niet echt goed bekend, op zijn zachtst gezegd.

'Naam van het slachtoffer?'

'Jacqui Jenning. Ze woonde hier ongeveer een jaar.'

'Had ze een vriend?'

'Voor zover bekend niet. Volgens haar buurvrouw had ze nogal een reputatie.'

'Juist...'

'Het was een "vuile slet", volgens haar.'

'Ondervragen jullie die vrouw?'

'John praat met haar. Ze belde om tien over zes, ze zei dat ze net van haar werk kwam en door haar keukenraam de bende zag. Maar ze heeft vanmorgen niets gehoord.'

'Oké. Hou haar vast. We moeten buurtonderzoek in de hele wijk doen. Er is flink gevochten. Iemand moet iets gemerkt hebben.'

Beneden was het forensisch team gearriveerd. Bij het horen van hun geklos op de betonnen trap trok Dave zijn schouders recht en concentreerde zich.

'Oké,' mompelde hij. 'We gaan ertegenaan.'

Het duurde nog vier uur voor hij weg kon. Hij had Karen gebeld om te zeggen dat hij laat thuis zou zijn; ze zou zijn eten warm houden en Harvey niet voor hem laten opblijven. Toen hij eindelijk uit de gribus wegreed naar Herne Bay was het bijna middernacht. Hij parkeerde de auto op de oprit en bleef even in het donker naar zijn verlichte huis zitten kijken. Net als wanneer je modder van je schoenen veegt, had hij even nodig om tot zichzelf te komen en de gebeurtenissen van die avond van zich af te zetten voor hij naar binnen ging. Hij ging er prat op dat hij zijn werk niet in zijn privéleven liet doordringen, maar toch was het niet bepaald prettig: een prostituee met een ingeslagen schedel, kennelijk bewerkt met een beitel. Met gesloten ogen haalde hij zich de armoedige woonkamer voor de geest, met de peuken en plassen bloed. Nu het lichaam was gefotografeerd en in een lijkzak was geritst, was het aan hem en zijn collega's om de schuldige te vinden. Het zou óf een geval van huiselijk geweld zijn – een jaloerse vriend die het maar niets vond hoe ze de kost verdiende – óf een gestoorde hoerenloper die niet wilde betalen voor zijn gerief. Het kon ook om drugs gaan.

Dave sloeg zijn ogen op en keek naar de organza gordijnen van zijn eigen voorkamer, veilig dicht tegen de avondkou. Recht daarboven was Harveys kamer, met zijn Ninja-gordijnen, daarnaast de ouderslaapkamer met het zachte licht van Karens leeslamp. Dave hees zijn zware lijf omhoog van de chauffeursstoel en liep opgelucht over de oprit.

Vijfenvijftig kilometer verderop, in de krochten van Zuid Londen, lag een vrouw languit op bed, de arm van haar dochtertje naast haar over haar rug gedrapeerd. Naast het kussen lag een beduimeld exemplaar van *De ukelige babysitter* en op de grond meer boeken. De vrouw was niet van plan geweest zo vroeg in slaap te vallen en zou een paar uur later stijf, met een droge mond, met haar kleren aan wakker worden. Nu krulde er echter een vluchtig glimlachje om haar lippen. Eindelijk weer een dag voorbij; nu was ze alleen met haar dromen.

Terwijl dit duo sliep, wierpen de koplampen van passerende auto's lichtpatronen op de muur. Buiten in de stad ging het leven door, als een zacht gedruis dat moeder en dochter geen van beiden opmerkten. Ze hadden nog vijf weken: meer dan dertig dagen voor de vrouw naar Peckham zou gaan om een appartement te taxeren en verliefd te worden op een haar tot dan toe onbekende man; dan zouden hun levens onlosmakelijk verbonden raken met het lot van de onfortuinlijke Jacqui Jenning.

DEEL I

1

26 februari 2005

Het is de laatste zaterdag in februari, vijf over vier, en we spelen verstoppertje. Dat is nu eenmaal Poppy's lievelingsspelletje. Toen ze vijftien maanden oud was stond ze midden in de woonkamer met haar mollige handjes voor haar ogen, in de vaste overtuiging dat ze zo onzichtbaar was. Later was ze zo slim om ineengedoken achter de deur te gaan zitten, maar zodra ik de kamer binnenkwam, sprong ze kraaiend van pret te voorschijn. Ik mocht me nooit verstoppen, daar ging het spel niet om. Voor haar draaide het om die verrukkelijke spanning net voor ze gevonden werd: dat heerlijk griezelige moment wanneer ze door beschermende reuzenhanden werd opgetild en gekieteld. Telkens weer verstopte ze zich, als een videoclip die eindeloos herhaald wordt.

Tegenwoordig is het ingewikkelder. Eerst moet ik me verbergen, maar ik mag niet langer zomaar achter de deur blijven staan. Nu moet het móéilijk zijn. Mijn Popje houdt van raadsels oplossen en wil beslist voor vol worden aangezien. 'Mama!' roept ze kwaad wanneer ik het te makkelijk maak. 'Ik ben geen zes meer, hoor.' In werkelijkheid is ze net zeven geworden, maar zes ligt al ver achter haar als verwerpelijke leeftijd, vol roze knuffels en schattige jurkjes. 'Voor je het weet ben ik een tiener!' kondigde ze pasgeleden aan, waardoor ik haar met open mond aanstaarde bij die gedachte.

En dus moet ik me zo verstoppen dat ze weet dat ze serieus wordt genomen, maar niet zo goed dat ze me nooit zal kunnen vinden. Als ik dat drie keer heb gedaan, is het haar beurt. Het is altijd zoveel keer in die volgorde. Nu verstop ik me voor de tweede keer. Ik heb Jo tegen mijn borst in zo'n draagzak met allerlei gespen en banden waar je een eeuwigheid mee bezig bent, maar die hem wel veilig en warm tegen mijn borsten gedrukt houdt. Als ik hem zo gebundeld en zacht snurkend zie, doet zijn gerimpeld gezicht me aan een piepklein oud mannetje denken. Terwijl Poppy telt, sluip ik zacht de deur uit naar de gang met mijn handen op de rug van de draagzak zodat Jo niet wakker wordt geschud.

In de gang blijf ik even staan nadenken waar ik heen zal gaan. We wonen nu bijna acht maanden in dit huis, maar ik voel me er nog steeds niet echt thuis. Meer een indringer. Achter me is de prefab keuken die als een puist aan de zijkant van het huis is geplakt. We zijn van plan hem af te breken zodra het huis klaar is, maar nu heeft Simon er tijdelijk een aanrecht met aansluiting voor een wasmachine neergezet, en ik kook op een kampeergasstel; functioneel, maar niet bepaald een plaatje uit *Homes and Gardens*. Dan is er nog die vreemde donkere tunnel waar ik nu sta, met betonnen vloer en vochtplekken. Die verbindt het keukentje met de rest van het huis en leidt naar het open woongedeelte op de begane grond. Daar hebben we het meeste werk verricht: een peperdure houten vloer gelegd, nieuwe ramen aan weerszijden, zodat je uitkijkt op de rivier en de velden, en verder is er Simons ultramoderne verlichting. Als ik bedenk hoeveel het allemaal heeft gekost, voel ik nog steeds een ongeruste steek in mijn maag. Het is een goede investering, zegt Simon aldoor; het komt allemaal goed.

Midden in de kamer is een zitkuil met ons driedelig bankstel, de tv en een enorm kamerbreed venster dat Simon voor Kerstmis heeft aangebracht. Een deur aan de andere kant leidt naar onze onbetegelde badkamer. Achterin zijn aan weerskanten trappen naar de corridor boven. Rechts bij de keuken de nieuwe houten trap en links de oude metalen trap. Op de eerste verdieping komen zes kleine kamers uit op de corridor, waar ooit hop werd opgeslagen. We hebben er drie uitgeruimd en redelijk bewoonbaar gemaakt, maar de rest is nog een puinhoop. Na die kamers aan het eind van de corridor loopt een metalen ladder naar de zolder bovenin. We zijn van plan om de ladder door een chique wenteltrap te vervangen en de zolder om te toveren in een 'penthouse suite' voor onze bed&breakfastgasten, met een aangrenzende badkamer en weids uitzicht over de riviermonding. De ontnuchterende werkelijkheid is echter dat het halve dak is ingestort en aan het voortdurend geritsel te horen, zitten er ratten.

In de keuken is Poppy al bij vijftien. Ik loop naar de gordijnen. Dat is een vrij voor de hand liggende schuilplek, maar ik moet er niet aan denken al die treden op te klimmen met Jo in zijn draagzak. Ik wikkel het dikke witte katoen strak om me heen en hoop dat ze mijn sportschoenen er niet onderuit ziet steken. Daar komt ze. Als ze roept: 'Wie niet weg is wordt gezien!' is ze al halverwege de gang. Nu hoor ik haar over de houten vloer hollen.

'Ik zal je vinden, mama!' roept ze. 'Ik weet waar je bent!'

In plaats van verder naar de gordijnen te rennen, hoor ik dat ze de metalen trap op klautert. Jo wordt onrustig en ik buig me voorover om de ribfluwelen banden van de draagzak losser te maken. Boven hoor ik onze slaapkamerdeur dichtslaan. Ik begin me ongerust te maken dat Poppy de gammele ladder naar de grote zolder op gaat. Dat heb ik haar verboden; de ladder is verraderlijk steil en achter de deur met hangslot zijn de vloerplanken verrot. De hele winter vielen er hompen pleister van het plafond die van de beraping schilferden als de korstjes van Jo's babyeczeem. Bovendien is er achter op de zolder een kleine deur naar een krakkemikkig platform waar honderd jaar geleden zakken tarwe of hop van de boten omhoog werden gehesen. De verroeste windas is er nog steeds en steekt uit boven een val van vijftien meter naar het moeras. Die kamer is zonder meer verboden terrein.

Nog maar even geleden hoorde ik Simon in zijn schilderatelier rondscharrelen, maar nu is alles stil. Ik wil hem absoluut niet onder ogen komen. Het gewriemel tegen mijn borst wordt heftiger. Ik leg mijn hand op het pluizige hoofdje dat uit de draagzak steekt, maar het is te laat. Als een kat die op vechten uit is begint Jo te krijsen. Nu rent Poppy over de corridor, haar voetstappen dreunen boven mijn hoofd. Ze blijft even staan om te luisteren en dendert dan de trap af als een werveling van triomfantelijke furie met wapperende blonde vlechten en magere beentjes die voor het gordijn tot stilstand komen. Met een ruk trekt ze het weg, alsof ze iets wil bewijzen.

'Mam! Waarom laat je Jo het altijd bederven?'

'Hij is nog maar een baby,' zeg ik wat bozig tegen haar wanneer ik achter de gordijnen vandaan stap. 'Ik kan hem niet laten ophouden met huilen.'

'Wel waar. Je laat het alleen maar toe zodat je niet met mij hoeft te spelen.' Ik krijg een zwaar gevoel in mijn buik, alsof er iets akeligs in vastzit.

'Ik doe heus mijn best!' zeg ik smekend, alsof een zevenjarige geïnteresseerd is in mijn intenties. Ze wil mijn totale onverdeelde aandacht. Wat ze wil, zegt ze steeds tegen me, is terug naar de tijd toen alleen zij en ik er waren, in ons kleine appartement in Londen. Ze heeft geen behoefte aan een vader of broertje, zegt ze. Aan mij heeft ze genoeg.

Ik ga op mijn hurken zitten, bevrijd Jo uit zijn ribfluwelen harnas en maak mijn voedingsbeha los. Twee seconden later heeft hij mijn borst gevonden en zuigen zijn zachte lippen hard aan mijn tepel. Poppy torent woedend boven ons uit.

'Zal ik mijn laatste beurt overslaan, dat jij je nu verstopt?' zeg ik. 'Dan maakt het niet uit of je Jo hoort.'

'Maar jij bent nog steeds aan de beurt.'

'Andersom gaat veel beter. Dan kun je daarna eten en dan gaan we naar Pat.'

'Ik wil niet naar Pat!'

Ik moet me bedwingen om niet te gillen.

'Kom op nou, Popje,' zeg ik op verzoenende toon. 'Ik weet dat je een rotdag hebt gehad, maar ik beloof je dat het morgen wel leuk wordt. Misschien kunnen we naar dat park achter Pats huis. Ga je maar verstoppen, dan tellen Jo en ik tot twintig en gaan we je zoeken.'

Ze kijkt me aan alsof ik gek ben.

'Jo kan niet tellen,' zegt ze, waarna ze zich omdraait en kwaad wegloopt.

Ik tel langzaam, hopend dat Jo uitgedronken is als ik bij twintig ben. Terwijl ik de cijfers afroep hoor ik boven een deur open- en dichtgaan. Als Poppy nog kwaad was, had ze hem dichtgeslagen, maar dit klinkt kalm en beslist, dus kennelijk gaat het spel nog door. Bij negentien haak ik mijn pink in Jo's mond en haal hem voorzichtig van mijn borst. Er klinkt een luid zuiggeluid, als een wellustige zoen, dan zakt zijn hoofd met lodderige ogen achterover. Ik gesp de banden weer vast om mijn middel en hijs me omhoog.

'Ik kom!' roep ik. 'Wie niet weg is wordt gezien!'

16

Dan hoor ik de auto, het geronk van een motor die start op de oprit. Ik ben deels opgelucht maar ook wat paniekerig. De hele dag heb ik hierop gewacht en nu moet ik snel handelen. Ik moet het spel zo snel mogelijk beëindigen, dan de tassen naar mijn auto zeulen en vertrekken.

'Oké, mevrouwtje!' roep ik. 'Waar ben je?'

Ik snel met een vluchtige blik om me heen door de woonkamer omdat ik weet dat ze daar hoogstwaarschijnlijk niet is. Als ik haar te snel vind, zal er weer een scène volgen, maar ik barst van ongeduld. De klik van de deur leek van achter me te komen, maar of dat betekent dat ze boven of in de keuken is, weet ik niet. Het huis is zo groot en zoals gewoonlijk werd ik afgeleid door Jo. Ik kijk in de badkamer en klim moeizaam de trap op. De laatste tijd maakt ze er een gewoonte van om van kamer naar kamer te schieten terwijl ik aan het zoeken ben, om het spel langer te laten duren. Terwijl ik de draagzak heen en weer wieg om Jo weer in slaap te krijgen duw ik de deur van mijn slaapkamer open. De vloer is bezaaid met Simons kleren die hij gisteren aanhad en heeft uitgetrokken voor hij in bad ging. Ik buk me onhandig om vast te stellen dat Poppy zich niet onder het bed heeft verstopt. Het enige wat ik zie is de omtrek van een koffer, een verkreukte pyjama en een vergeten pocket. In de kast is ze ook niet. Het is stil in de kamer en in de zwakke zon die even achter de voorbijglijdende wolken is verschenen dwarrelt stof. Ik sluit de deur en loop door de corridor naar haar kamer.

Hier is ze ook niet. Even denk ik dat ze onder het opgehoopte dekbed ligt, maar als ik het terugsla vind ik alleen haar nachthemd en Cooky, haar blauwe panda.

Ik been door de corridor. Simon kan elk ogenblik terug zijn.

'Genoeg, Poppy,' roep ik. 'Ik geef het op!'

Ik krijg geen antwoord. Over de houten balustrade leunend tuur ik door de woonkamer. Niemand te bekennen. Zou ze in de keuken zijn? Ik snel door de gang en duw de deuren van de vervallen kamers open en werp een snelle blik naar binnen. Dat duurt niet lang: afgezien van de blikken verf en afgekrabd behang zijn de kamers leeg. Als ik bij de metalen ladder ben die naar de deur van de zolder voert, bonst mijn hart in mijn keel bij de gedachte dat Poppy zo hoog zou klimmen. Ik pak de zijkanten beet en wil mezelf optrekken, maar blijf dan opgelucht staan. Het hangslot hangt nog aan de deurgrendel.

Ik loop de houten trap af terwijl ik Poppy blijf roepen. Ik ben nu al ruim tien minuten aan het zoeken en tot mijn ongenoegen op het punt beland waarop ergernis overgaat in ongerustheid. De begane grond is te overzichtelijk om je goed te kunnen verstoppen, daarom weet ik eigenlijk al dat ze daar niet is, ook al por ik tegen de gordijnen en kijk ik achter deuren. Door de gang loop ik terug naar de keuken, maar ze is niet onder de tafel of achter de achterdeur. Ook heeft ze zich niet onder de jassen verstopt die in bundels bij het schoenenrek liggen, noch zit ze gehurkt in het hok waar ik stoffer en blik opberg. Ik begin over mijn toeren te raken.

'Poppy!' roep ik opnieuw. Mijn stem heeft een andere klank gekregen: hoger en kribbiger. Het is bijna etenstijd, en Simon kan elk ogenblik terugkomen. Ik rij wel langs een benzinepomp, besluit ik, voor wat broodjes.

'Kom, liefje!' roep ik. 'We moeten weg!'

Het blijft stil in huis. Ik ren terug naar de woonkamer, en blijf met ingehouden adem stokstijf staan om elk geluidje te kunnen opvangen. Ik hoor echter niets, alleen Jo's gesnuif en een tak die tegen het raam tikt. Tot nu toe heb ik haar altijd gevonden in deze fase van het spel; ze is te jong voor listigheid en verraadt zichzelf door te lachen of te niezen of me te roepen.

'Poppy!' roep ik nog één keer. 'Ik geef het op.'

Geen antwoord. Ik begin onheilspellende voorgevoelens te krijgen, een toenemende paniek, die als een wervelwind op me af suist. Waar is ze in godsnaam?

'Poppy!'

Op mijn lip bijtend loop ik de trap weer op. Ik zou sneller kunnen bewegen zonder Jo in de draagzak, maar ik ben te ongeduldig om hem zo voorzichtig los te maken dat hij niet wakker wordt. Er is geen reden voor paniek, houd ik me voor. Dit is nu eenmaal verstoppertje. Poppy verstopt zich en ik zoek. Maar als ik me door de gang haast, deuren open en niemand vind, begint zich een vormeloze angst van me meester te maken. Het is bijna een halfuur geleden dat ik de deur hoorde dichtgaan. Ik hol de trap af en ga bij het grote raam staan terwijl ik uit alle macht probeer kalm te blijven.

Achter me weergalmt het huis door mijn dochters afwezigheid.

Ze is vast buiten. Ik kijk door het glas naar de bouwput waaruit onze tuin bestaat: modder, stapels sintelblokken tegen de zijmuur, de met zeildoek bedekte fundamenten. Daar heeft Poppy niets te zoeken. Het is bitterkoud; ik kijk uit naar tekenen van lente, maar deze ochtend dwarrelden er sneeuwvlokken door de lucht. Het is ondenkbaar dat Poppy naar buiten zou zijn gegaan in haar dunne T-shirt en zigeunerrokje. Toch duw ik de deur open.

'Poppy!' roep ik naar de grijze middaglucht. 'Póppy!'

Zou ze soms uit de tuin naar de rivier zijn gerend? Als ik me de doolhof aan paden voorstel die door het moerasgebied loopt, spartelt mijn maag als een gestrande vis die probeert terug te komen in het water. Zo meteen zal het donker zijn. Mijn dochter is niet avontuurlijk aangelegd, ze zal zeker verdwalen in het desolate landschap vol verweerde boten en drasgrond. Ze kan uitglijden en in het zilte water vallen. Ik wil naar buiten lopen, de angst drukt op mijn borst. Straks zal ik haar vinden en zal die nijpende paniek meteen belachelijk worden: de ongegronde angsten van een overbezorgde moeder.

'Poppy! Waar ben je toch?'

Terwijl ik over het zeildoek klauter kom ik bij de schutting die het pand omringt en kijk er wanhopig overheen. Achter het pakhuis ligt de scheepswerf. Rechts loopt een zandpad naar de cottage van de Perkins, gevolgd door een rij garages en het huis van Trish. Vooraan kronkelt een smal pad door deinende rietklompen naar de oever van de rivier. Verderop strekt het moeras zich naar de schemerlucht uit. Ik loop half strompelend naar de rivier en speur de horizon af. Een halfjaar geleden vond ik dit een prachtig uitzicht: het uitgestrekte landschap, de zeemeeuwen en verlaten boten, de kromming van de horizon. Nu maakt het me misselijk.

'Poppy!'

Het landschap is zo vlak dat ik als ze het pad had genomen haar kleine gestalte zeker in de verte had kunnen zien verdwijnen. Het enige wat ik echter zie is een man met een hond die snel in mijn richting loopt, met opgetrokken schouders tegen de kou. Ik zwaai met mijn armen om zijn aandacht te trekken.

'Hebt u een klein meisje gezien?' Door die vraag wordt Poppy's verdwijning ineens werkelijkheid, en krijgt de paniek nog meer greep op me.

'Nee, mevrouw.'

Hij is in de zestig, ingepakt in een dikke waterafstotende jas met een pet. Zijn labrador draaft vrolijk achter hem aan.

'We waren verstoppertje aan het spelen,' zeg ik en mijn stem sterft weg als de man bij het hek stilstaat. Hij trekt een afkeurend gezicht, typisch iemand van een oudere generatie die gelooft dat je kinderen niet moest verwennen.

'Nogal koud in dit weer, hè?'

'Ik kan haar nergens vinden. Ik was bang dat ze naar de rivier was gelopen…'

'Daar zijn geen kleine meisjes, mevrouw. Alleen meeuwen en krabben en heel veel modder.'

Hij grinnikt en loopt verder, terwijl de hond zijn poot optilt bij een van de houten stijlen van ons hek. Hij heeft natuurlijk gelijk. Poppy kan zich wel eens boos in haar kamer verschansen of zich op mijn bed werpen, gillend dat ze met rust gelaten wil worden, maar dat soort fratsen zijn bedoeld om mijn aandacht te trekken, want ze vindt het vreselijk om alleen te zijn. Mijn moederlijke intuïtie zegt me dat ze nooit alleen naar de rivier zou gaan.

Ik loop op een draf terug naar de keuken in de vurige hoop dat ik haar daar zal aantreffen. Ik zal de deur openen, en dan zal ze aan de keukentafel triomfantelijk naar me zitten grijnzen. Maar de keuken is nog precies zoals ik hem heb achtergelaten: de beker sap en het half opgegeten koekje op tafel een alarmerend blijk van hoeveel ik voor vanzelfsprekend aanneem en hoeveel ik te verliezen heb. Als verdoofd neem ik het beeld in me op, en verlang zo naar haar dat ik een brok in mijn keel krijg. De knagende ongerustheid die ik nog maar pas in deze kamer heb gevoeld heeft nu plaatsgemaakt voor iets gewichtigs, een zekerheid. Op de keukenklok is het tien voor vijf. Dat betekent dat er veertig minuten zijn verstreken sinds ik riep: 'Wie niet weg is wordt gezien!' Poppy is weg. Mijn schat van een dochter is verdwenen.

Even voel ik me verstijfd. Ik blijf op de betonnen vloer staan en staar hulpeloos door de keuken, alsof ze daar als door een wonder ineens zal materialiseren. Veertig minuten geleden ging Poppy zich verstoppen en nu is ze weg. Die simpele conclusie is zo beangstigend dat mijn knieën knikken.

Jo begint onrustig te worden, maar ik negeer hem. Ik ren door de gang naar de trap die naar onze slaapkamers voert.

'Poppy!'

Wanhopig spits ik mijn oren of ik iets hoor: geschuifel van voeten of zelfs een onderdrukte snik, maar ik hoor niets. Ik heb de kamers boven al twee keer doorzocht. Ik weet zeker dat ze niet in de woonkamer, de keuken, of de badkamer is. Ik hoorde de auto, herinner ik me steeds, de banden die over het grind van de oprit knerpten. Ik ben te veel in paniek om die gedachte in zijn volle omvang toe te laten.

Er is nog een sprankje hoop. Ik graai mijn telefoon van de bank en toets het nummer van Trish in. Haar mobiel gaat twee keer over, dan neemt ze op.

'Ha, Mel! Hoe is-ie?'

Door het vertrouwde geluid van haar stem vullen mijn ogen zich met tranen.

'Alles kits?'

'Het gaat om Poppy, Trish. Ik kan haar nergens vinden...' Mijn stem klinkt hoog en beverig en bijna hysterisch.

'Hoe bedoel je?'

'We speelden verstoppertje...Ze is toch niet bij jou, hè?'

'Ik ben niet thuis. Ik ben net onderweg van Tesco...'

'O, mijn god, Trish... Simon is er ook niet!'

Nu heb ik het gezegd en er is geen weg terug. Het is geen spelletje meer. Ik schuifel niet langer om het gapende gat voor me. Poppy is weg. En Simons auto staat niet meer op de oprit. Trish zwijgt even. Ik begrijp dat ze nadenkt.

'Hou je goed, kind,' zegt ze op geruststellende toon. 'Ik kom naar je toe.'

2

Het is onverdraaglijk om hier te moeten wachten. Ik móét iets doen; alles is beter dan in de keuken naar die galmende stilte luisteren terwijl het voelt alsof ik in een op hol geslagen achtbaan zit. Ik grijp mijn gewatteerde jas en ren naar de achterdeur, duw hem open en storm de ijzige schemering tegemoet.

Als Jo de kou voelt, vertrekt zijn gezicht in een pijnlijke grimas. Nadat ik mijn jas om hem heen heb dichtgeritst ren ik met mijn hand op zijn warme hoofdje via de voortuin door het hek; deze keer sla ik rechts af naar de cottages aan het eind van de landweg. Nog maar een paar dagen geleden had Bob ons begroet met het nieuws dat hij en Janice een jong egeltje, dat ze verdwaald tussen het riet hadden gevonden, onder hun hoede hadden genomen. Misschien is Poppy bij hen, denk ik dwaas, en voert ze het egeltje warme melk terwijl ze een scone opsmikkelt. Maar terwijl ik op de deur van hun knusse huisje bonk, weet ik al dat ik haar niet zal vinden in hun bloemetjesvoorkamer.

Wanneer de deur opengaat, wordt mijn voorgevoel bevestigd. Bob tuurt door zijn halvemaanbril met een exemplaar van *The Times* opgevouwen onder zijn arm. Achter hem flikkeren beelden op de tv, niet van een kinderprogramma, maar van een nieuwslezer achter een bureau.

'Hallo, Melanie.'

'Ik ben Poppy kwijt!' Meteen als ik het zeg voel ik me nog ellendiger. Het lijkt wel of ik in een eindeloze vrije val ben beland. 'Ik dacht dat ze misschien bij jullie was...'

Hij fronst. Janice komt achter hem staan en bekijkt me achterdochtig.

'We hebben haar niet gezien.' Zijn gezicht krijgt een gedecideerde gesloten uitdrukking, alsof hij niets met me te maken wil heb-

ben. In mijn paniek was ik de gebeurtenissen van de afgelopen achtenveertig uur vergeten: wat mijn buren hebben gezien en de con-
clusies die ze moeten hebben getrokken. Ik knik verwoed, me nauwelijks bewust van wat ik stamel.

'Ik moet terug, misschien is ze thuis... Ik bedoel, ik moet de politie bellen...'

Dan snel ik weer over het modderige grind van de landweg met
mijn armen stevig om Jo heen, biddend dat dit ophoudt.

Mijn volgende stap is de alarmcentrale bellen. Met trillende vingers
toets ik het nummer in. Ik maak de overstap van wat aanvankelijk
nog als een onbeduidend huiselijk incident kan worden beschouwd
naar de officiële aangifte van een vermissing. Terwijl ik wacht tot er
wordt opgenomen, herinner ik me het kaartje van hoofdrechercheur Gosforth dat ergens tussen de rommel op de keukentafel ligt.
De gedachte aan zijn zelfgenoegzame gezicht maakt me misselijk.
Ik zet het uit mijn hoofd. Het heeft er niets mee te maken. Dat is
onmogelijk.

'Met wie kan ik u doorverbinden?'

'De politie,' fluister ik.

Trish arriveert als eerste. Ik heb alle kamers voor de derde keer
doorzocht, ben door de tuin gegaan en heb net de ouders van Poppy's schaarse vriendinnen gebeld, wanneer ze door de achterdeur
naar binnen loopt. De reactie van de twee moeders die ik sprak is
identiek: verbaasd medeleven vermengd met nauwverholen afkeuring. Alleen achteloze moeders raken hun kinderen kwijt, klinkt
door in hun geschokte stemmen; zoiets zou hun niet overkomen.
Elly is de hele middag op balletles geweest, zo wordt mij verteld, en
Lily is bij haar grootouders. Dan ben ik uitgebeld. Mijn hysterische
paniek bedwingend leg ik de hoorn op de haak en als ik me omdraai
zie ik Trish die de deur achter zich dichttrekt.

Zodra ik haar gezicht zie, verandert de klauwende angst die zich
van me heeft meester gemaakt in hete kleverige tranen die ik onmogelijk kan bedwingen. Trish strekt haar armen naar me uit en ik laat
me omhelzen terwijl haar zwangere buik als een harde bobbel tegen
me aan drukt.

'Jezus, Trish, ze is weg!' zeg ik snikkend wanneer ik haar eindelijk loslaat. 'We waren verstoppertje aan het spelen en toen is ze verdwenen!'

Trish stapt achteruit en kijkt me met haar lieve bruine ogen aan. We zijn pas een paar maanden bevriend, maar als ik haar hand vasthoud en in haar knappe gezicht kijk, is ze mijn enige houvast in deze ellende die me plotseling als een vloedgolf heeft overweldigd.

'Vertel wat er gebeurd is.'

Samen gaan we aan de rommelige tafel zitten. Onder het praten draai ik mijn trouwring heen en weer over de bleke schilferige huid van mijn vinger. Jo ligt onbezorgd borrelende geluidjes te maken in zijn babystoeltje op de grond.

'We speelden verstoppertje en ik was haar aan het zoeken. Ik bedoel, ik hoorde haar naar boven gaan... en de deur ging dicht... Dus ik ging naar boven om haar te zoeken en toen was ze weg...'

'En Simon?'

'Hij kwam vanochtend terug! Hij is de hele dag op zolder blijven werken... Later hoorde ik een deur achter me dichtgaan en de auto wegrijden...'

'Was dat voor Poppy zich had verstopt?'

Ik schud mijn hoofd met een onheilspellend gevoel om wat haar vragen impliceren. 'Dat weet ik niet!'

'Heb je hem gebeld? Ik bedoel, misschien hebben jullie elkaar verkeerd begrepen en dacht hij dat hij iets met haar zou gaan doen of zoiets...'

Haar stem sterft weg en ze kijkt me nadenkend aan. Ze is zo hoogzwanger dat ze de stoel van de tafel af moest schuiven en er nu schrijlings op zit met haar handen over haar wollen trui gevouwen, als een zwaarlijvige lekkerbek die achteroverleunt na een copieuze maaltijd.

'De politie heeft zijn mobiele telefoon meegenomen...'

Ik kan niets meer uitbrengen, want mijn tanden klapperen als die van een fopskelet.

'Je hebt het ijskoud. Hier.' Ze trekt haar trui over haar hoofd en legt die om mijn schouders. Ze heeft gelijk. Door de schrik ben ik veranderd in een ijsklomp.

'Ik ga theezetten,' zegt ze terwijl ze opstaat.

Even later arriveert de politie. Eerst zwaaien de lichten van hun auto over de landweg, dan hoor ik het dichtslaan van een autoportier, gevolgd door het knerpen van hun schoenen op de oprit. Trish laat hen binnen terwijl ik ineengedoken blijf zitten met haar zwangerschapstrui om me heen. Inmiddels beef ik onbeheersbaar.

Ze zijn met z'n tweeën: een jongeman met een glad, uitdrukkingsloos gezicht dat me doet denken aan een van de mannen in Dons makelaarskantoor – een belabberde verkoper die door Don betrapt werd toen hij cocaïne stond te snuiven in de toiletten en ontslagen werd – en een vrouw, die achter hem staat. Ze is blond en knap, maar niet mondain, met lichtblauwe ogen die met een onbewogen blik de rommelige keuken in zich opnemen. De man geeft me een slap handje en zegt dat hij agent Johnson is.

'We hebben doorgekregen dat er op dit adres een kind vermist wordt,' zegt hij terwijl hij zich naar Trish omdraait. 'Bent u de moeder?'

'Dat ben ík.'

Ik sta op zonder er acht op te slaan dat mijn trillende knieën tegen de tafel stoten, waardoor er een stapel papieren op de grond glijdt. Agent Johnson heeft zijn opschrijfboekje uit de binnenzak van zijn jasje gehaald.

'En u bent?'

'Melanie Stenning.'

Dat noteert hij, zonder het verband te leggen. Met zijn ijskoude ogen en roofdierachtige glimlach lijkt hij in niets op Dave Gosforth. Dit is een simpele zwoeger die de procedures strikt volgt, maar niet oppikt wat er vlak voor zijn neus gebeurt.

'Hoe oud is het kind?'

'Zeven. Ze heet Poppy.'

'Kunt u beschrijven hoe ze eruitziet?'

'Zeg maar je. Ze heeft blonde vlechten, blauwe ogen, en…' Mijn stem sterft weg. Hoe kan ik mijn kind beschrijven in de neutrale bewoordingen die hij in zijn opschrijfboekje wil noteren? Ze is zo mooi dat ik haar wel van top tot teen met kussen zou willen bedekken en haar gladde roomkleurige huid, haar zachte roze lippen en haar zijdeachtige haar, zoals het vaak tussen mijn vingers golft, zou willen absorberen. Ze is een droom van een kind, stralend, een

explosie van licht. Maar als ik zwijgend in het niet-begrijpende gezicht van agent Johnson staar, kan ik geen woorden meer vinden.

'Wat had ze aan?' vraagt hij op bijna verveelde toon.

'Een denim zigeunerrokje en een roze T-shirt met hartjes erop,
witte sportschoenen…'

'We hebben een foto nodig, als je die hebt.'

'We denken dat haar stiefvader haar heeft meegenomen,' onder-
breekt Trish hem. 'Mel hoorde zijn auto wegrijden toen ze net weg
was.'

'Dat weet ik niet zeker,' mompel ik. 'Ik zou niet weten waarom
hij zoiets zou doen…'

'Ho ho. Niet zo snel, dames. Laten we ons met één ding tegelijk
bezighouden.'

Ik bijt op mijn onderlip. Ik wil me niet met één ding tegelijk bezighouden. Ik wil dat de politie de ijskoude nacht in gaat met een
helikopter en een stoet auto's en elke weg in het hele godvergeten
land afsnelt om mijn kind te zoeken. De agent krabbelt in zijn opschrijfboekje zonder acht te slaan op het ongeduldig tikken van
mijn voet.

'Waar heb je je dochter voor het laatst gezien, Melanie?'

'Hier in huis. We speelden verstoppertje.'

'Ik neem aan dat je het hele pand grondig hebt doorzocht?'

'Natuurlijk. Ze is er niet.'

'Weet je hoe laat het was toen je haar voor het laatst zag?'

'Een uur of vier. We begonnen met verstoppertje om ongeveer
kwart voor. Ik had me een keer verstopt en daarna was het haar
beurt, toen hoorde ik een deur dichtgaan…'

'Welke deur?'

'Ik dacht ergens boven, of misschien van de keuken, maar het
kan overal zijn geweest… Ik weet het niet goed meer. Ik had Jo namelijk aan de borst en ik luisterde niet echt…'

Hij kijkt gewichtig in de richting van de gang. 'Ik heb overal gekeken,' zeg ik wanhopig.

'En de mogelijkheid bestaat dat je man haar heeft meegenomen?
Denk je dat hij misschien heeft vergeten je in te lichten?'

'Nee!' Geïrriteerd schud ik mijn hoofd. 'Dat kan niet!'

Trish loopt naar me toe en geeft me een kneepje in mijn hand.

'We zijn bang dat hij haar niet zal terugbrengen.'

Ik staar naar de ongeveegde vloer, zie de resten pasta van de lunch, plastic kralen uit Poppy's doosje met haarfrutsels en mijn eigen modderige schoenafdrukken. Ik wil niet huilen, niet nu.

'Of misschien is ze ergens heen gelopen…' zeg ik onlogisch.

'Heeft je man een mobiele telefoon?'

'Nee.' Koppig kijk ik hem aan, het vertikkend om hem de reden uit te leggen.

'En weet je waar hij naartoe zou kunnen zijn?'

Ik schud mijn hoofd. Naar Londen? Naar zijn moeders kille huis met de weergalmende kamers en muffe tapijten? Alles is mogelijk, want de afgelopen maanden zijn Simons normale gedrag en routine onherkenbaar geworden, als wolken die door een storm uiteen worden geblazen.

'Ik heb geen idee.'

'In wat voor auto rijdt hij?'

'Een oude witte Volkswagen station. Wat voor kenteken weet ik niet. Hij heeft hem vanochtend van een vriend geleend.'

'Kun je me zeggen hoe we die vriend kunnen bereiken? We hebben het kenteken nodig.'

'Hij heet Ollie. Simon werkte met hem samen. Zijn mobiele nummer hangt op dat prikbord.'

Ik wijs naar het kurkbord aan de muur vol verftekeningen van een zevenjarige, folders voor biologischegroentetassen en brieven van school. Boven in een hoek heeft Simon Ollies nummer op de achterkant van een folder van de afhaalchinees geschreven, voor noodgevallen.

'Juist,' zegt de agent met een knikje. 'Voor we verdere actie ondernemen geef ik de gegevens van het voertuig door aan ons controleteam en dan nemen we snel een kijkje in het pand om er zeker van te zijn dat ze zich niet nog steeds voor ons verstopt, ja?'

Ongeduldig haal ik mijn schouders op. 'Zoals je wilt. Maar ik heb vier keer boven gekeken en de deur naar de zolder is vergrendeld met een hangslot. Daar is ze beslist niet.'

Jo begint te jengelen. Ik hurk naast het babystoeltje, maak de riempjes los, haal hem eruit en druk mijn gezicht tegen zijn warme lijfje.

Zijn mollige beentjes trappen in de lucht. Ik kan nog steeds niet geloven dat Simon Poppy mee zou nemen, maar hoe vurig ik ook wens dat het niet zo is, ze is weg. Voor het eerst dringt de rauwe werkelijkheid in volle omvang tot me door en sleurt me omlaag alsof ik verdrink. Ik snik het uit en wieg de arme Jo alsof hij degene is die getroost moet worden. Dit is mijn schuld. Ik dacht alleen aan mezelf en luisterde niet. En nu is mijn dochter verdwenen.

Als ik opkijk, staat de vrouwelijke agent bij de deur in haar mobilofoon te praten. Agent Johnson en Trish zijn verdwenen. Vanaf het eind van de weg hoor ik het snerpende geluid van een sirene en de blauwe lichten van de versterking flitsen door de jaloezieën van de keuken.

'Je bent met Simon Stenning getrouwd, hè, Melanie, klopt dat?' vraagt de vrouwelijke agent vriendelijk als ze haar mobilofoon aan haar riem terugklikt. Ik knik en veeg zonder haar aan te kijken mijn wangen aan mijn mouw af. Jo wil drinken, daarom laat ik hem afwezig op mijn pink zuigen.

'Is hij Poppy's vader?'

'Haar stiefvader,' mompel ik. 'En we wilden net weggaan.'

3

Een halfjaar geleden zou ik er net zomin over gepeinsd hebben om bij Simon weg te gaan als dat ik een winnend lot zou hebben weggegooid. Ik voelde me alsof ik de jackpot van een miljoen had gewonnen: ik was overrompeld door vreugde omdat mijn leven onverwacht totaal veranderd was door een timide maar verrassende man. Hij was niet bepaald mijn type: een ongeschoren veertiger met een slonzig appartement, een schilder in ruste, een dromer met zulke smalle polsen dat ik als ik ze met mijn vingers omvatte ik het bot voelde, scherp en bijna pijnlijk. Als ik zijn profiel op een datingwebsite was tegengekomen zou ik meteen het volgende hebben aangeklikt. Ik ging voor ongepolijste machotypes, die de sportschool bezochten en te hard reden; mannen die veel liever naar de Big Match keken met hun vrienden dan met mij over hun gevoelens praatten. Geen van hen had me ooit gelukkig gemaakt, maar voor mij waren ze inmiddels zo'n beetje standaard, net zo vertrouwd en voorspelbaar als dronken worden.

We ontmoetten elkaar op 28 december 2003. Objectief beschouwd is dat pas kort geleden, maar voor mij lijkt het een eeuwigheid: een ver verleden dat steeds verder vervaagt. Het was het staartje van een miserabele vakantie, het niemandsland tussen Kerstmis en oud en nieuw, wanneer de kerstbomen hun naalden laten vallen en het vuil moet worden opgehaald. Ik ging weer aan het werk en nam opgelucht afscheid van Pat om terug naar Londen te gaan. Het was de vreselijkste kerst geweest die ik me kon herinneren, waarschijnlijk omdat ik eindelijk was bezweken voor Pats aandringen en met Poppy naar haar huis in Buckinghamshire was gegaan. Ze had zo haar best gedaan om het 'helemaal volgens de regels' te doen dat ik gek werd van ergernis en zelfhaat. Onze kamer was versierd met hulst en de woonkamer werd in beslag genomen door een enorme Noorse den vol protserige goudkleurige ballen en glazen diertjes die ze speciaal voor de gelegenheid moest hebben gekocht, want in mijn jeugd waren ze er nooit geweest. Aan de voet van de boom lagen niet zozeer cadeaus als wel strategische hints: een pannenset met kookboek voor mij; een Teeny Tiny Tears-pop met wandelwagentje voor Poppy, in Pats verbeelding het soort traditionele cadeau waar haar kleindochtertje dolgelukkig mee zou zijn. Elke maaltijd was gepland met militaire precisie, tot en met onze zitplaatsen en de spelletjes die we na het eten zouden spelen, en elke dag was gevuld met uitjes waarin Poppy en ik triomfantelijk aan Pats vriendenkring werden geshowd: haar lang verloren dochter eindelijk terug in de huiselijke schoot. Ik was vergeten hoe ze je opeiste en aan uiterlijkheden hechtte. In haar afwezigheid had ik me niet hoeven storen aan haar wens om me te conformeren aan haar maatstaven, maar nu ik haar na drie jaar voor het eerst weer een bezoek bracht wist ik weer waarom ik was weggegaan. 'Ik heb een heel interessant artikel uit de *Spectator* geknipt over kinderen van alleenstaande moeders,' was het eerste wat ze bij mijn aankomst zei, voor ik mijn jas goed en wel had uitgetrokken. 'Dat ze zo achter raken op school.' En later, toen een ongedurige Poppy eindelijk een misplaatst verfijnde maaltijd voor haar neus kreeg, en vol afkeer naar haar bord met wildbraad en aardappelen met roomsaus keek: 'Volgens mij zou dat kind beter af zijn met een strakkere routine.'

Ik misdroeg me, zoals altijd. Ik dronk te veel, verdween te vaak om stiekem een sigaret te roken en maakte bitse opmerkingen die ik beter voor me had kunnen houden. Pat was eenzaam en ongelukkig: gepensioneerd en weduwe op haar vijfenzestigste, wensend dat ze trots en tevreden kon terugzien op wat ze had bereikt. Ze had een gezin willen hebben, maar in de late jaren zestig was IVF nog sciencefiction. Daarom kreeg ze mij ten slotte, het van de hand gewezen kind van een andere vrouw, dat ondanks alle smeekbedes om harder te werken en beter op te letten, opzettelijk voor haar eindexamen was gezakt, drie jaar vergooide met feesten en vervolgens ertussenuit kneep naar Goa. Pat en Michaels ideale dochter zou natuurlijk hebben uitgeblonken in een praktische studie als accountancy of rechten, maar ik zat in India aan de drugs. Terwijl de ideale dochter nauwgezet haar carrière zou hebben opgebouwd, net zoals haar vader, ambtenaar, en haar moeder, onderwijzeres, zo consciëntieus hadden gedaan, werkte ik in een bar en feestte in Oz. Terwijl de ideale dochter uiteindelijk in het huwelijksbootje zou zijn gestapt met een keurige jongeman en een dik jaar later een braaf kleinkind zou baren, werd ik zwanger van een barkeeper en voedde ik mijn baby aan de andere kant van de wereld op. Ze konden nooit begrijpen waarom ik een 'drop-out' was geworden, zoals zij dat noemden. Het leven draaide om werk en een bijdrage aan de maatschappij leveren, had Michael me geschreven toen ik in India zat, niet om gedrogeerde feesten. In hun keurig uitgestippelde levensloop was ik waarschijnlijk hun enige echte mislukking.

Ik reed snel naar Londen terug, met mijn muziek hard aan en Poppy duttend achterin. Goed, ik was een waardeloze dochter en moeder. Ik had er niet voor gekozen dat mijn leven zo zou uitpakken. Ik had me los willen maken van mijn adoptieouders met hun duffe aspiraties, maar op de een of andere manier was ik verstrikt geraakt in alledaagse verantwoordelijkheden. Hoewel ik naar de andere kant van de wereld was gereisd om te ontsnappen aan kleinburgerlijkheid, was ik terug bij af, vol schuldgevoel. In Oz zou ik aan het strand hebben gezeten, biertjes achteroverslaand en Poppy spelend in de branding. Terwijl de stromende regen tegen mijn ruitenwissers klotste, kon ik me niet herinneren waarom ik ooit was teruggekeerd. Daar scheen de zon altijd en niemand beoordeelde me om wat ik deed of wie mijn ouders waren. Maar de waarheid was dat ik maar wat aan rotzooide, het ene baantje na het andere nam om de huur te betalen en de ene rampzalige relatie na de andere aanging. Toen Poppy twee was, was haar vader vertrokken en had ik nauwelijks de energie om uit bed te komen. Ik was inmiddels ook al aardig aan de drank. Als mijn dochtertje er niet was geweest, was ik mezelf waarschijnlijk volledig kwijtgeraakt. Daarom had ik besloten terug te gaan naar Engeland, niet zozeer om naar huis terug te keren als wel om degene die ik aan het worden was achter me te laten.

Het kantoor was jammerlijk verwaarloosd. Ik opende de ramen vanwege de ranzige stank van peuken en bracht een bende lege flessen naar het kleine keukentje waar we koffiezetten en tegen uitdrukkelijke instructies van de directie in onze sigaretten rookten.

Daarna fatsoeneerde ik de plastic kerstboom die op de laatste werkdag was omgestoten, waardoor de lading kerstkaarten die erin gehangen was op de synthetische vloerbedekking terecht was gekomen. De gebruikelijke stroom kopers en verkopers zou pas in het nieuwe jaar verschijnen, maar Don had erop gestaan de tussenliggende dagen open te blijven. 'Laat nooit een deal schieten,' had hij me op mijn eerste dag met glimmende ogen van bezeten geestdrift ingeprent. 'Onthoud, hoe meer onroerend goed we verkopen, hoe groter onze winst!'

Ik had ernstig geknikt bij die sommatie, maar in werkelijkheid interesseerde het me geen barst. Het was niet meer dan het zoveelste baantje en vandaag was de zoveelste dag. Poppy speelde bij haar vriendinnetje Jessie en ik was in een onverschillige stemming. Ik weet niet of je zou kunnen zeggen dat ik depressief was. Toen ik die ochtend de andere nietszeggende gezichten in de metro gadesloeg voelde ik me net als iedereen.

Simon had ingesproken op mijn voicemail.

'Hallo.' Hij klonk gestrest, alsof hij met zijn mobiel belde en haast had. 'Ik wil pronto van mijn appartement op Queen's Road af. Zou je me willen terugbellen? Bedankt.' Hij liet een nummer en zijn adres achter, die ik plichtsgetrouw noteerde terwijl ik onbewogen het handjevol overige berichten beluisterde: een verkoper die klaagde over zijn taxatierapport, een paar verzoeken om informatie over een huis met zes slaapkamers in de buurt van Peckham Rye dat moest worden opgeknapt. Zulke huizen zijn net zo waardevol en zeldzaam als oud goud dat glinstert in dik slib. De yuppen die vijftien jaar geleden alleen maar in Dulwich of Herne Hill wilden kopen, tellen nu bijna een miljoen neer voor een bouwval in Brockwell met een ingezakt dak, verrotte raamkozijnen en een prehistorische keuken. Ze willen een project, roepen ze enthousiast, iets wat ze kunnen opknappen in hun eigen stijl. Ze hebben er het geld voor: om een ultramoderne keuken met Italiaanse kranen en marmeren werkbladen te installeren die meer kost dan de vorige bewoners in 1973 voor het hele huis betaalden.

's Middags belde ik Simon, hopend dat hij niet thuis was en ik na de andere telefoontjes te hebben afgehandeld het kantoor kon sluiten en naar huis gaan. Tot mijn ergernis nam hij onmiddellijk op.

Hij kon zich niet permitteren te wachten, meldde hij. Zou het misschien mogelijk zijn dat ik vandaag langskwam? Zodoende drukte ik die middag tegen tweeën op de bel van zijn appartement in een victoriaanse villa die aan de achterkant grensde aan Nunhead Cemetery en aan de voorkant getooid werd met verwilderde struiken.

Terwijl ik wachtte tot mijn potentiële aanbieder de deur voor me zou laten openklikken, keek ik naar de talloze makelaarsborden die de voortuin van bijna elk huis in de straat sierden, als vlaggen van hedendaags kapitalisme. Honderd jaar geleden zouden deze huizen zijn bewoond door ambitieuze ambtenaren en middenstanders, gescheiden van het centrum van Londen door vrije natuur; vijftig jaar later waren het pensions voor pasgearriveerden uit de Cariben, of familieonderkomens voor berooide Londenaars. Vandaag de dag zijn die huizen bijna allemaal in appartementen opgedeeld, die niemand zich kan veroorloven behalve zakenlieden of jonge hoogopgeleide tweeverdieners, die de kamers doorbreken, de open haarden restaureren en de weg in beslag nemen met hun terreinwagens.

De man die opendeed was echter niet zoals ik had verwacht. Zijn bekakte stem en beleefde ongeduld hadden mij de indruk gegeven van een fanatieke zakenman met een glimmende Jaguar en designerjeans. Simon was daarentegen een sjofel en rommelig type: wijde spijkerbroek onder de verfspatten, gaten in de ellebogen van zijn trui en donker haar dat over zijn schouders krulde. Pat zou gezegd hebben dat hij zich eens goed moest wassen en scheren, maar ik voelde me meteen aangetrokken tot zijn uitstraling van verslonsde adel. Toen hij me met een hartelijke grijns de hand schudde, en me bijziend in de ogen keek, vond ik hem meteen sympathiek.

'Je bent niet zoals ik me had voorgesteld,' zei hij toen hij me meenam naar de hal. Ik lachte en wist niet hoe ik moest reageren. Hij wendde zijn blik niet van me af en vervolgde: 'Die dame van Bonhams droeg stilettohakken en zo'n telefoon met headset. Ze blafte er instructies in, net een piloot. Heel angstaanjagend.'

Ik liet mijn ogen glimlachend over mijn spijkerbroek glijden. 'Sorry dat ik mijn mantelpakje niet aanheb. Ik had vandaag niet op afspraken gerekend. Mijn baas zou me vermoorden.'

'Dan moeten we het hem maar niet vertellen, hè?'

Hij ging me voor op de trap naar de overloop op de eerste verdieping. 'Bonhams heeft het getaxeerd op drie tien. Ik wil graag een second opinion.'

Ik glimlachte beleefd. 'Zal ik dan maar een kijkje nemen?'

'Ga je gang.'

Ik wurmde me langs een fiets die de kleine hal blokkeerde en liep de voorkamer binnen, waar de grote erkerramen en het hoge plafond me opvielen. Een waterige winterzon scheen in bleekgele banen door het vettige glas. De houten vloer was kaal – een pluspuntje, want gewild – maar de muren waren smerig en beschadigd en het meubilair sleets. Wat een eventuele verkoop nog verder zou bemoeilijken was dat de kamer volgepropt was met grote schilderijen: neergekwakt op de ingezakte bank, opgestapeld op de vloer en tegen de muren. Ik ving glimpen op van wervelende landschappen, likken felle kleuren en iets abstracts met rode vierkanten.

'Ben je kunstenaar?'

'Dat wás ik.' Hij sloeg zijn armen over elkaar. 'Mijn muze heeft me in de steek gelaten.'

Ik glimlachte terug. Dat hij overal een humoristische draai aan gaf beviel me wel, alsof hij een beetje de spot met zichzelf dreef.

'Jij hebt tenminste een muze gehad. Ik hoor bij de mensen die niet eens een bepaald doel hebben, laat staan een muze.'

Die opmerking was te persoonlijk voor de situatie en niet handig tegenover een potentiële cliënt. Maar ik begon me eigenlijk al te vervelen in Dons makelaarskantoor en net als met mijn vorige banen zou ik ook in dit geval mijn carrière met plezier torpederen. Vastigheid had me altijd benauwd, en misschien is dat nog steeds zo. Simon trok een gezicht waaruit ik een meevoelende grimas opmaakte. Toen ik me omdraaide, gleden zijn vingers langs mijn arm.

'Mag ik de andere kamers zien?'

Hij nam me mee naar de slaapkamer die bezaaid was met afgedankte kleren en nog meer schilderijen. Ik keek naar de berg kleren in een hoek – vrouwenspullen: een rok met ruches, hooggehakte laarzen, allerlei ondergoed.

'Die troep is aan het eind van de week opgeruimd,' zei hij met een vaag gebaar naar de rommel. Hij leek ineens geërgerd, alsof hij geconfronteerd werd met iets onplezierigs dat hij had proberen weg te moffelen. Ik glimlachte meelevend. Het geïrriteerde geroffel van zijn voet op de versleten vloerplanken benadrukte de slecht onderhouden lege indruk die het huis maakte met zijn kale muren en ontbrekende meubilair. Bijna de helft van onze verkoopbemiddelingen vond plaats omdat de liefde ter ziele was gegaan: huizen die ooit zo hoopvol tot iets moois waren verweven bleven uiteengerafeld achter als een van de twee geliefden opstapte.

'Het is misschien een goed idee om het huis op te ruimen voor er mensen komen kijken…'

'Tja.'

Van de slaapkamer liepen we door de gang naar de keuken.

'Allemachtig!'

Ik stond tegenover een groot schilderij dat scheef aan de muur hing. Met open mond staarde ik ernaar, beseffend hoe grof mijn opmerking moet hebben geklonken. Wanhopig zocht ik naar iets verzachtends, maar terwijl ik het hoekige naakt in me opnam dat me hooghartig aankeek, met haar benen opengespreid over de kruk waarop ze zat, liet mijn brein me in de steek. Ze was broodmager, haar sleutel- en heupbeenderen staken alarmerend naar voren in haar achterovergeleunde pose, waarbij haar warrige zwarte schaamhaar prominent in beeld was. Weelderige krullen vielen over haar rug. Haar gezicht had een kwade en tegelijkertijd smekende uitdrukking, alsof iets wat ze nodig had haar werd onthouden. Ik staarde naar de afbeelding en slikte moeizaam. Aan een kant van het gezicht had de kunstenaar opzettelijk een kwaadaardig zwarte veeg aangebracht, waardoor ze verminkt leek, alsof ze een pak slaag had gehad. Het effect was zeer schokkend.

'Laat maar, zeg maar niets,' mompelde Simon achter me. 'Ik had het van de muur moeten halen. Het is een onding.'

'Dat niet, het is heel indrukwekkend, met dat wazige effect en…'

Hij had geen belangstelling voor mijn gestuntel. Hij beende naar de muur, pakte een hoek van het schilderij beet en trok er zo hard aan dat het loskwam van de haak en schokkerig op de grond viel. Gegeneerd keek ik om me heen terwijl ik een positieve opmerking over de keuken of de kurkvloer probeerde te bedenken. Het schilderij was tenslotte mijn zorg niet. Ik was maar een makelaar die graag een appartement wilde verkopen.

'Best een ruime keuken…'

Hij negeerde me. Met zijn hand tegen de muur geleund staarde hij kwaad naar het omgevallen schilderij en mompelde zacht in zichzelf. Ik kreeg de indruk dat hij mijn aanwezigheid was vergeten. Toen hij eindelijk opkeek, was ik bezig zijn Ikea-keukenkastjes te bestuderen.

'En, wat vind je ervan?' vroeg hij onverwacht. Iets in zijn gezicht was veranderd sinds ons ongedwongen gebabbel, zijn mond stond strakker en hij fronste. Een bizar ogenblik dacht ik dat hij commentaar verwachtte op de agressieve manier waarop hij het schilderij van de muur had gerukt. Geagiteerd keek ik hem aan. 'Misschien…'

'Voor mij gaat het voornamelijk om snelheid. Ik wil mijn kapitaal zo snel mogelijk vrij hebben.'

Bijna lachte ik hardop. Goddank had ik er niets belachelijks uitgeflapt in de trant van 'tijd heelt alle wonden'. 'Ik zou er niet meer dan twee negentig voor vragen,' zei ik snel.

Het was tegelijkertijd een opluchting en een teleurstelling om terug te keren naar het veilige terrein van overdracht. Hij knikte en zijn gezicht ontspande zich alsof mijn taxatie overeenkwam met wat hij had verwacht.

'Goed,' zei hij gedecideerd. 'Reuze bedankt dat je bent gekomen. Het is altijd goed om een second opinion te horen.'

We liepen terug door de gang, onze zakelijke transactie was afgerond. Ik voelde me dwaas. Vijf minuten eerder had ik me ingebeeld dat we aan het flirten waren, maar nu de vervelende taak erop zat, werd me zonder poespas te kennen gegeven dat ik kon gaan.

Er is meer politie gearriveerd. Ik word voorgesteld aan verschillende mensen, wier naam en rang nauwelijks tot me doordringen. Ze willen de auto waarin Simon reed traceren, wordt mij medegedeeld terwijl ik als verdoofd in zijn opgelapte Parker Knoll achteroverzak. Ze hebben snel een rondje door het huis gemaakt, de achtertuin geïnspecteerd en nemen vooralsnog aan dat Simon haar in zijn auto heeft meegenomen. Buiten is het pikdonker. De zwarte beregende ramen jagen me de stuipen op het lijf. Zolang het nog enigszins licht was, had ik hoop: Poppy was ergens heen gedwaald, het spel was nog niet afgelopen. Maar nu is het avond; geen enkel kind zou zonder begeleiding zo laat nog buiten zijn. We zijn overgegaan naar de volgende fase en de sfeer kristalliseert zich uit, alsof er iets is besloten. Naast me op de grond leunt Jo voorover in zijn wipstoeltje en probeert kirrend zijn tenen vast te pakken. Ik kan wel huilen als ik naar zijn vrolijke gezichtje kijk. Als Trish zich bukt om hem onder de armen te kietelen hurkt een gezette man, die een paar minuten geleden werd voorgesteld als 'onderzoeksadviseur', met een bestudeerd ernstig gezicht naast mijn leunstoel.

'We hebben wat spulletjes van Poppy nodig als forensisch bewijsmateriaal,' zegt hij vriendelijk. 'Misschien heb je een haarborstel, of wat kleding?'

Gealarmeerd staar ik hem aan. 'Forensisch bewijsmateriaal?'

'Er is op dit moment echt geen reden tot alarm, Melanie. We hebben het alleen nodig om haar DNA vast te stellen. We willen een zo compleet mogelijk beeld hebben.'

Dat stelt me niet bepaald gerust. 'Ik wil haar gewoon terug,' fluister ik zwakjes.

'Dat willen we allemaal. En om te zorgen dat het positief uitpakt, hebben we zo veel mogelijk bewijsmateriaal nodig. Mijn mensen zullen het gebied rondom je huis grondig doorzoeken. Er is nog een team onderweg vanuit Canterbury en...'

'Dat is tijdsverspilling. Ze is hier niet in de buurt. Ze is meegenomen door haar stiefvader!' snauwt Trish achter me. Ik kijk om, blij met haar steun. Ze heeft Jo op haar schouder gelegd, met zijn gezicht in haar hals genesteld. Ze bukt zich en knijpt zachtjes in mijn arm. 'Gaat het een beetje, schat?'

'Niet echt.'

De politieman gaat met een beledigd gezicht staan. 'Ik kan je verzekeren dat we er werkelijk alles aan doen om haar op te sporen.'

'Jullie moeten Simons auto opsporen,' zegt Trish en ze werpt hem een vernietigende blik toe.

Toen ik uit Simons huis naar buiten stapte herinnerde ik me dat Natalie de meisjes mee naar de film had genomen. De film zou om halfvijf afgelopen zijn, dus had ik nog een uur voor ik Poppy op moest halen. Ik sloeg van Vestry Road af naar Peckham High Street. Het was een sombere middag en de kerstverlichting brandde al: niet het grootse vertoon zoals in het centrum van Londen maar een armzalig snoer van verlichte Disney-figuurtjes dat boven de straat hing. Het was de eerste dag van de uitverkoop en voor de etalages stond in schreeuwerige letters te lezen wat voor koopjes er binnen te halen vielen. Ik sjokte er mismoedig langs en wierp een verveelde blik op het aanbod – afgeprijsd grenen meubilair, outlet-kleding, Lidl – wegwerprotzooi voor arme stedelingen. Mijn spiegelbeeld keek terug: een slanke vrouw van rond de dertig in superstrakke spijkerbroek en enkellaarsjes, met bruin krullend haar dat nodig geknipt moest worden en een licht geschrokken uitdrukking op haar strakke gezicht, alsof ze zichzelf op zo'n plek niet had verwacht. Ik zag er vermoeid uit, vond ik, terwijl ik snel mijn blik afwendde, bijna van middelbare leeftijd. De stralende teint die ik in Australië had opgedaan was vorige winter vervaagd tot een ongezonde bleekheid, zodat ik nu net zo grauw zag als de andere Zuid-Londenaren die zich naast me verdrongen. Ik had behoefte aan ontspanning, om de scherpe kantjes van de dag glad te strijken.

De pub naast de Jamaicaanse kruidenier met zijn opgestapelde zoete aardappelen en stoffige chilipepers liet ik links liggen en ik ging een kleine bistro binnen die soep met een knapperige baguette voor £ 2,50 in de aanbieding had. Eerlijk gezegd had ik niet echt zin in iets te eten. Waar ik behoefte aan had, was een groot glas wijn en een sigaret, om de sombere dag door te komen. Ik plofte neer aan een tafeltje bij het raam en keek door het beslagen glas naar de voetgangers en het voorbijdenderende verkeer. Ik had mijn buik vol van Londen. Met mijn handen gespreid op het papieren tafellaken bekeek ik zwijgend mijn forse zilveren ringen. Ik was hier gekomen om Poppy een zekere mate van stabiliteit te geven, maar nu dacht ik er alweer over om verder te trekken: misschien zou ik het aanbod van mijn vriendin Josie aannemen en haar een paar maanden in Bali opzoeken, of teruggaan naar Oz. Ik voelde me zo licht en ongebonden als spinrag drijvend op de wind; niet zozeer vrij als wel doelloos, met een leven zonder kern.

'Hé, hallo.'

Geschrokken keek ik op. Simon torende met een nerveuze grijns boven mijn tafeltje uit.

'Hai!'

Het bloed steeg me naar de wangen en ik bloosde als een schoolmeisje. Ik pakte het menu op en deed alsof ik me erin verdiepte. Hij moest een paar minuten na mij zijn appartement uit zijn gegaan en was me kennelijk achternagelopen. Had hij gezien hoe ik in de etalages naar mezelf gluurde?

'Ik ben je niet aan het stalken, hoor,' zei hij met dezelfde verontschuldigende glimlach als toen ik over mijn niet-bestaande muze zwatelde. 'Hoewel…' hij zweeg even en keek me recht in de ogen. 'Eigenlijk wel.'

Ik trok mijn wenkbrauwen op en onderdrukte met moeite een sullige grijns.

'Ik wilde mijn excuses aanbieden omdat ik zo onbeleefd was,' vervolgde hij. 'Je zult wel denken dat ik niet goed snik ben. Ik kan alleen zeggen dat het niet mijn gewoonte is om schilderijen zo te behandelen, maar ik heb een zware dag achter de rug.'

'Maak je maar geen zorgen. In mijn baan kom je van alles tegen. Mensen kunnen enorm gestrest raken van een verhuizing.'

'Toch maak ik me wel zorgen.'

Als ik iemand anders was geweest, had ik hem rechtstreeks gevraagd wat er tussen hem en het naakt was voorgevallen. Dan zou hij zijn gaan zitten en een glas wijn met me hebben gedronken en misschien, in de intimiteit die soms onverwachts ontstaat tussen onbekenden die voor elkaar niets hoog hoeven te houden, zou hij me alles verteld hebben. Maar zo zelfverzekerd of moedig was ik nooit. Ondanks mijn pogingen eraan te ontsnappen was ik het product van Pats en Michaels opvoeding, expert in het gladstrijken.

'Is dit een goede tent?' vroeg ik haastig. 'Ik heb niet ontbeten, ik rammel.'

'Ach jee.'

'Ik had ook enorm veel zin in iets te drinken.'

'Dat klinkt beter.'

Ik grinnikte, onverwacht blij met zijn gezelschap. Nu hij weg was uit het grijze licht van zijn hal zag hij er gezonder uit; zijn gezicht was minder bleek en de kringen onder zijn ogen waren lang niet zo opvallend. Hij was op een soort fletse verfomfaaide manier bijna knap.

'In het nieuwe jaar ga ik een ontslakkingskuur doen. Dat heb ik me althans voorgenomen. Ik ben ook altijd van plan om met roken te stoppen, maar dat is godsonmogelijk…'

Ik zweeg en besefte dat ik weer onzin uitkraamde. Simon keek me bijna smachtend aan met zijn lange vingers om de rug van de stoel tegenover me geklemd.

Wat maakt het ook uit, dacht ik. Weg met Dons Gedragscode voor Makelaars; het is Kerstmis.

'Heb je zin om iets met me te drinken?' vroeg ik.

Ik kwam pas na zessen bij Natalie aan. Ze had Jessie en Poppy pizza en ijs gegeven en toen ik arriveerde, zaten ze voldaan en tevreden te doezelen op de bank naar een speciale kerstaflevering van *Blue Peter* te kijken.

'Jij ziet er goed uit,' zei Nat veelbetekenend toen ze me binnenliet. 'Je ogen glinsteren helemaal.'

Ik liet een hoog lachje horen, te opgewonden om het voor me te houden.

'Ik heb een mán ontmoet!' fluisterde ik.

Ik stelde me Simon voor: zijn nadenkende gezicht, de rimpeltjes om zijn ogen als hij glimlachte, de welving van zijn nek boven zijn verrassend brede schouders. Zijn conversatie was doordrenkt met zachte ironie, alsof het gewone leven duidelijk belachelijk was en wij ons daar vanzelfsprekend tegen verzetten.

'O help, Nat, hij is écht hartstikke leuk.'

'En jij bent aangeschoten.'

'Hoe kom je erbij!'

Ze lachte. In de twee jaar dat Poppy en Jessie in dezelfde klas zaten, hadden we een soepele routine opgebouwd waarin we om en om de kinderen van school haalden en bij ons lieten logeren. Op maandag had ik Jessie en op donderdag bracht Nat de kinderen naar balletles; in het weekend bleef Jessie vaak bij ons zodat Nats vriend bij haar kon blijven slapen. Wij waren de enige leden van de Club van Alleenstaande Moeders van Buckingham Road en steunden elkaar onvoorwaardelijk. Ik trok mijn jas uit en hing hem scheef over de trapleuning terwijl ik vooroverboog naar de spiegel in de hal en mijn gezicht inspecteerde. Ik zag er inderdaad enigszins tipsy uit.

'Wat zijn dat voor manieren, Mel? Je gaat naar je werk en uiteindelijk versier je iemand!'

Ik stak mijn tong naar haar uit, iets wat ik van Poppy had overgenomen.

'Dat moet jij zeggen.'

Toen we thuiskwamen knipperde het antwoordapparaat veelbelovend in het donker. Ik liet het bad voor Poppy vollopen, hurkte bij de rand en liet mijn hand in het water dobberen terwijl we 'ik zie ik zie wat jij niet ziet' speelden. Toen tilde ik haar omhoog in een warm badlaken en zette haar op mijn schoot om haar tanden te poetsen. 'Wikkel me in als een worstje!' riep ze altijd, en ik rolde het badlaken helemaal om haar heen tot er alleen nog een toefje haar bovenuit stak. Dan kietelde ik haar voeten tot ze het uitgilde. Daarna gingen we samen onder mijn dekbed liggen en las ik verhaaltjes voor. Ze hield het meest van het oude bekende werk, en ik kende de boekjes uit mijn hoofd: *De drie kleine geitjes, Het koekenmannetje, Roodkapje.* Dan mocht ze lekker gaan liggen en in mijn bed in slaap vallen. Pat keurde dat natuurlijk af. Op haar leeftijd zou ze alleen moeten slapen, had ze me tijdens onze kerstlogeerpartij voorgehouden; ik zou het er zelf alleen maar moeilijk mee krijgen.

Ik wilde in alle rust genieten van het bericht op mijn antwoordapparaat. Toen Poppy sliep trok ik een biertje open en zittend op de rand van de bank drukte ik op 'repeat'. Het was lang geleden dat ik me zo opgewonden had gevoeld, bijna zweverig. Het was alsof er een straaltje zon door een dik wolkenpak scheen.

'Mevrouw Middleton?' Zijn stem klonk bekakter dan ik me herinnerde. Ik zag hem weer voor me tegenover me in het café met zijn lange lichaam op de smalle stoel geperst, de donkere krulhaartjes op zijn armen, zijn lange vingers die aan het bestek friemelden. Toen hij het menu bekeek had hij een bril op het puntje van zijn neus gezet, wat hem het uiterlijk gaf van een jongensachtige intellectueel. Ik zou die gevoelens niet moeten toestaan, hield ik mezelf voor; ik kende hem nauwelijks.

'Met mij, je slonzige huiseigenaar van vanmiddag. Ik vroeg me af of het mogelijk is om een afspraak te maken om de details van een eventuele verkoop te bespreken. Morgen misschien?' Hij zweeg even, net lang genoeg om mijn hart opnieuw een buiteling te laten maken. 'Ik heb er alle vertrouwen in dat we tot een veelbelovende afhandeling kunnen komen.'

41

4

Ik vertelde Don dat ik een afspraak had met ene meneer Stenning om zijn appartement te bezichtigen, en ontmoette Simon voor Nunhead Cemetery, waar we ruim een uur langs de afbrokkelende grafstenen dwaalden. Het was een ongebruikelijk decor voor een eerste afspraakje, alsof de victoriaanse engelen en met klimop bedekte cherubijnen een oogje in het zeil hielden. We keken een tijd rond, baanden ons een weg door dichte struiken, waar we vergeten familiemausoleums vonden en midden in het kerkhof een vervallen kapel, de muren onder de graffiti; in de gotische ramen nestelden raven, die krassend opvlogen. Simon kwam hier als hij moest nadenken, legde hij uit toen we de kapel in liepen. Het hielp hem om dingen in perspectief te plaatsen. Terwijl hij sprak liet ik mijn hand over de ijskoude stenen glijden en zag de blikjes Special Brew die in de stevige winterbries voor onze voeten rolden. Als ik hier alleen was geweest zou ik bang zijn geweest, maar met Simon naast me kon ik de subtiele schoonheid van het kerkhof wel waarderen.

'Ik heb hier ooit een hele zomer lang engelen geschilderd,' mompelde hij toen hij in de kapel stond en door het gehavende dak naar de grijze lucht keek.

'Wauw. Die zou ik dolgraag zien.'

'Dat kan niet. Ze zijn er niet meer.'

Hij schopte tegen de bemoste stenen en liep abrupt terug naar het pad. Mijn spontane reactie had hem waarschijnlijk aan iets naars herinnerd, als een pijnlijke kies. Toen ik hem had ingehaald, leunde hij tegen een groot stenen kruis met zijn handen in de zakken van zijn jas. Tot mijn opluchting glimlachte hij weer en waren de engelen blijkbaar vergeten.

'En, hoe denk je erover?'

'Waarover?'

'Mijn stedelijke wildernis?'

Ik knipperde met mijn ogen en voelde intuïtief dat er veel afhing van mijn antwoord. 'Prachtig.'

Nadenkend likte hij langs zijn lippen. 'Maar?'

'Maar laten we hier niet in het donker heen gaan, goed?'

'O, wees niet zo'n angsthaas! Kom mee, dan laat ik je mijn favoriete picknickplaats zien.'

Hij stak zijn arm uit en nam mijn hand in de zijne, zo natuurlijk en makkelijk alsof we al een stel waren. We liepen over de met onkruid begroeide paden. Hij vertelde me dat hij vijftien jaar geleden op een zomeravond voor het eerst op het kerkhof was geweest. Hij studeerde aan de kunstacademie in Camberwell en leefde op een dieet van witte bonen in tomatensaus en overrijp fruit dat hij kreeg van de plaatselijke groentenman. Die avond had hij een handje paddo's genomen die hij in Brockwell Park had geplukt. Hij wist niet meer hoe hij bij het kerkhof terecht was gekomen, alleen dat hij over een muur was geklommen en tussen de graven was beland. Toen hij met gespreide armen en benen tegen een stenen kruis gezakt lag, had hij zich voorgesteld dat hij opsteeg en met flapperende jas over Zuid-Londen vloog, in de richting van de rivier. Daarna werd hij ijskoud en nog wazig wakker en bemerkte hij dat hij op zijn onderbroek na naakt was. Zijn jas lag keurig opgevouwen in het gras naast hem. In de mistige schemering sloop hij terug naar zijn kamer in Camberwell, verkleumd en verward.

'En heb je sindsdien iets met kerkhoven?'

'Dat kun je wel zeggen, ja.'

Later zaten we dicht naast elkaar op een grafsteen, terwijl onze adem wolkjes vormde in de januarilucht. Simon graaide in zijn rugzak en haalde een reep chocola en een kleine flacon cognac te voorschijn.

'Vertel me eens iets meer over jezelf,' zei hij terwijl hij me de flacon overhandigde. 'Ik weet dat je een dochter hebt, eh… Poppy…'
Ik knikte bevestigend, blij dat hij haar naam nog wist. 'En je werkt als makelaar en je hebt een tijd in Australië gewoond, en je hebt nog nooit een muze gehad, klopt dat? Maar wat voor leven heb je eigenlijk?'

Het was misschien een vreemde vraagstelling, maar ik was in mijn nopjes met zijn belangstelling. Het enige wat Pete, Poppy's vader, me ooit vroeg was waar ik zijn kleren had opgeborgen of hoe laat het eten klaar was. Voor hij uiteindelijk de benen nam, bestond onze communicatie grotendeels uit nietszeggende gemeenplaatsen.

'Jemig, dat kan ik niet zo één twee drie uitleggen. Mijn leven bestaat voornamelijk uit voorspelbare routine.'

Hij keek me aan met een blik waarin duidelijk te lezen viel dat hij meer verwachtte.

'Ik weet niet zo goed wat ik moet zeggen… Ik werk, haal Poppy van school, zorg voor haar, kijk tv, en ga naar bed. Als ik geluk heb zet ik het om de paar weken met een kennis op een zuipen. Het is niet echt hoe ik me mijn leven had voorgesteld, maar zo is het nu eenmaal.'

Ik zweeg en betreurde de bittere klank in mijn stem. Ik had mezelf beter een mysterieus tintje kunnen geven door bijvoorbeeld over mijn reizen te vertellen, zodat ik niet zo'n saaie indruk zou maken. Maar zijn rechtstreekse vraag kon ik alleen maar eerlijk beantwoorden.

'Wat is er gebeurd?'

Ik nam een grote slok cognac en genoot van de warme gloed die zich door mijn binnenste verspreidde. Ik wist niet waar ik moest beginnen. Met mijn kindertijd, met Pat en Michael en hun diepe teleurstelling om mijn losbandige leven? Of hoe ik mijn jeugd had verspild aan over de wereld zwerven? De waarheid was dat ik nooit het gevoel had gehad ergens bij te horen, zeker niet in de verschillende provinciesteden waar ik was grootgebracht, maar ook niet in India of Australië. Mijn hele jeugd had ik het ongrijpbare gevoel gehad dat ik ergens op bezoek was waar ik niet thuishoorde. Ondanks de ballet- en pianolessen kon ik maar niet de dochter worden die Pat wilde. Met mijn donkere haar en mediterrane teint zag ik er zo anders uit dan mijn lichtblonde ouders, misschien had dat er deels mee te maken. Ik was echter ook stompzinnig incapabel in alles wat hun zou plezieren: academisch succes; belangstelling voor vrouwelijke kleding en koken; een leuke hobby als paardrijden of gymnastiek. In plaats daarvan sloeg ik koppig alles af wat zij me zo graag zagen doen en zat ik mokkend in mijn kamer naar The Cure te luisteren of liep ik het bos achter ons huis in om Woodbines te roken. Ze zou me nóóit begrijpen, had Pat me woedend toegeschreeuwd toen ze me op mijn veertiende betrapte op het rollen van een joint met mijn vriendin Tracy. Waarom kon ik toch nooit eens blij worden van iets normááls?

Naar de andere kant van de wereld trekken had me ook niet gelukkig gemaakt. Daar voelde ik me net zo'n buitenstaander als in Surrey. Ik had me niet thuis gevoeld in de Engelse provincie, maar in Australië was ik allereerst een Brit. Mijn leven had geen enkele richting, ik was als een boot zonder roeispanen op doorzichtig water en wist dat behalve het moederschap mijn leven zich afspeelde in een randgebied van iets wat ik niet kon grijpen. En nu ik naast Simon op de ijskoude tegels zat, leek het ondoenlijk om uit te leggen hoe dat zo was gekomen.

'Ik denk dat ik overal een zootje van heb gemaakt,' zei ik op vlakke toon. 'Ik heb stuurloos geleefd. Ik had moeten gaan studeren en zo, maar uiteindelijk ben ik nu een alleenstaande moeder met een baantje van niks.'

'Jij laat het klinken alsof het daarmee ophoudt,' zei hij terwijl hij een groot stuk chocola afbrak en het in zijn mond stak.

'Zo voelt het wel.'

'Ja, maar het zou ook een begin kunnen zijn, toch?'

Ik haalde mijn schouders op, niet wetend hoe ik moest reageren. Ik was zo gewend geraakt aan mislukking dat het idee van een nieuw begin me angst aanjoeg. 'En jij?' vroeg ik ten slotte. 'Hoe is het om schilder te zijn?'

'Ik ben geen schilder meer.'

'Je bent...'

'Projectontwikkelaar.' Hij grinnikte, waarschijnlijk om die gewichtige term. 'Ik wil het geld van het appartement gebruiken om wat huizen in Kent op te knappen. Ik ga een berg geld verdienen en op mijn oude dag verkas ik naar Spanje om daar olijven te verbouwen. Wat vind je daarvan?'

'Fantastisch!'

'Het is geen dagdromerij. Ik ga echt zorgen dat het gebeurt. Wacht maar af.'

Ik beet op mijn lip bij zijn nonchalante implicatie dat ik in de buurt zou zijn om te zien dat hij zijn plannen verwezenlijkte. 'Ik weet zeker dat het lukt,' zei ik, plotseling te verlegen om hem aan te kijken. 'Het klinkt hartstikke goed.'

Ik vroeg niets over de vrouw die bij hem in zijn appartement had gewoond.

Nadat ik Poppy die middag van school had gehaald, kwam Simon theedrinken. Toen ik de deur voor hem opendeed, begroette hij me galant met een kus op de wang en gaf me een pakje Jaffa Cakes en uit het binnenzakje van zijn afgedragen suède jasje haalde hij een kleine potloodschets van een engel. Toen hij die verlegen in mijn hand drukte, leek het een bijna beladen gebaar. Verlegen zette ik de tekening tegen de telefoon terwijl ik wat onzin over het weer uit-kraamde en mijn hart in mijn ribbenkast voelde bonken. Mijn grootste zorg was Poppy: dat Simon zou terugschrikken van een kind van vlees en bloed in mijn leven, of dat zij hem niet zou mogen. Sinds mijn terugkeer naar Londen had ik geen relaties met mannen aangeknoopt, laat staan dat ik ze thuis uitnodigde. Zoals ik op het kerkhof tegen Simon had gezegd, had ik een nieuw begin resoluut uit mijn leven gebannen.

Door de aanwezigheid van een man in mijn kleine appartement leek het nog kleiner. Even, toen Simon op de mat stapte, om zich heen keek en mij goedkeurend toeknikte, verstrakte ik van angst. Waar was ik in hemelsnaam mee bezig, om hier een vreemde uit te nodigen? Het ging weliswaar alleen om een kop thee met een koek-je, maar voor mij was het al alsof we een onzichtbare grens hadden overschreden. Zonder hem aan te kijken pakte ik zijn jas aan. In de kamer naast ons hoorde ik Poppy naar de deur benen. Even later opende ze met een zwaai de deur.

'Wie ben jíj?'

'Ik ben Simon. En wie ben jij?'

'Poppy.'

'Hallo, Poppy. Wat zullen we doen, een hand geven of buigen?'

Ze keek hem zwijgend en met gefronste wenkbrauwen aan. Ik hield mijn adem in. Simon stak verwachtingsvol zijn hand uit.

'Zelf vind ik buigen eigenlijk te formeel.'

'Wat is buigen?'

'Dit.'

Hij nam zijn skimuts af en maakte met zijn lange lichaam een diepe hoffelijke buiging. Poppy giechelde.

46

'Dat staat raar.'

'Ik weet het, maar het is verplicht in aanwezigheid van een prinses.'

'Jij bent maf.'

Maar ik zag dat ze het leuk vond aan de manier waarop haar glinsterende ogen hem door de gang volgden en aan het kleine glimlachje om haar lippen. We liepen naar de woonkamer, een kleine stoet geleid door die lange vreemdeling met zijn ontspannen humor en afgebeten nagels die me al zo vertrouwd scheen. Na hem kwam ik: een en al moederlijke bezorgdheid, angst en toenemende opwinding. En ten slotte Poppy, die haar armen over elkaar had geslagen en fronste.

'Het is hier saai,' zei ze, haar wenkbrauwen optrekkend in wereldse nonchalance. 'Wil je mijn slaapkamer zien?'

Ik was druk in de weer in de keuken om de cakejes die we ter ere van Simon hadden gemaakt op een bord te leggen en thee te zetten, terwijl Poppy Simon plechtig door de gang naar haar kamer voerde. Plotseling was het van groot belang dat ze hem aardig vond. Aan de andere kant van de gang hoorde ik hen lachen. Toen ze vrolijk keuvelend terugkeerden naar de keuken zette ik alles op tafel. De manier waarop hij haar plaagde had ik zelden van een volwassene meegemaakt, zeker niet van iemand die zelf geen kinderen had: niet kleinerend of kruiperig, maar alsof hij en zij gelijken waren in een komiekenwedstrijd.

We wrongen ons om de tafel in mijn kleine keukentje om thee te drinken en de cakejes te verorberen. Simon en Poppy vermaakten zich met een langdradig spel waarin Simon opzettelijk de namen van de personages in *Shrek* verkeerd uitsprak tot Poppy bijna bleef in haar geschater en helemaal roze was van de pret. Met een glimlach om haar plezier keek ik toe. Ik moest steeds de aanvechting weerstaan om mijn handen op Simons pezige armen te leggen en hem naar me toe te trekken. In gedachten vroeg ik me al af hoe zijn vingers op mijn huid zouden aanvoelen, hoe hij me misschien half plagerig op de bank zou drukken en de knoopjes van mijn blouse zou losmaken.

Uiteindelijk begon Poppy in haar ogen te wrijven en te gapen en zakte ze voorover op tafel. Het was inmiddels over zevenen. Ik tilde haar in mijn armen en droeg haar naar de badkamer, waar ik haar gezicht waste met een washandje en voorzichtig haar tanden poetste. Toen legde ik haar in bed en kuste haar op de wang toen ze zich omdraaide en haar duim in haar mond stak. Even bleef ik bij haar hoofdeinde staan met mijn wang tegen de hare gedrukt en snoof haar geur op: zeep, Cherryberries-tandpasta en de vage geur van hooi. Het enige wat ertoe deed was te zorgen dat ze gelukkig en geborgen was, de rest was slechts bijzaak.

Toch trilden mijn benen toen ik terugliep naar de keuken.

'Mag ik je nog een paar vragen stellen, Melanie?'

Ik draai me gedesoriënteerd om. Ik zou buiten moeten zijn om in het donker en in de regen naar mijn dochter te zoeken, maar ik zit er verstard bij, alsof mijn lichaam letterlijk versteend is door wat er is gebeurd. Poppy is verdwenen en mijn leven is abrupt tot stilstand gekomen.

'Had Poppy een computer? We hebben er geen gezien in haar kamer, maar hebben jullie misschien een gezins-pc?'

Ik schud mijn hoofd. 'Jullie hebben de computer al. En Poppy gebruikte hem nooit.'

'Juist…' Hij krabbelt in zijn opschrijfboekje. 'Is er enige reden om te veronderstellen dat ze kan zijn weggelopen? Hebben jullie ruzie gehad?'

Ik kijk naar mijn ondervrager, naar zijn vriendelijke geruststellende gezicht met de getraind bezorgde uitdrukking. Heeft hij soms een cursus gevolgd om te leren hoe hij met mensen moet praten wier leven op zijn kop is gezet? Als hij iets zegt ruik ik een vleugje knoflook, alsof hij net gegeten heeft.

'We hadden voortdurend ruzie,' zeg ik verdoofd. 'Ze was jaloers op haar kleine broertje. Maar ik geloof niet dat ze ooit zou weglopen.'

'En vriendjes en vriendinnetjes in de buurt? Kun je daar wat over zeggen?'

De eerste keer dat we vrijden was in Simons appartement, ongeveer een week nadat we naar Nunhead Cemetery waren gegaan. Het was zo'n frisse winterdag met helderblauwe lucht en een temperatuur

48

om het vriespunt waardoor je ongewoon helder wordt. Ik had tegen Don gezegd dat ik het appartement van meneer Stenning ging op- meten voor de gegevens die we binnenkort aan onze cliënten zou- den e-mailen, en zorgde ervoor dat hij zag dat ik de digitale camera en dictafoon in mijn tas stopte. Het was de derde keer dat ik me aan mijn werk onttrok om Simon te ontmoeten onder voorwendsel van een of andere afspraak, maar zelfs als Don me op heterdaad had be- trapt tijdens mijn clandestiene rendez-vous, had het me niet veel kunnen schelen. Het makelaarskantoor hing me de keel uit: de heb- berigheid van mijn cliënten en collega's, de eindeloze halve waarhe- den en beloftes die nodig waren om een koop te sluiten. Het was mijn werk om dromen te verkopen aan de goedgelovigen, conclu- deerde ik toen ik het zoveelste stel overhaalde om zich enorm in de schulden te steken om een lelijk, benauwd en schandalig duur pand in Camberwell te kopen. Het werd tijd voor iets anders.

Simon moest op me gewacht hebben, want de benedendeur ging met een klik open voor ik zelfs maar op de bel had gedrukt. Met bonzend hart liep ik de trap op. Ik voelde me net zo nerveus en on- voorbereid als een dertienjarige bij een eerste afspraakje. Hij stond boven aan de trap op de overloop en glimlachte.

'Hai.'

'Hallo.' Hij stak zijn hand uit en keek. Ik had meer aandacht aan mijn uiterlijk besteed dan gewoonlijk: ogen zorgvuldig opgemaakt, mijn altijd weerbarstige haar opgestoken. En in plaats van mijn praktische broek met schoenen had ik na veel twijfel gekozen voor een strak fluwelen rokje met hoge hakken.

'Je ziet er schitterend uit.' De plagerige klank in zijn stem was verdwenen. Hij was ernstig en serieus, alsof we op de rand van iets gewichtigs stonden.

'Mag ik binnenkomen?'

Toen hij opzij stapte, kwam ik in een onherkenbaar appartement terecht. De opgestapelde schilderijen en kleren waren verdwenen, de houten vloer was geveegd en in de open haard brandde een vuur.

'Je bent flink bezig geweest!'

'Ik heb een koper.'

Met een ruk draaide ik me om, mijn hart bonsde in mijn keel. 'O!'

'Via Bonhams, helaas. En ze betalen mijn vraagprijs.'
Ik trok een teleurgesteld gezicht.
'Nou, dan kan ik maar beter gaan.'
'Niet zo snel, juffrouw Middleton...'
Hij stond achter me, legde zijn handen om mijn middel en trok
me achterwaarts in zijn armen. Toen ik me omdraaide vonden zijn
lippen de mijne. Dit was de eerste keer dat we elkaar aanraakten en
ik kon niet langer wachten. We gleden onbevallig op de vloer in een
knoop van ledematen en al uitgetrokken kleren en ik zoende hem
gretig terug, mijn handen in zijn dikke haar, de zijne morrelend aan
de rits van mijn rok. Ik wilde zijn huid op de mijne voelen, hem tegen me aan drukken, me overgeven, de wereld laten verdwijnen terwijl hij de mijne werd.

'Mel?'
Ik schrik op. Dave Gosforth staat met zijn armen over elkaar
voor me; zijn gezicht heeft een licht verbaasde uitdrukking. Ik had
gehoopt dat ik zijn lelijke kop nooit meer zou hoeven zien, met die
varkensogen en rode neus. Maar hier staat hij en zucht een tikje afkeurend, alsof hij diep teleurgesteld is in het grillige gedrag van
mijn gezin.
'Hier ben ik weer, tot mijn spijt.'
Ik haal mijn schouders op. Hete tranen verzamelen zich in mijn
ooghoeken en ik vertrouw mijn stem niet.
'Ik neem de vermissing van Poppy over,' zegt hij langzaam, alsof
hij het tegen een achterlijke heeft. Nog geef ik geen antwoord; voor
mij is er al te veel gebeurd om hem ooit nog als bondgenoot te kunnen beschouwen. 'Volgens mijn collega's heb je iemand het huis uit
horen gaan voor je naar haar ging zoeken, klopt dat?'
'Ik hoorde een deur dichtgaan en iets later een auto wegrijden...'
'En toen je ging kijken stond de auto die Simon van zijn vriend
had geleend niet langer op de oprit?'
'Nee.'
'Daarom gaan we ervan uit dat Simon haar heeft meegenomen.'
Ik draai me om en kijk naar zijn uitdrukkingsloze gezicht. Ik
weet dat hij iets zinnigs zegt, maar voor mij betekent het niets, alsof hij een onbegrijpelijke taal spreekt die ik niet geleerd heb.

'Maar ik snap niet waarom hij…'

'Er zijn genoeg redenen te bedenken…' Zijn hand zweeft boven mijn arm alsof hij in de verleiding is om er een geruststellend kneepje in te geven. 'Mensen doen vaak rare dingen als ze onder druk staan.'

Ik trek mijn arm weg van zijn dikke vingers. Het idee dat hij me zou aanraken is weerzinwekkend. 'En de kreek? Misschien is ze in het water gevallen… En de andere huizen in de straat, hebben jullie gevraagd of iemand haar gezien heeft?' Maar terwijl ik dat zeg besef ik hoe voor de hand liggend dat is.

'Vooralsnog beperken we het zoeken tot de directe omgeving,' zegt hij voorzichtig terwijl zijn vingers over de radio aan zijn riem, die is begonnen te kraken, glijden. 'Ik staak het doorzoeken van je huis en zet een team in om Simons auto op te sporen. We hebben een nationaal alarm uit laten gaan; het komende uur komt er een nieuwsflits; alle zee- en luchthavens zijn gealarmeerd. Er is alle reden om te geloven dat we de auto snel hebben en Poppy bij je terug kunnen brengen.'

'Maar hij zou niet…'

Het is al te laat. Tranen glijden in straaltjes over mijn gezicht, langs mijn neus en over mijn droge lippen. Ik schud mijn hoofd en kijk kwaad de andere kant uit.

5

Ik was niet aan een normale relatie gewend. Er moest een addertje onder het gras schuilen: of Simon zou van gedachten veranderen en uit mijn leven verdwijnen met wat emotionele kruitdampen, of dat wat zo heftig tussen ons was ontstaan zou te snel tot bloei komen, waarna de belangstelling plotseling zou tanen. De waarheid is dat ik geen idee had wat ik moest verwachten. Ik was vijfendertig, maar onervaren op liefdesgebied. Toch leken we, in plaats van mijn normale traject van vluchtig verlangen gevolgd door een korte en meestal teleurstellende affaire, in tegenovergestelde richting te gaan: onze verliefdheid werd elke week sterker.

We vonden een comfortabele routine. De meeste avonden kwam Simon rond etenstijd langs, net zoals die middag dat hij me zijn engel had gegeven. Terwijl ik Poppy in bed legde, kookte hij, waarna we een fles wijn opentrokken, de vegetarische lekkernijen die hij had bereid opsmikkelden en als geile tieners in bed doken. Ook was hij elk weekend bij ons en zijn rustige humorvolle aanwezigheid was zo discreet dat ik me nauwelijks kon herinneren hoe mijn leven daarvoor was geweest. Erop terugkijkend is het alsof er iets in mij op zijn plaats viel, als een los dekseltje dat eindelijk op een pot past. Een maand eerder had ik in een staat van depressieve inertie geleefd en had ik nauwelijks de energie om met Poppy naar het park te gaan. Maar met Simon aan mijn zijde was ik vervuld van levenslust. We lieten haar de dinosaurussen in het Natural History Museum zien, gingen met haar naar de dierentuin en brachten een verregend maar vrolijk weekend in Dorset door. Bijna van de ene op de andere dag waren we een gezin geworden.

Poppy behandelde Simon alsof hij er altijd al was geweest. Al na een paar weken woonde hij zo ongeveer bij ons, maar ik geloof niet dat ze zich ooit verdrongen voelde. Integendeel, hij verstond de kunst om op de achtergrond te blijven wanneer het 'haar' tijd was en stelde niet één keer voor om haar bij een oppas achter te laten of haar bij Jessie te laten logeren. Inmiddels had hij zijn gehavende gitaar meegenomen, evenals een doos boeken en een muffe rugzak vol kleren. Wanneer ik Poppy's bad liet vollopen, lag hij onderuitgezakt in de woonkamer te tokkelen. Ze vond het enig om hem te zien spelen; steeds vaker moest mijn verhaaltje voor het slapengaan plaats maken voor de weelde om aan zijn voeten te zitten en liefdevol naar hem op te kijken terwijl ze luisterde naar zijn versie van 'Tangled up in Blue'. Hij had een vreselijke zangstem, vlak en vals, maar dat leek haar niet te deren. 'Niet doen, mama!' riep ze naar me, de enige keer dat ik in de deuropening schokschouderend van het lachen verscheen. 'Dat is helemaal niet leuk voor Simon!'

Wat hem betrof leek hij zonder bezwaar onze dagelijkse routine te accepteren. Zijn enige vereiste was dat als wij naar bed gingen, Poppy daar niet langer lag. Een paar avonden legde ik haar plechtig terug onder haar gladde Princess Fionadekbed. Op de derde avond verklaarde ze dat ze niet langer in mijn bed wilde slapen. Dat was voor baby's. Baby's en grappige mannen als Simon.

Ik was zo gelukkig in die begindagen dat het me beangstigde. Ik wilde me niet aan een man hechten; daar werd ik geagiteerd en onzeker van. De zeldzame keren dat Simon niet kwam opdagen werd ik overvallen door somber wantrouwen dat een schaduw wierp over wat ik pas nog als puur licht had ervaren. Dít was het ware patroon van mijn leven, piekerde ik: vluchtige verbintenissen die tot niets leidden. Simon had natuurlijk mijn ware aard ontdekt en de benen genomen. Welke zichzelf respecterende man zou vast willen zitten aan een vrouw die maar wat aanklooide en haar tegendraadse dochter van vijf in een armzalig huurappartement in een rotbuurt? Dat hij ooit in de betere kringen had verkeerd was duidelijk te horen aan zijn accent, de terloopse verwijzingen naar het huis in Kensington waar hij was geboren en de privéschool waar hij op zijn dertiende naartoe was gestuurd. Hij benadrukte altijd dat we gelijken waren en als we bij elkaar waren, was ik het daarmee eens. Zonder hem sloop echter de twijfel mijn gedachten binnen als vervuiling een rivier. Hij was van een ander kaliber, concludeerde ik dan. Ik was gewend aan grove mannen zonder zelfreflectie die nooit hun gevoelens uitten of wilden 'praten'. Ik was er ook aan gewend dat ze bij mijn thuiskomst verdwenen waren. Ik had nooit veel energie in die relaties gestoken en was zelden verrast of rouwig als het ophield. Ze waren van voorbijgaande aard en onbeduidend, als korte zonnige dagen die alleen maar konden eindigen.

Als die affaires dagtrips waren naar plaatsen waar ik niet wilde blijven, was het nu alsof ik een opwindend nieuw land aan het ontdekken was, met een overvloed aan mogelijkheden, waar ik ongekende weerklank vond, een landschap dat ik in mijn dromen had bezocht. Ik was niet voorbereid op zo'n reis, misschien was dat de moeilijkheid. Ik was op weg gegaan zonder landkaart en zonder duidelijke terugweg.

6

Het was begin april, narcissentijd. Simon en ik wandelden over een reeks landweggetjes met steile glooiingen, rugzak omgegespt, gezicht in de zon. 'Weg met die grauwe winter, het is lente!' leken de bloemen uit te roepen. In de bomen kwetterden de vogels er lustig op los. Het was een warme ochtend en voor het eerst dat jaar had ik mijn lange jas thuisgelaten en mijn sweatshirt om mijn middel geknoopt. Toch voelde ik me ondanks de idyllische ochtend onverklaarbaar terneergeslagen. We waren onze wandeling hand in hand begonnen. Inmiddels hadden we elkaar losgelaten en liepen we al anderhalve kilometer zwijgend naast elkaar, wat op twee manieren kon worden uitgelegd: dat we ons prima op ons gemak voelden bij elkaar, of, zoals ik steeds zekerder wist, dat er iets mis was. Het was ons eerste weekend zonder Poppy en ik was bloednerveus. Om zo veel tijd aan onszelf te hebben leek me een te grote stap, alsof ik te veel van het goede had gewild. Poppy zou vast ziek worden en ik zou terug naar Londen worden gesommeerd, daar was ik van overtuigd. Nog rampzaliger, ver van onze normale omgeving zouden Simon en ik erachter komen dat we vreemden voor elkaar waren en dat aan onze kortstondige verbintenis een eind was gekomen. Sinds we uit Londen waren vertrokken, had hij zich vreemd gedragen. Hoewel ik mezelf voortdurend voorhield dat alles koek en ei was, zag ik, telkens als ik me naar hem omdraaide, dat hij naar me keek, alsof hij mijn stemming probeerde te peilen. Hij had me vast iets te vertellen, dacht ik nerveus. En met mijn talent voor pech zou het geen goed nieuws zijn.

Toen we bij de voet van de heuvel waren, begon hij over het huis dat hij de vorige dag had gezien. Het lag aan de rand van een kleine stad aan de noordkust en was behoorlijk vervallen.

'Het is een droom, Mel, precies wat ik zocht. Ik weet zeker dat dit het helemaal is.'

Ik liep zwijgend naast hem. Toen hij zijn hand uitstak, pakte ik hem stevig vast. Het was alsof ik van verre naar ons keek.

'Er zit zelfs een bouwvergunning bij,' vervolgde hij. 'Blijkbaar wilde vorig jaar iemand het kopen die meteen aan het plannen sloeg, maar uiteindelijk de financiën niet rond kreeg.'

'O.'

'Ik kan nog steeds niet geloven dat het voor zo'n prijsje verkocht wordt. Alleen weet ik niet of ik gewoon met de vraagprijs moet meegaan, of moet proberen er nog iets af te krijgen...'

'Probeer het en kijk wat er gebeurt.'

We waren bij een bocht, waar de weg links naar een zandpad afsloeg dat was omgeven door geïrrigeerde weidegrond. Boven ons tjilpte een leeuwerik.

'Zeg,' zei Simon ineens terwijl hij me naar zich toe draaide, 'wat ben je sombertjes? Wat is er aan de hand?'

Ik wendde mijn ogen af van zijn onderzoekende blik.

'Niets.'

'O, jawel. Sinds we uit de auto zijn gestapt, zucht je aan één stuk door.'

Ik glimlachte triest. Ik kon me niet herinneren dat ik me ooit zo had gevoeld: pijn die door mijn borst raasde alsof hij me met zijn handen aan stukken scheurde. Toen Pete me had verlaten, had ik slechts een lichte droefheid gevoeld, gevolgd door opluchting.

'Kom nou, Mel. Klem je lippen niet zo op elkaar.'

Aarzelend keek ik hem aan. 'Eigenlijk denk ik dat als je dat pakhuis koopt en gaat opknappen, je weinig reden zult hebben om nog in Londen te blijven...'

Even keek hij me zwijgend aan. Dit is het dan, dacht ik, nu maakt hij het uit en gaat mijn leven weer zijn oude gangetje. Maar in plaats van schoorvoetend toe te geven, schaterde hij het uit.

'O, domme gans!'

Hij pakte me bij mijn middel en duwde me door het open hek tegen de stenen muur die het weidelandschap afbakende. Ik wankelde achteruit, waardoor het ruwe steen mijn huid schaafde toen hij me hard op de mond zoende.

'Au!'

'Kom hier, mafkees. Ik dacht dat het duidelijk was!'

Voor ik het wist had hij mijn T-shirt omhooggetrokken en frum-melde hij aan mijn spijkerbroek, die hij omlaag trok terwijl zijn vingers tussen mijn dijen gleden.

'Simon! Iedereen kan ons zien!'

Boven zijn schouder uit speurde ik de omgeving af. Het vee dat aan de overkant loom in de zon lag keek ongeïnteresseerd terug.

'Nou en? Laten we de koeien eens wat opwinding bezorgen…'

Mijn spijkerbroek en slipje hingen inmiddels op mijn knieën en hij sjorde met een brutale grijns aan zijn eigen broek. Ik trok hem tegen me aan en hielp hem eruit zonder me erom te bekommeren dat ik mijn billen hard tegen de mossige muur stootte toen we samen in het lange natte gras vielen.

Naderhand lagen we hijgend en lachend in de modder. De achterkant van mijn spijkerbroek was doorweekt, en Simons knieën waren groen gevlekt. Toen hij rechtop ging zitten, kreeg zijn gezicht ineens een ernstige uitdrukking.

'Hoe kom je er in hemelsnaam bij dat ik wegga?' vroeg hij zacht. 'Waarom kun je me niet vertrouwen?'

Hij zag er verbaasd uit, niet kwaad. Toen ik hem aankeek wist ik dat ik de ware reden nooit zou uitspreken: ik zou hem nooit kunnen vertrouwen omdat ik, wat hij ook zei, ervan overtuigd was dat hij niet van me kon houden.

'Ik weet het niet…'

Hij pakte mijn hand en kneedde hem zacht tussen zijn eeltige palmen. 'Ik was eigenlijk met iets heel anders bezig,' zei hij zacht. Ik staarde gefixeerd naar het zompige gras en durfde niet te reageren.

'Over dat we allemaal samen naar Kent zouden kunnen gaan. Jij, ik en Poppy.'

Heel even dacht ik dat ik hem niet goed had verstaan. Ik beet op mijn onderlip omdat ik bang was dat ik zou gaan snotteren.

'Maar waar zouden we dan wonen?'

'In het pakhuis. Nadat we het eerst enigszins bewoonbaar hebben gemaakt, natuurlijk.'

'Ik weet niet…'

'Nee, hè! Allemachtig! Je zegt voortdurend dat je de pest hebt aan je baan en het vreselijk vindt om in Londen te wonen. We moeten allebei opnieuw beginnen, dus laten we ervoor gaan. Toe, Mel, laten we het alsjeblieft proberen.'

'Ik vind het moeilijk,' zei ik zwakjes. 'Ik ben heel slecht in vaste relaties. Je weet niet hoe ik werkelijk ben.'

Hij boog zich naar me toe en trok me tegen zijn modderige jasje. Ik rook natte wol en het baaltje tabak in zijn zak.

'Waar heb je het toch over, dwaas mens? Natuurlijk weet ik hoe je bent.'

'Echt?'

'Ja, natuurlijk! Luister nou, je moet eens ophouden met jezelf continu te confronteren met het verleden. Daar gaat het toch om? Laten we al die ellende de rug toekeren en opnieuw beginnen. We maken er een dubbele ontsnappingsact van.'

Ik keek hem weifelend aan, maar dacht dat hij waarschijnlijk gelijk had. Mijn falen in relaties met mannen of mijn onkunde om aan een toekomst te bouwen was een *self-fulfilling prophecy*.

'Denk je dat echt?'

'Ja, mijn lief. Dat is wat ik echt, echt denk.' Hij omhelsde me en kuste me op mijn voorhoofd. 'Dit is een nieuw begin, voor ons allebei.'

'En je denkt dat het mogelijk is?'

'Mel, vertrouw me alsjeblieft…'

Hij liet me los en keek me met een intense blik aan. Als je me drie maanden eerder iets over liefde had gevraagd, zou ik schamper gelachen hebben. Niet voor mij weggelegd, schat, zou ik geantwoord hebben. Maar nu ik Simons onderzoekende ogen zag, voelde ik een ontkiemende hoop.

'Goed dan,' zei ik, mijn tranen bedwingend. 'Ik doe mee.'

Vanaf toen ging het snel. Ik zegde mijn appartement op en meldde Don dat ik van plan was weg te gaan. Hij accepteerde het nieuws met een wijze glimlach.

'Ik dacht al dat er iets broeide,' zei hij terwijl hij me een vaderlijk schouderklopje gaf. 'Vanwege al die sexy kleding en dat je steeds zong. Wel jammer, je hebt me een paar keer goede winst bezorgd.'

Ik grinnikte verbaasd om dat compliment. Ik had mezelf nooit ergens goed in gevonden, maar nu ik Simon had, leek alles mogelijk. Mijn oude doelloze leven was verleden tijd en ik stond op de drempel van een nieuwe toekomst, waarin Simon en ik samen de wereld zouden veroveren.

Poppy knikte tevreden toen ze het nieuws hoorde. 'Wordt Simon dan mijn nieuwe vader?' vroeg ze toen ik haar verteld had dat we naar Kent gingen verhuizen. Die vraag bracht me van mijn stuk. Ik had nooit bedacht dat Poppy in Simon een potentiële vader zou kunnen zien.

'Je vader woont in Australië,' zei ik voorzichtig. 'Hij heeft je een verjaardagskaart gestuurd.'

'Maar hij is niet echt.'

'Natuurlijk wel.'

Ze fronste haar voorhoofd. Natuurlijk had ze gelijk. Hoe kon een vader die ze sinds haar tweede levensjaar niet meer had gezien echt zijn?

'Niet zo echt als Simon,' zei ze klaaglijk. 'Je moet zorgen dat hij mijn papa wordt, mam.'

'Zo eenvoudig gaat dat niet.'

Kwaad keek ze me aan. Toen lichtte haar gezicht ineens op alsof ze een besluit had genomen. 'Natuurlijk wel!' zei ze lachend. Daarop keerde ze me de rug toe en ging weer spelen met haar Sylvanian Families-katten.

De enige afwijkende mening kwam van Natalie. Misschien was het dom van me om te veronderstellen dat ze net zo blij zou zijn als ik dat de Club van Alleenstaande Moeders van Buckingham Road gehalveerd zou worden. Ik vertelde haar mijn nieuws laaiend enthousiast, gemakshalve vergetend dat ze pas een maand tevoren was gedumpt door de sul Ned, met wie ze een knipperlichtrelatie had gehad. We zaten in haar kanariegele keuken shagjes te roken en rode wijn te drinken terwijl Jessie en Poppy boven hun gangetje gingen.

'Geweldig,' zei ze op vlakke toon toen ik eindelijk uitgejubeld was over het pakhuis en Spanje en hoe Simon en ik met een schone lei aan een nieuw leven zouden beginnen. 'Heb je dat pakhuis eigenlijk al gezien?'

'Nee, maar ik weet zeker dat het te gek zal zijn. Simon zegt dat het fantastisch is.'

Ze nam kleine slokjes wijn zonder commentaar te geven. Ik was echter niet te houden.

'Het is zo'n verandering voor me, Nat. Mijn hele leven heb ik maar wat aan gemodderd, zonder iets van mannen te verwachten, waardoor ik ook niets kreeg. En nu verschijnt ineens de ideale man, uit het niets, en mijn hele leven wordt anders!'

'En jij denkt dat je hem goed genoeg kent om met hem in de rimboe te gaan wonen?'

Verbaasd door haar scherpe toon keek ik op. Ze fronste en trommelde met haar paarse nagels op het tafelblad. Goeie ouwe Nat, met haar felrode haar en enorme kleurige vesten. Sinds Ned, de would-begitarist met dreadlocks, ervandoor was gegaan met een jong ding van twintig na een schnabbel, was haar levendigheid ondermijnd. Ze zag er moe uit en haar anders zo stralende gezicht was slap en gerimpeld.

'Ja, ik denk van wel,' antwoordde ik met groeiende ergernis. 'Ik bedoel, het gaat niet per se om de kwantiteit, maar om de kwaliteit in het leven. En het klikt echt tussen ons…'

Nukkig haalde ze haar schouders op.

'Hoeveel weet je eigenlijk over hem?'

'Nou, een heleboel: dat hij schilder was en dat hij in de bouw terechtkwam en…'

Ik viel stil. Het was waar dat er duidelijke hiaten in mijn kennis zaten. Na het incident met het schilderij had Simon het nooit over de vrouw die zijn appartement met hem deelde gehad, bijvoorbeeld, en ik had nooit doorgevraagd. Hij van zijn kant had totaal geen belangstelling voor mijn eerdere vriendjes. Hij wilde het verleden laten rusten, had hij in de eerste dagen na onze kennismaking duidelijk gemaakt. Onze relatie ging om het heden en de toekomst, niet om wat eraan vooraf was gegaan.

'Het draait toch niet alleen maar om allerlei details? Het gaat erom dat het klikt tussen twee mensen. Dat je zielsverwanten bent of zoiets…' Mijn stem stierf weg en ik was me er onaangenaam van bewust dat ik onzin uitkraamde. Aan de andere kant van de tafel had Nat haar vlezige gezicht in een afkeurende plooi getrokken. Geen wonder dat Ned de benen had genomen, dacht ik met schokkend gebrek aan loyaliteit; ze kon echt een chagrijnige zeur zijn.

'Als ik in jouw schoenen stond zou ik alles over hem willen weten, vanwege Jessie. Zoals waar hij heen gaat als hij niet bij jou is, bijvoorbeeld.'

Ik voelde dat mijn mond verstrakte en ik steeds kwader werd.

'Naar zijn appartement.'

'Dat had hij toch verkocht volgens jou?'

'Ja, dat is ook zo. Of zo goed als. Jezus, Nat, dat weet ik niet! Maakt het iets uit? Ik kan toch niet naar hem toe, niet met Poppy thuis.'

Ze trok een gezicht.

'Wat wil je zeggen met dat gezicht?'

'Alleen maar dat je voorzichtig moet zijn. Het klinkt mij iets te mooi om waar te zijn.'

Even overwoog ik wat voor gemene dingen ik terug kon zeggen: dat Nat zo negatief en wantrouwend was dat het geen wonder was dat geen man bij haar wilde blijven, bijvoorbeeld, of dat ze, als ze een nieuwe man wilde tegenkomen, eens moest ophouden met kniezen en chocola naar binnen proppen. In plaats daarvan forceerde ik een mager glimlachje.

'Maar het is waar, Nat,' zei ik zacht. 'Hij houdt van me en ik van hem. Ik ben vijfendertig jaar alleen geweest en ik laat de kans om daar verandering in te brengen niet schieten alleen omdat hij me niet heeft verteld hoe zijn moeders achternicht heet.'

Ik stond op en schoof mijn stoel terug.

'Poppy!' riep ik naar boven. 'Pak je schoenen! We gaan!'

We namen afscheid bij Nats felroze voordeur vol stickers met regenbogen en kreten als 'Bevrijd Tibet'.

'Tot ziens,' zei ik nonchalant, terwijl ik deed alsof ik zo druk was met Poppy's jas dat ik haar geen afscheidskus hoefde te geven. 'Hou je haaks.'

'Ja hoor.' Ze haalde nors haar schouders op. 'Jij ook.'

'Ik bel je…'

Maar toen Poppy en ik de trap van de huurkazerne af liepen, wisten we allebei dat ik loog.

7

Ik storm door het huis en maai allerlei onbeduidende voorwerpen uit de weg alsof ze schuldig zijn aan Poppy's verdwijning. De handdoeken die in een natte stapel op de badkamervloer liggen belanden met een plof in het lege bad, de losgeraakte ledematen van een barbie knallen tegen de muur. Als de politie wist wat ik aan het doen was, zouden ze naar me toe rennen om me tegen te houden. Mijn huis is een 'plaats delict' geworden die alleen maar met witte handschoenen mag worden aangeraakt en de rommel van Poppy's speelgoed en kleren zijn 'bewijsmateriaal', dat moet worden genoteerd in hun opschrijfboekjes en afgevoerd in plastic zakken. Ik zei dat ik naar de wc ging, maar ben ontsnapt naar de woonkamer, weg van hun wakend oog, het gebliep van hun telefoons en eindeloos gevraag. En nu stort ik eindelijk in. Ik loop wankelend door de kamer en roep haar alsof we nog steeds verstoppertje spelen.

Alleen is het geen spel. De tranen stromen over mijn gezicht, mijn lichaam wordt verscheurd door heftige sidderende snikken. Het is alsof ik binnenstebuiten ben gekeerd en mijn hart en ingewanden over de vloer slepen waar mijn dochter pas nog speelde. Hoe heeft dit kunnen gebeuren terwijl we een paar maanden geleden nog zo gelukkig waren? We zouden op onze oude dag naar Spanje verhuizen en een nieuw leven beginnen, maar dat alles is weggevaagd, alsof er een vloedgolf door een afgelegen Engels dorp is geslagen: onverwacht en onvoorbereid.

'Mel…'

Ik kijk op en zie een vrouw in de deuropening staan. Ze draagt een alledaags broekpak, van het soort dat een manager van middelbare leeftijd in een warenhuis zou kopen, en heeft kort grijzend haar dat geknipt is in een onopvallend pagekapsel. Ze doet me denken aan de onderwijzeres die Poppy vorig jaar had: saai maar goedhartig, een fan van thuis winkelen en Celine Dion. De vrouw is me vijf minuten geleden voorgesteld als ene Sandra nog iets, een familiecontactpersoon.

'Zullen we even gaan zitten?'

'Nee!' krijs ik. 'Ik wil verdomme niet zitten! Ik wil dat jullie ophouden met zeiken en mijn dochter gaan zoeken!'

Niet uit het veld geslagen loopt ze over de houten vloer naar me toe. Huilend zak ik neer op de bank; mijn uitbarsting heeft me met een schok tot zwijgen gebracht.

'Als je alleen wilt zijn, is dat prima,' zegt ze kalmerend terwijl ze naast me gaat zitten. Ze draagt puntige laarsjes, zie ik, alsof ze er jeugdig uit wil zien. Vol walging dat ik oog heb voor zoiets onbelangrijks wend ik mijn ogen van haar voeten af.

'Maar je mag niet instorten. Om te beginnen heb je een baby om voor te zorgen. Zal ik je huisarts laten komen om je iets kalmerends te geven?'

Ik schud mijn hoofd. Mijn gezicht is nat van de tranen en mijn mouw doordrenkt. Sandra stopt me routineus een paar papieren zakdoekjes toe.

'Het zou helpen als we wat konden blijven praten,' vervolgt ze. 'We hebben nog heel wat informatie nodig. Omwille van Poppy.'

Ik knik. Ik ben uitgeput, mijn borst doet pijn van het huilen en ik heb geen kracht meer in mijn ledematen. 'Oké.'

'Vertel me iets over je relatie met Simon, als je wilt. Zijn jullie pas getrouwd?'

'Afgelopen zomer.'

'Ging het goed tussen jullie?'

Ik staar haar aan: een neutrale vraag die naar ingewikkelde antwoorden leidt.

'Niet voordat jullie met z'n allen hier kwamen en hem lastigvielen,' mompel ik. Sandra werpt me een teleurgestelde blik toe, alsof ik een lastige leerling ben die maar niet op het goede antwoord kan komen. 'De verbouwing was een grote ellende,' zeg ik dan maar.

'Dus daar maakte je je druk om? Jullie deden de verbouwing zelf, klopt dat?'

'Daar komt het wel op neer. Aanvankelijk hadden we werklui, maar toen raakte ons geld op.'

'Juist…' Ze knikt nadrukkelijk terwijl ze het laat bezinken.

'Maar dat weet je allemaal al. Simon heeft het aan Dave Gosforth en zijn knechten verteld, gisteren, of god weet wanneer het ook weer was.'

'Mel…' Ze neemt mijn slappe hand tussen haar warme vingers. 'Ik weet dat dit een vreselijke situatie voor je is, maar je moet begrijpen dat ik niet de vijand ben, ik probeer te helpen.'

Ik ben niet in staat te antwoorden. Ik voel een nieuwe stortvloed tranen opkomen, trek mijn koude hand los uit die van Sandra en stop hem tussen mijn dijen.

'Laten we het nog even over Simon hebben,' zegt ze terwijl ze haar schouders recht. 'Hoe ging hij met Poppy om? Konden ze het goed met elkaar vinden?'

Ik kijk woedend naar haar op. Waar doelt ze in vredesnaam op?

'Hoe bedoel je "konden ze het goed met elkaar vinden"?'

'Nou, wat voor stiefvader was hij? Ik probeer me een beeld te vormen van hun relatie, dat is alles…'

'Hij was ontzettend lief voor haar.'

'Deden ze veel samen?'

Het ligt niet in mijn aard, maar ik sta op het punt weer tegen haar uit te vallen. Mijn dochter wordt vermist, verdomme, en ik word ondervraagd door een burgerlijk vrouwtje over hoe Simon als vader functioneert.

'Luister eens,' snauw ik. 'Als je eropuit bent om hem als pedofiel te bestempelen, ben je fout bezig. Soms deden ze dingen samen, soms niet. Het was allemaal volkomen normaal.'

Sandra negeert mijn venijnige toon.

'Wat deden ze zoal samen?' vraagt ze alsof we oude vriendinnen zijn die onder het genot van een kop thee zitten te kletsen.

'Weet ik veel. Hij leerde haar goochelen. Of hij speelde gitaar en zij zong. Hij heeft haar de laatste tijd niet zo veel gezien. Hij was weg…'

'Verloor hij zijn geduld wel eens met haar?'

'Waarom zou hij? Wat dat betreft was ik degene…'

Ik zwijg, wend mijn blik af en druk mijn knokkels tegen mijn mond. Het is onverdraaglijk te moeten denken aan alle keren in de afgelopen paar maanden dat ik tegen Poppy ben uitgevaren. Vorige week nog heb ik haar woedend bij de polsen gepakt en door elkaar geschud en had ik haar bijna geslagen. Ik wist zeker dat ze opzettelijk tegen Jo's stoel had geschopt, waardoor het tevreden kirrende ventje knalrood werd van het krijsen. Toen wilde ik haar slaan en tegen haar roepen dat ik haar haatte, en alleen de doodsangst in haar ogen weerhield me. Sandra heeft me echter verkeerd begrepen.

'Was hij gewelddadig tegen je?' vraagt ze gretig.

'Nee, natuurlijk niet! Ik bedoel dat ik degene was die kwaad werd op Poppy…'

'Dus Simon verloor nooit zijn geduld, tegenover geen van jullie beiden?'

Even zeg ik niets. Hoe zal ze reageren als ik haar de waarheid vertel? Alles wat ik zeg zal als bewijs voor zijn schuld dienen. Ze zal meelevende geluidjes maken en aantekeningen maken in haar boekje, en dan weet ik zeker dat mijn nachtmerries waarheid worden.

'Nee,' zeg ik. 'Hij verloor nooit zijn geduld.'

Ze weet dat ik lieg. Ze schenkt me een nietszeggend glimlachje en gaat verzitten terwijl ze een andere tactiek bedenkt.

'Afgezien van jou,' zegt ze, 'wie waren zijn vrienden? De mensen met wie hij graag omging?'

'Dat weet ik niet,' mompel ik, me ervan bewust hoe absurd dat klinkt. 'Hij had niet zo veel vrienden. We zijn hier pas sinds augustus en hij was het merendeel van die tijd in Londen en zo, dus hij had niet echt contact met mensen hier…'

'En vrienden van vroeger? Collega's van zijn werk?'

Opnieuw haal ik mijn schouders op. Zes maanden geleden was het alsof ik Simon altijd al had gekend, maar nu is het alsof mijn beeld van hem is vertroebeld door een dikke dubbelfocusbril; waar het beeld eens helder was, is het nu wazig en onherkenbaar.

'Hij had een vriend, Ollie, voor wie hij in Londen werkte. Ik heb die andere agent zijn telefoonnummer gegeven. Simon reed in zijn auto.'

Sandra knikt. 'Goed. Ik stuur iemand naar hem toe. En hoe zit het met zijn familie?'

O, god. Ik staar naar de vloer en probeer me uit alle macht te concentreren.

'Zijn moeder woont in de buurt van Tunbridge Wells, maar het zou me sterk verbazen als Simon bij haar was,' zeg ik zacht. 'Ze staan niet echt op goede voet met elkaar.'

Op een stormachtige zondag, een paar weken na onze vrijpartij in de wei, stapten we in de auto om Alicia een bezoekje te brengen. Simon had gezegd dat hij iets met zijn moeder moest regelen en vermeldde dat de avond tevoren zo terloops alsof hij even naar de winkel ging.

'Ik denk dat ik morgen eens naar mijn moeder ga,' zei hij peinzend terwijl hij aan tafel zijn pakje shag tussen zijn vingers ronddraaide en toekeek hoe ik kookte. Ik was bezig een ui te snijden en meed zijn blik. Ik wist dat ik hem niet onder druk moest zetten, dat ik me over moest geven en onze relatie op zijn beloop moest laten. Maar sinds we hadden afgesproken dat Poppy en ik met hem in Kent zouden gaan wonen, had ik gehunkerd naar meer: een of ander teken dat onze relatie blijvend was. Mij meenemen om me aan zijn moeder voor te stellen zou een soort mijlpaal zijn; me niet meenemen zou het tegenovergestelde aangeven. De stilte tussen ons duurde voort. Ik móést ophouden zo emotioneel afhankelijk te zijn, nam ik me voor terwijl ik de uien sneed. Ik was een onafhankelijke vrouw die geen man nodig had. Toch, nu ik de liefde had geproefd, hongerde ik naar meer.

'Dan ga ik met Poppy zwemmen,' mompelde ik terwijl ik de uien in mijn wok liet glijden.

'Je kunt ook met me meegaan...'

Hij had zijn pakje shag neergelegd en speelde met een kurk. Ik onderdrukte de brede glimlach die zich over mijn gezicht dreigde te verspreiden en haalde mijn schouders op, alsof het me weinig kon schelen.

'Oké.'

Ik draaide me weer om naar de snijplank, stiekem dolgelukkig.

Later, toen ik naast hem in bed lag, liet ik mijn fantasie de vrije loop waarin Alicia mijn schoonmoeder was. We zouden dikke vriendinnen worden, zo stelde ik me voor, en recepten en ditjes en datjes over Simon uitwisselen. Misschien zou ze Poppy in haar hart sluiten en zouden we schoolvakanties in haar buitenhuis doorbrengen. Ook al was het me nooit gelukt zo'n relatie met Pat op te bouwen, ik hield vast aan het sentimentele geloof dat zoiets mogelijk of zelfs normaal was.

De volgende ochtend vroeg vertrokken we. Ik had het zo geregeld dat Poppy bij Jessie was, had me talloze malen omgekleed omdat ik niets geschikt vond en tien pond uitgegeven aan een boeket strakke, in plastic gewikkelde rozen uit een supermarkt. Simon gooide ze zonder commentaar achter in de auto. Hij had me heel weinig over zijn moeder verteld, behalve dat ze gescheiden was van zijn inmiddels overleden vader en alleen woonde.

Gedurende het eerste deel van de rit was hij zijn normale zelf en keuvelde hij over de aankoop van het pakhuis en wanneer we zouden verhuizen. Maar toen we de snelweg verlieten, veranderde zijn stemming plotseling, zoals in een Engelse zomer de lucht plotseling betrekt door een strook donkere wolken. Het was voor het eerst dat ik hem zo zag. Hij zat somber met een strak gezicht over het stuur gebogen. Elke voorzichtige vraag die ik stelde werd beantwoord door een weinig mededeelzaam gebrom. Uiteindelijk, kennelijk geïrriteerd door mijn pogingen tot conversatie, schoot hij The Clash in de cd-speler en zette hem hard. Ik keek de rest van de rit uit het raam naar de drassige velden en begroef mijn nagels in mijn handpalmen. Ik was onverklaarbaar nerveus.

'We blijven maar een uurtje of zo, goed?' zei hij toen we eindelijk op het grind voor zijn moeders huis stopten. 'Ze zal erop staan dat we blijven lunchen, maar het zal niet te eten zijn.'

Het was een enorm huis, omgeven door hoge heggen: een lelijk victoriaans geval met gotische torentjes en grote vuile ramen. Het huis zag er nogal vervallen en verwaarloosd uit: de gordijnen van de ramen op de benedenverdieping waren dicht en de ramen van de bovenste verdieping gingen verscholen achter klimop. Mismoedig sjokte ik achter Simon aan over de oprit. Toen hij bij de voordeur was haalde hij opvallend diep adem, pakte de klopper en sloeg hem hard tegen het hout. Ik sloeg mijn arm om zijn middel en leunde even tegen hem aan om zijn warme huid onder zijn jasje te voelen.

'Laat je niet opnaaien,' fluisterde ik in navolging van Poppy. 'Ik ben gewend aan rare families.'

Heel even glimlachte hij. 'Je weet niet hoe ze is,' mompelde hij, en zijn gezicht betrok weer.

We hoorden geschuifel achter de deur, gevolgd door het geluid van zware grendels die werden teruggeschoven. Ik vermande me, stak de bloemen naar voren, en probeerde zo enthousiast mogelijk te kijken. De deur zwaaide open.

Voor ons stond een lange broodmagere vrouw. Haar leeftijd lag ergens tussen de vijfenvijftig en zeventig in: haar huid was glad, maar haar piekerige haar wit. Ze had het in een slordige knot gestoken die aan één kant omlaag hing en had roos op haar gevlekte marineblauwe trui. Ze had licht gebogen schouders, zag ik, alsof ze er kleiner uit probeerde te zien. Net als Simon was ze fijngebouwd. Haar knappe gezicht leek zo op het zijne dat ik een moment het bizarre gevoel had dat ik hem begroette. Mijn enthousiaste handdruk werd echter beantwoord met slappe vingers, die ze snel weer wegtrok en in de zakken van haar vest stopte.

'Hallo!' zei ik overdreven opgewekt. 'Wat enig om u te ontmoeten! Ik ben Mel.'

Alicia deed een stap achteruit en bekeek me met verbaasd opgetrokken wenkbrauwen. Het was duidelijk dat ze me niet had verwacht.

'Je bent meer dan een uur te laat,' zei ze uiteindelijk tegen Simon, die zijn schouders ophaalde en langs haar heen de hal in liep.

Vastberaden stak ik haar de rozen toe. Ze hield ze losjes vast en keurde ze nauwelijks een blik waardig. 'Helaas ruiken ze alleen maar naar plastic,' zei ik met een resolute glimlach. 'Het is zo moeilijk om iets moois te vinden in onze buurt in Londen.'

Ze knikte en nam me langzaam van top tot teen op. Ik had ten langen leste mijn rode leren jasje en een lange wollen jurk aangetrokken. Eronder droeg ik zwarte laarzen met hoge vierkante hakken, wat ik meteen betreurde. Ik wenste dat ze haar blik van mijn kleding zou afwenden en me zou aankijken. Simon had haar blijkbaar niet over mij verteld.

'Je bent ouder en minder knap dan Rosa,' zei ze en ze ging met haar tong door haar mond alsof ze de resten van haar ontbijt tussen haar tanden wilde loswerken. 'Laten we hopen dat Simon zich deze keer wat beter gedraagt.'

Even dacht ik dat ik haar niet goed had verstaan. Toen haar woorden eindelijk tot me doordrongen, slikte ik verbijsterd en was ik te geschokt om te antwoorden. Ik voelde dat ik vuurrood werd; zelfs de puntjes van mijn oren gloeiden. 'Dat geloof ik graag,' mompelde ik.

Ze glimlachte vaag en stapte opzij. Achter haar was Simon al in het donkere huis verdwenen. 'Ik heb geen tijd gehad om de boel voor jullie op te dirken, dus je moet me maar nemen zoals ik ben,' zei ze bits. 'Kom mee, hierheen!'

Als een gehoorzame spaniël sjokte ik achter haar aan door de ruime hal met zijn zanderige plavuizen, hondenmanden en muffe portretten van voorouders met hun geweren aan de muur. Aan het eind van de gang liep een indrukwekkende trap naar boven. Daarachter was een deur naar een enorme zitkamer, waar Simon nu bij het raam stond en naar het omliggende terrein keek.

De kamer was net zo groezelig en sleets als de hal. De eens witte muren waren nu grijs en het antieke meubilair was ingezakt. Onder het raam geschoven stond een chaise longue bekleed met verschoten gele zijde en een scheur in de zitting werd provisorisch bijeengehouden met tape. Het Perzische tapijt op de vloer was op sommige plekken bijna helemaal kaal; uit de armleuningen van de bank bij de grote open haard kruimelde aftandse strovulling op de vloer. Ik keek om me heen en nam de staat van miserabel verval in me op. Er hing een geur van houtrook en honden.

'Glaasje sherry?' vroeg Alicia terwijl ze me een vettig glas in de hand drukte. Ze keerde me de rug toe en richtte zich tot Simon. 'Hoe gaat het met jou? Nog steeds aan de drank?' Ze lachte kakelend.

Hij negeerde haar. 'Wat heb je met de taxusboom gedaan?' mompelde hij.

'Dat ding was al jaren dood. Ik heb hem moeten laten kappen.'

Hij reageerde niet, trok slechts zijn wenkbrauwen op en draaide zich somber weer om naar het raam. Met een gevoel alsof ik gestrand was staarde ik naar zijn rug. Het was alsof hij toen hij het huis binnenging was veranderd in een mannelijke versie van zijn moeder. Zelfs zijn schouders hingen naar voren zoals ik niet eerder had gezien.

'Het is een mooi huis,' zei ik in een poging tot conversatie en ik besefte meteen hoe onbeholpen ik klonk.

'Het is een bouwval, antwoordde Alicia nors terwijl ze zich een flinke tumbler sherry inschonk en een grote slok nam. 'Het stort in elkaar waar ik bij sta en ik heb niet de middelen om het te laten opknappen.'

'Simon is goed in huizen opknappen…'

Toen hij zijn naam hoorde draaide hij zich om en wierp me zo'n felle blik toe dat ik mijn zin afbrak en vertwijfeld op mijn lip beet.

'Hij laat zich hier nooit zien,' zei Alicia zuur. Ze vulde haar glas bij. Als hij de moeite neemt om langs te komen is dat alleen omdat hij geld van me wil.'

'Ma…'

Ze keek hem aan en ineens zag ze er triest uit met haar vlassige losse haarstrengen.

'Nou, is dat soms niet zo?'

Ik staarde als gebiologeerd naar het gore tapijt. De zoete sherry maakte me misselijk. Aan de andere kant van de kamer stond Simon grimmig te kijken.

'Ik dacht dat we het daar al over gehad hadden…' zei hij ongeduldig.

'Hoe dan ook, je bent voor niets gekomen. Rosa was hier gisteren. Ik heb alles aan haar gegeven.'

'Wát zeg je?'

'Ze kwam gisterochtend. Ze heeft de doos met alle papieren meegenomen en ze zei dat je die in Londen kon ondertekenen.'

Even vreesde ik dat Simon zijn moeder zou aanvallen. Met gebalde vuisten deed hij een stap in haar richting. Zijn gezicht was paars en onherkenbaar van verwrongen woede.

'Hoe kon je in godsnaam zo stom zijn?'

'Waar héb je het over?'

'Je weet precies wat er aan de hand is!'

'Helemaal niet. Ik weet niets. Je vertelt me nooit iets.' Aan de eigenzinnige wijze waarop ze haar glas sherry ronddraaide zag ik dat Alicia verdraaid goed wist wat ze had aangericht.

'Godskolere!'

Ik had genoeg gehoord. Simons gedrag joeg me de stuipen op het lijf en ik werd opeens zo misselijk dat het me duizelde. Voorzichtig zette ik mijn glas op het besmeurde blad van een ooit chique georgian kaarttafel. Ik zocht om me heen naar mijn jasje, dat ik even tevoren nerveus op de armleuning van de bank had gelegd. Ik pakte het op en klemde het resoluut in mijn armen.

'Ik ga,' zei ik zacht. Toen draaide ik me om en liep terug naar de voordeur.

Simon haalde me in aan het eind van de oprit. Ik had de banden horen knerpen op het grind toen hij de auto keerde, maar keek niet op tot hij naast me stopte en het portier aan de passagierskant voor me opende. Even overwoog ik hem te negeren. Ik kon naar het dichtstbijzijnde station lopen – waar dat ook mocht zijn – en de trein terug naar Londen nemen, dacht ik onbesuisd. Mijn ergste angst was bewaarheid. Simon had nog steeds iets met de vrouw die met hem in Peckham had samengewoond, het benige naakt met haar weelderig zwarte haar en gespreide dijen. Al die tijd had ik me van alles ingebeeld over onze toekomst, maar voor hem was ik slechts een tijdelijke afleiding van zijn échte relatie, die Rosa, een vrouw die zo in zijn leven verankerd was dat ze zomaar bij zijn moeder langs kon gaan en zonder meer zijn zakelijke documenten kon meenemen.

'Mel, schat, stap alsjeblieft in…'

Hij zou ook met haar vrijen, haar borsten zoenen en zijn handen bezitterig over die magere benen laten glijden.

'Rot op.'

'Het spijt me echt. Mijn moeder staat niet bekend om haar tact. Ik had je nooit mee moeten slepen.'

Ik wierp hem een furieuze blik toe. Hij boog zich over de stoel naar me toe met een bijna grotesk smekend gezicht.

'Het heeft niets te maken met je moeder,' siste ik. 'Het gaat om jou.'

'Mel, alsjeblieft. Ik vind het vreselijk dat ik me zo ellendig heb gedragen. Alleen…'

'Alleen wat? Voor mij is het duidelijk dat je er een andere vrouw bij hebt.' Het was me te veel om hem aan te kijken. Wat had Alicia ook alweer gezegd? *Je bent ouder en niet zo knap.* Die vernederende opmerking rees als bittere gal in mijn keel omhoog. Hoe dúrfde ze. Ik begon over de oprit te rennen. Het was precies waarvoor Nat me had gewaarschuwd. Waarom zou iemand als Simon in hemelsnaam in mij geïnteresseerd zijn? Ik was niet meer dan een speeltje voor hem, misschien handig als verblijf in Londen. Of misschien ging het hem alleen om seks: een ander lichaam, iets om de sleur te doorbreken. Wat was ik toch stom! Achter me hoorde ik het autoportier dichtslaan en voetstappen op het grind.

'Mel, wacht even!'

Hij pakte mijn onderarm beet en trok me mee achteruit, zodat ik gedwongen was me om te draaien en zijn bleke gezicht te zien. Er stonden tranen in zijn ogen, zag ik tot mijn schrik. En toen hij me bij mijn elleboog pakte, trilde zijn hand.

'Het is niet wat je denkt.'

Ik schudde zijn hand van me af. 'Hoe is het dan?'

'Ik woonde met die vrouw samen voor ik jou leerde kennen, maar het is voorbij.'

'Waarom komt ze dan hier om documenten mee te nemen?'

'Omdat het een kreng is. Ze wil niet dat ik mijn appartement verkoop en ze probeert me tegen te houden.'

'Waarom wil ze niet dat je je appartement verkoopt?'

'Ze wil niet dat ik alleen doorga met mijn leven.'

Dat was precies wat ik wilde horen. Ik sloeg mijn armen over elkaar en liet me niet meteen vermurwen, maar de zinderende woede die me uit de zitkamer via de hal naar buiten had gedreven was een stuk minder.

'Luister nou,' zei Simon. 'In het begin was het heel intens met haar, maar nu ik met jou ben, besef ik dat ik nooit echt van haar gehouden heb. Het begon met seks, maar algauw werd het veel te heftig, en ze wilde me niet loslaten. Met kerst heb ik het uitgemaakt, en nu wil ze me een hak zetten.'

'Waarom heb je me dat allemaal niet eerder verteld?'

'Omdat ik er liever zo min mogelijk over wilde nadenken. Ik wilde het achter me laten.'

'Je liegt toch niet tegen me, hè?'

'Natuurlijk niet.'

Ik keek naar zijn radeloze gezicht. Toen ik ten slotte iets zei, leek mijn stem uit de verte te komen. Wat ik zei had voor mij het gewicht van een test waarvoor hij koste wat kost moest slagen.

'Ik zou het echt niet kunnen verdragen als je nog met haar naar bed ging, Simon. Ik ben te vaak door te veel klootzakken gekwetst. Bovendien moet ik Poppy beschermen. Ik moet er voor honderd procent zeker van zijn dat ik je kan vertrouwen.'

'Dat kún je ook, echt waar. Zoals ik al zei: ik ga niet meer met haar naar bed. Ik wil haar alleen maar lozen.'

Met een doordringende blik keek ik hem aan om te zien of hij loog. Door mijn woede was ik assertiever dan gewoonlijk. 'Als ik erachter kom dat jullie nog iets hebben, kun je het vergeten. Dan ben ik weg.'

'Mel, alsjeblieft, ik beloof het je.' Hij stapte achteruit en keek me met een smekende blik aan. 'Relax, schat. Ik heb jóú gekozen, ja toch? Zij is verleden tijd. Finito. Einde verhaal.'

Hij liep terug naar de auto. 'Wat een rotdag. Laten we de hele boel alsjeblieft vergeten.'

We stapten in de auto en hij startte de motor. Ik voelde me verdoofd, alsof ik een grote hoeveelheid pijnstillers had ingenomen die net begonnen te werken. Simon zette de auto in zijn twee toen we de laatste bocht in de oprit naderden. Eenmaal bij de weg trapte hij op het gas en we scheurden over de smalle kronkelwegen. Ik keek naar de steeds vager wordende glooiingen vol dotter- en sleutelbloemen. Goed, hij en zijn ex waren dus niet op een leuke manier uit elkaar gegaan. Het had niets om het lijf; hij had gelijk dat hij me er niet in wilde betrekken.

'Je was niet bepaald aardig tegen je moeder,' zei ik ten slotte.

Zijn gezicht verstrakte. 'Ze verdient niet beter.'

We waren bij de top van een heuvel en door een opening tussen de bomen langs de weg zagen we ineens het landschap: glooiende heuvels die zich tot in het oneindige leken uit te strekken, een lappendeken van groene en grijze tinten. De hele dag had er storm op de achtergrond gedreigd, maar ondanks de donkere wolken was hij niet doorgebroken. Nu knetterde er plotseling een felle bliksemschicht boven de horizon, gevolgd door een luide donderslag. Ik keek naar de lucht en voelde me een stuk opgewekter. Wat er gebeurd was, maakte geen verschil. Zoals Simon had gezegd: zijn relatie met die andere vrouw was voorbij.

Grote regendruppels spatten op de stoffige voorruit; na een tijdje zette Simon de ruitenwissers aan. Het stortregende inmiddels en

73

het water kletterde op de motorkap. Ik opende mijn raam een stukje en snoof de geur van nat gras en lentebloesem op. Even later reden we de snelweg op.

Of gebeurde het allemaal in een andere volgorde? Ik kijk Sandra de familiecontactpersoon aan en besef hoe gefragmenteerd mijn herinneringen zijn. Ik herinner me dat ik Alicia's huis uit beende en op de oprit tegen Simon tekeerging, maar was dat niet na een uitgebreider bezoek waarin we een wandeling in de tuin van haar huis hadden gemaakt? Of was dat juist de tweede keer dat ik er was geweest, zonder Simon? Ik kijk naar Sandra's vriendelijke ronde gezicht tot het wazig wordt, maar het verleden is zo gewelddadig uiteengerukt dat ik het niet meer tot een geheel kan verweven. Het enige overblijfsel is dit kluwen draden die ik zo wanhopig probeer te ontwarren. Simons handen, strak om het stuur geklemd; de adertjes op zijn moeders wangen, felrood en vurig; wat ze later zei en de vragen die ik niet durfde, maar wel had moeten stellen.

8

Het kwam niet door de sherry, noch door Simons gedrag dat ik me die dag misselijk voelde. De volgende ochtend kreeg ik mijn koffie niet weg. Sterker nog, van het sigaretje dat ik opstak moest ik kokhalzen. Alcohol smaakte plotseling walgelijk, alsof ik methanol dronk. Naarmate de week vorderde, vroeg ik me niet langer af wat voor symptomen ik had. Toen ik de test deed, was ik negen weken zwanger.

Drie weken later lag ik naakt op de verkreukte lakens, met mijn bezwete lichaam tegen Simons zij gedrukt. Hij was net terug uit Kent en na een korte heftige vrijpartij lag hij nu op zijn rug met zijn armen boven zijn hoofd uit te rusten. Zoals gewoonlijk had hij het over het pakhuis. De koop was inmiddels zo goed als rond. Hij had een aannemer gevonden en een architect in de arm genomen. Hij was zo enthousiast als een jongetje over een nieuw stuk speelgoed.

'We brengen het zo veel mogelijk terug in de originele staat, toveren de balken weer te voorschijn en de zolder breken we open,' zei hij. 'Alleen het dak is een puinhoop. Ik wil dat Ollie ernaar kijkt.'

Ik rolde van hem vandaan en ging op mijn zij liggen terwijl ik met een vinger door zijn zachte borsthaar woelde. Ik had al een paar keer geprobeerd hem te vertellen over de blauwe lijn die op mijn zwangerschapstest was verschenen, maar als een pony die naar een hindernis is gegaloppeerd en ineens steigert, sprong ik steeds schichtig opzij. Het was te snel te veel van het goede. We hadden besproken om samen te gaan wonen, niet om een kind te nemen. En op de een of andere manier was de onplezierige herinnering aan ons bezoek aan zijn moeder verstrengeld geraakt met hoe ik vreesde dat hij zou reageren.

'Hoe is het met je buik, trouwens?' vroeg hij, erover strelend. Ik keek omlaag. Objectief gezien was mijn buik nog plat, maar in mijn ogen leek hij al iets te zwellen en was de holte vervangen door iets hards dat naar buiten drukte. Ik werd duizelig bij het vooruitzicht.

'Mijn buik is niet echt het probleem,' zei ik.

'Je zei toch dat je je niet lekker voelde?'

Ik beet op mijn lip en keek langs Simons ontspannen gezicht naar mijn kleine slaapkamer, met de foto's van Poppy in verschillende leeftijdsstadia, het schilderij van Aborigines dat ik in Alice Springs had gekocht en de saaie gordijnen die ik in een warmrode tint had willen verven, maar die een vale zalmkleur waren geworden. Toen ik Pete vertelde dat ik zwanger was van Poppy, vertrok zijn gezicht in afkeer. Even bleef hij zwijgend voor me zitten terwijl hij aan een kartonnen flapje van zijn sigarettenpakje friemelde. Daarna was hij opgestaan, riep dat ik een stom wijf was en nadat hij de tafelpoot een flinke schop had gegeven, stormde hij de bar uit.

'Ik ben steeds misselijk.'

'Moet je dan niet eens naar de dokter?'

Ik gaf geen antwoord. Mijn hand gleed zacht van zijn borst. Ik hoefde nu alleen de woorden uit te spreken, dan zou alles veranderen. Ik wist echter niet of het een begin of een einde zou inluiden.

'Nee, nog niet.'

Mijn hart begon te bonzen.

'Hoe bedoel je: "nog niet"?'

'Is het niet duidelijk?'

Nu zweeg hij ook. Ik voelde hoe zijn lichaam zich ineens spande, de stilte tussen mijn woorden en zijn antwoord strekte zich uit tot iets wat onvermijdelijk en belangrijk was.

'Ik begrijp je niet.'

Mijn hart bonkte in mijn keel; mijn handen waren klam. We gingen samenwonen, waarom zou ik dan zo angstig zijn?

'Ik denk dat ik misschien in verwachting ben.'

Er volgde een diepe stilte, als een donker gat waarin ik viel. Het leek wel een eeuwigheid waarin we naast elkaar op bed lagen, zonder elkaar aan te kijken of iets te zeggen. Ten slotte vatte ik de moed om hem aan te kijken en zag dat er een klein, volgens mij afkeurend, rimpeltje tussen zijn wenkbrauwen was verschenen. Na enkele ogenblikken nam hij zijn hand van mijn buik en sloeg zijn armen over elkaar. Ik was buiten adem van de zenuwen.

'Nou?'

'Hoezo "nou"?' Hij ging rechtop zitten en pakte zijn trui, die hij snel over zijn hoofd trok. Ik keek toe hoe hij zich verdoofd van ongeloof aankleedde. Zijn reactie ontrolde zich precies zoals ik had gevreesd.

'Wat vind je ervan? Waarom zeg je niets?'

'Ik weet niet wat ik moet zeggen. Heb je een zwangerschapstest gedaan?'

'Ja.'

'Was het positief?'

'Ja.'

'Aha.'

Ik had gedacht dat hij anders dan de anderen was, maar nu bleek dat een misvatting. Hij stond op en pakte zijn spijkerbroek. Op de klok bij het bed zag ik dat het al bijna twee uur was. Over een half-uur moest ik Poppy van school halen en zou hij weg zijn.

'Ik hoopte dat je blij zou zijn,' zei ik zacht.

Hij draaide zich om en keek me eindelijk recht aan. Zijn gezicht had een trieste uitdrukking.

'Als je echt zwanger bent, ben ik blij,' zei hij. 'Sorry, maar meer kan ik niet zeggen. Mijn hoofd staat op dit moment niet echt naar het krijgen van een baby.'

Ik slikte de brok in mijn keel weg. Net als wanneer aan het eind van een toneelstuk het decor wordt weggehaald, stortten mijn dwaze fantasieën over een nieuw leven met Simon in elkaar en bleef ik halfnaakt en alleen achter in mijn armetierige appartement in Brockwell.

'Ik dacht trouwens dat je de pil gebruikte.'

'Ik ben hem waarschijnlijk een paar keer vergeten in te nemen...'

Hij antwoordde niet, pakte zijn mobiele telefoon van het nacht-kastje, stak hem in zijn zak en bukte zich met zijn rug naar me toe om de veters van zijn sportschoenen te strikken.

'Waar ga je heen?'

'Ik heb een afspraak met een paar financiers in de stad. Ik bel je.'

Hij ging rechtop staan en drukte zijn koude mond op mijn wang. Ik beet zo hard op de binnenkant van mijn wang dat het begon te bloeden.

'Wanneer ben je terug?' Mijn stem was gereduceerd tot schor gefluister; de uitdagende onafhankelijke vrouw was geheel verdwenen.

'Het zal de komende paar weken moeilijk worden, liefje. Ik moet nu echt de koop afronden en nog van alles regelen.'

'Ga je bij me weg?'

Hij draaide zich om. Zijn gezicht had al een gesloten uitdrukking en zijn ogen waren op een plek boven mijn hoofd gericht.

'Natuurlijk niet. Ik zal het alleen een tijdje druk krijgen.'

Toen was hij weg.

Simons haastige aftocht uit mijn appartement was zo definitief dat ik ervan overtuigd was dat hij nooit meer terug zou komen. De rest van de dag huilde ik, onderbroken door periodes van geforceerde kalmte toen ik Poppy van school haalde, met haar at en haar naar bed bracht. Huilend keek ik tv, en ik moest telkens mijn gezicht met de rug van mijn hand droogwrijven en mijn gezicht afwenden zodat ze het niet zou zien. Ik huilde terwijl ze in bad zat te spetteren en zat met mijn zakdoek over mijn mond geklemd op de wcbril. Ik huilde toen ze eindelijk sliep en wierp mezelf op bed, waar ik eindelijk toegaf aan een gierende huilbui waar ik pijnlijke ribben van kreeg, alsof ik een pak slaag had gekregen. Het was een bekend gevoel, maar tegelijkertijd duizelde het me. Simon had me zo oprecht geleken en had me zo vaak gerustgesteld dat ik zijn reactie nog niet echt kon bevatten. Had ik hem dan totaal verkeerd beoordeeld? Ik verlangde naar wat hij nog maar twaalf uur eerder was geweest: liefdevol, attent, mijn toegangskaartje tot een andere wereld. Ook walgde ik van mezelf. Ik had beter moeten weten, dacht ik bitter. Ik was beminnelijk noch bemind. Waarom zou iemand bij me willen blijven?

De volgende dag werd ik wakker met hoofdpijn en een doffe depressieve stemming. Ik was te trots om Simon te bellen en schakelde mijn antwoordapparaat en mijn mobiele telefoon allebei uit om zijn overduidelijke zwijgen niet op me af te laten komen. Ondanks al zijn beloften had hij de benen genomen. Hij was net als alle andere mannen die ik helaas was tegengekomen: een klootzak. Hij was natuurlijk weer terug bij dat naakt. Op dit moment, terwijl ik door de keuken drentelde om ontbijt te maken, lag hij waarschijnlijk met haar te neuken en genoot hij van haar lichaam tegen het zijne. Daar hoefde ik me trouwens echt niet over te verbazen, aangezien hij het zo veel maanden had moeten stellen met mijn dikkere uitgezakte lijf.

Ik bleef misselijk, een onpasselijkheid die onverminderd aanhield, alsof ik in een rubberboot op een ruwe zee ronddreef. De enige remedie was eten. Terwijl de baby in mijn buik vingers en tenen kreeg, werkte ik bergen witbrood en aardappelpuree weg, afgewisseld met gemberbolletjes. Op sommige dagen stelde ik me de komende maanden en jaren voor en overwoog ik een abortus. Ik zou alleenstaande moeder van twee kinderen zijn, gedoemd tot geestdodend fulltimewerk, dacht ik wanhopig. Ik zou voorgoed in Engeland vastzitten om mijn kinderen naar school te laten gaan en zelf te werken; ik zou nooit genoeg geld hebben om te leven zoals ik wilde en zou altijd alleen zijn. Op andere dagen ging het iets beter, wanneer ik de albums met babyfoto's van Poppy te voorschijn haalde om me op te vrolijken. Dan keek ik naar haar mollige lijfje in een wit rompertje, hoe ze met haar pijpenkrulletjes achter een looprek drentelde. Ikzelf op het strand, met haar in mijn armen, de zon op mijn gezicht. Natuurlijk zou ik de baby houden. Zoals altijd zou ik het wel redden.

Er ging nog een week voorbij en ik had nog steeds niets van Simon gehoord. Poppy begon naar hem te vragen. Ze kwetterde onafgebroken over het bruidsmeisjesjurkje dat ze van plan was op onze bruiloft te dragen, en ik kon het niet over mijn hart verkrijgen om haar de waarheid te vertellen, namelijk dat Simon net zo snel uit ons leven was verdwenen als hij het had overgenomen. Ik huilde niet langer, maar was overmand door een zeurende pijn die zich diep in mijn borst had genesteld. In één dag kon mijn stemming omslaan van verdoofd ongeloof over wat er was gebeurd naar mijn gebruikelijke wantrouwen jegens mannen, waarin ik me nu bijna opgelucht hulde als in een oud versleten jasje dat je aan het begin van een koude herfst in de kast vindt. Toen Nat op de speelplaats naar me toe kwam, nam ik haar bij de arm en wandelde met haar naar huis alsof we nooit ruzie hadden gehad. Ned wilde weer bij haar terug, zei ze, verachtelijk snuivend. Zijn sloerie had hem laten vallen en hij was in tranen bij haar teruggekomen en had om vergeving gesmeekt. Ze had hem de deur gewezen, met een triomfantelijke grijns. Mannen, wat had je eraan?

Ze vroeg niet naar Simon.

Toen ging laat op een vrijdagavond terwijl ik voor de tv hing de deurbel. Het was drie weken geleden dat Simon was vertrokken en ik was ervan overtuigd dat ik hem nooit meer zou zien, maar toen ik slaperig de gang in strompelde, bonkte mijn hart tegen mijn ribben als een wild dier dat wil ontsnappen.

'Wie is daar?'

'Ik ben het.'

Ik zwaaide de deur open. Simon stond met een schaapachtige glimlach voor me. Hij zag er magerder en gebruind uit, alsof hij op vakantie was geweest in een exotisch land. Maar mijn hart sprong op van vreugde.

'Mag ik binnenkomen?'

Schouderophalend stapte ik opzij. Ik wilde hooghartig en onverschillig zijn, maar dat kon ik onmogelijk volhouden. Ik verlangde zo wanhopig naar hem dat ik me uit alle macht moest bedwingen om hem niet bij zijn revers naar me toe te trekken. Hij volgde me naar de kleine keuken en keek naar me terwijl ik de waterkoker aanzette. Mijn handen trilden zo dat ik het knopje nauwelijks kon indrukken.

'Hoe ís het met je?'

'Hondsberoerd.'

'Mel, lieve schat…'

Ik keek om. Hij leunde tegen de formicakastjes en wierp me een smekende blik toe. Hij zag er zo terneergeslagen uit dat ik het bijna uitschaterde: zo leek hij op een sjofele hond die om chocola bedelt. 'Het spijt me zo,' zei hij langzaam. 'Ik heb me echt als een hufter gedragen. Ik hou van je. Ik wil altijd bij je blijven.'

'Ik ben niet met opzet zwanger geraakt, als je dat soms dacht,' zei ik koel, terwijl ik me weer omdraaide.

'Natuurlijk niet. En zelfs als het wel zo was, zou het niet hebben uitgemaakt. Het gaat er niet om dat ik geen kind wil, alleen kwam het zo onverwacht. Ik schrok ervan.'

Ik liet de stekker los en voelde de woede in me opborrelen.

80

'Ben je bij haar geweest?'

'Bij wie?' Zijn stem klonk onheilspellend zacht.

'Dat méns.'

Zijn gezicht vertrok in een grimas van afkeer. 'Ik heb je toch gezegd dat dat voorbij is!'

Geschrokken door zijn heftige reactie staarde ik hem aan. Ik zag dat zijn woede verdween en hij keek naar de vloer alsof hij zichzelf onder controle wilde krijgen, en toen naar mij, met trieste, bijna smekende ogen.

'Zij heeft er niets mee te maken, echt niet. Ik heb er voorgoed een eind aan gemaakt. Ze zal me nooit meer lastigvallen.'

'Waar gaat het dan wel om?'

'Ik was het zelf, ik wist het allemaal niet meer en ik vond het eng.'

Ik sloeg mijn armen over elkaar. Ik wilde hem zo graag geloven.

'Hoe denk je dat ík me voelde toen je ineens zomaar de benen nam?'

'Het spijt me heel erg.' Hij sprak opzettelijk langzaam, op verzoenende en schuldbewuste toon, alsof hij dit gesprek had voorbereid. 'Ik heb me weerzinwekkend gedragen. Ik weet dat daar geen excuus voor is.' Hij zweeg, misschien omdat hij verwachtte dat ik hem verder wilde uithoren. Toen dat niet het geval bleek, zei hij: 'Ik heb iets voor je.'

Hij tastte in zijn jaszak. Met open mond keek ik toe. Even later haalde hij een klein zwart doosje te voorschijn, dat hij me beschroomd overhandigde.

'Wat is het?'

'Maak maar open.'

Ademloos trok ik aan het gouden klemmetje van het doosje. Er lag een gladde gouden ring in met in het midden een robijn.

'Laten we alles achter ons laten,' fluisterde hij. 'Trouw met me, Mel. Dan beginnen we helemaal opnieuw.'

Eindelijk verscheen er een glimlach op mijn gezicht. Ik wilde huilen en krijsen van het lachen en in zijn armen vallen en hysterisch door de keuken dansen, allemaal tegelijk.

'Is het echt helemaal uit met die Rosa?'

'Zoals ik al eerder zei: het is over en uit. Voor honderd procent.'

'Je bent de afgelopen weken toch niet bij haar geweest, hè?'

Hij leek te aarzelen en ik keek in zijn gebruinde bezorgde gezicht om hem te dwingen te zeggen wat ik wilde horen. Toen de seconden voorbijtikten, maakte mijn ongeduld snel plaats voor angst. Toen verzachtte zijn gezicht.

'Toe, Mel. Je moet me vertrouwen. Ik zal je nooit, nooit bedriegen, dat beloof ik...'

Met een paar resolute stappen was hij bij me en trok me in zijn armen. Mijn gezicht drukte tegen zijn borst en ik sloeg mijn handen om zijn middel. Ik snoof de bedompte geur van zweet en tabak op. Doordat ik zijn schouders voelde schokken besefte ik dat hij huilde, en toen ik me van hem losmaakte, waren zijn ogen rood.

'Wil je met me trouwen?' fluisterde hij. 'Zeg alsjeblieft ja.'

Ik keek hem aan terwijl mijn hart nog steeds tegen mijn ribben bonkte. Natuurlijk zou ik met hem trouwen. Het zou een laatste poging zijn om gelukkig te worden in mijn leven, dat tot nu toe slechts teleurstellingen had opgeleverd.

'Goed dan.'

'Goddank!'

Hij klemde me zo hard tegen zich aan dat mijn buik in de knel raakte. Zacht duwde ik hem weg.

'En de baby?'

Even leek hij beduusd. Of misschien wist hij niet helemaal hoe hij moest reageren. Hij viel op zijn knieën, trok mijn trui omhoog en legde zijn gezicht zijdelings op de kleine zwelling van mijn buik.

'Ik ben zo benieuwd hoe hij eruitziet,' zei hij schor.

Ik kon me niet inhouden en grijnsde zo breed dat ik bang was dat mijn gezicht in tweeën zou splijten. 'Of zij,' zei ik en ik mepte hem zachtjes op zijn schouders.

Verward schud ik mijn hoofd heen en weer om het helder te krijgen en kijk om me heen. Hoewel er aan de buitenkant niets veranderd is, lijkt de kamer subtiel anders, alsof niet de voorwerpen de ruimte vullen, maar dat wat erin plaatsvindt. Zonder onze onstuimige huiselijke chaos – Poppy's capriolen op de bank, of kunstschaatsend op de houten vloer, Jo's luiers en kleren – is het een plek die ik slechts vaag herken: formeel en kil. Zelfs het meubilair, gekozen uit praktisch en modern oogpunt, ziet er onvriendelijk uit. De metalen stoelen en de kale vloer missen huiselijkheid, het ontwerp van de kamer is te kaal. Hoe hebben we ooit kunnen denken dat we hier ons thuis van konden maken?

Ik weet niet hoe lang ik hier al zit met mijn ijskoude handen in de vlezige warme handen van Sandra. Ik knipper met mijn ogen en kijk naar haar op alsof ik uit een droom ontwaak.

'Waar is Jo?' zeg ik, opspringend. 'Ik wil mijn kind!'

'Rustig maar, liefje. Hij wordt verzorgd. Je vriendin heeft hem naar zijn bedje gebracht.'

Ze legt haar vaardige handen op mijn schouders en drukt me omlaag.

'Maar waar is Poppy?' roep ik klaaglijk.

'We doen wat we kunnen om haar terug te krijgen, Mel. Er is zojuist een nieuwsflits op de tv geweest en het komt ook op de radio. Alle diensten in het land zijn gealarmeerd. Het hele land weet welke auto we zoeken.'

Ik gaap haar aan en probeer tot me door te laten dringen wat ze zegt. Hoe is het mogelijk dat Simon, met zijn zachte bruine ogen en encyclopedische kennis van Bob Dylan, plotseling 's lands meest gezochte man is? Hij hield van Poppy. Hij kon vreselijk met haar lachen. Waarom zou hij háár iets willen aandoen? Ik snap er niets meer van. Ik weet alleen dat ik met zo'n heftige intensiteit naar mijn dochter verlang dat ik naar adem hap. Ik wil haar hier hebben, nú. Ik wil haar compacte lijfje in mijn armen houden, mijn vingers over haar gladde mollige armen laten glijden en mijn gezicht in haar dikke haar begraven. Maar ze is er niet. Ze is van me weggerukt, weggetoverd door een monster.

'Hij heeft haar niet meegenomen! Simon zou nooit zoiets doen!' sis ik.

'Toch wijst er heel veel in zijn richting, Mel. Daarom doen we alles om zijn auto op te sporen.'

'Jullie kennen hem niet! Hij zou haar nooit in gevaar brengen!'

Sandra geeft geen antwoord. Ze zit tegenover me en knikt en houdt mijn hand vast alsof ze mijn beste vriendin is, maar ze is vastbesloten. Ik ben, zoals zij het ziet, een echtgenote in de ontkenningsfase. Ze heeft het vast al ontelbare keren meegemaakt met verwanten van verdachten: het koortsachtig ontkennen wat voor de politie duidelijk is, het koppig benadrukken van de onschuld van hun geliefde, en uiteindelijk de geleidelijke afbraak van hun hartstochtelijk pleidooi door de onweerlegbare feiten.

'Poppy had steeds nachtmerries!' flap ik eruit. 'Ze zei dat er iemand in het pakhuis was!'

'Hm.'

'En er waren ook brieven! Simon had er niets mee te maken!'

'Wat voor brieven, Melanie?'

'Dat weet ik niet. We dachten dat ze van een vriendinnetje waren, maar ze wilde ze ons niet laten zien. En ze zei steeds dat er boven een spook ronddwaalde.'

Ik barst wederom in tranen uit, mijn wangen zijn kletsnat. Snikkend pak ik de papieren zakdoekjes die ze me aanreikt.

'We zeiden steeds tegen haar dat ze het zich verbeeldde...'

Ik sluit mijn ogen, waardoor er meer hete tranen omlaag vloeien. Poppy, rechtop in bed, zich schor krijsend; mijn slaperige kalmeringspraatjes zonder echte overtuiging; Poppy die onze slaapkamer binnenkomt en huilt zoals ik haar zelden heb zien doen: diepe snikken waar haar hele lijfje van schokt. Haar ogen, toen ik het licht eindelijk aandeed, die naar iets zochten. 'Er stond een slecht iemand in de corridor,' fluisterde ze. Die zou terugkomen om haar mee te nemen.

'Veel kinderen hebben nachtmerries,' zegt Sandra zacht. 'Misschien maakte ze zich druk om school?'

Ik zak achteruit op de bank, te uitgeput om erop in te gaan. Sandra heeft gelijk. Ik klamp me vast aan strohalmen. Ik moet de feiten onder ogen zien. Die ben ik niet vergeten, hoewel ik dat maar al te graag wel zou doen. Dit is namelijk niet de eerste keer dat de politie in mijn huis is. Gisteren nog was Dave Gosforth hier in een andere rol, en droegen zijn mannen met witte handschoenen onze spullen in zorgvuldig geregistreerde plastic zakken weg, terwijl hij tegen zijn auto stond geleund en me zonder enige sympathie bekeek. Dit had hij talloze malen eerder meegemaakt, vertelde zijn verveelde blik me, talloze vijandige vrouwen die zenuwachtig liepen te kwetteren om de rotzooi die zijn mannen maakten. Hij naderde zijn prooi, stond op scherp, zouden mijn in duigen gevallen dromen hem ook maar iets kunnen schelen?

Ja, ik moet de feiten onder ogen zien. Pas zesendertig uur geleden dirigeerde hoofdrechercheur Gosforth Simon discreet naar de keuken, met een ervaren hand op zijn elleboog, terwijl ik als gebiologeerd door onze brede ramen naar de grijze laaghangende wolken staarde. Even later zag ik hen over de oprit lopen. Een eigenaardig stel: de hoofdrechercheur, met zijn dure leren jack en keurig gestreken spijkerbroek, en de verdachte, met zijn lange haar, eeltige timmermanshanden en sleetse kleding. Simon ging achter in de ongemarkeerde politieauto zitten, zonder ook maar om te kijken om te zien of ik voor het raam stond. Het was alsof tijdens die vreselijke confrontatie in de keuken al het leven in hem was verbleekt en hij van mens tot geestverschijning was geworden.

En nu zijn ze hier weer, met hun voorzichtige vragen en forensische procedures. Maar wat niemand nog hardop heeft gezegd, is dat mijn echtgenoot, Simon Stenning, gisteren nog is gearresteerd op verdenking van moord.

9

26 februari 2005
Tijd: 20.25 uur

Dave Gosforth leunde tegen de buitenmuur van gasbetonblokken van de keuken van de Stennings en hield zijn handen
beschermend tegen de wind om zijn aansteker. Het was allemachtig koud. Knipperend met zijn ogen tegen de ijzel die in
zijn gezicht blies, boog hij zich over zijn aansteker om die tot
leven te dwingen. Na drie mislukte pogingen kwam er een
klein vlammetje. Hij nam een diepe ontspannende haal van
zijn sigaret, blies uit en staarde somber over het moeras. Het
afgelopen uur was een en al consternatie geweest, waarin ze al
het mogelijke hadden gedaan om Simon Stennings auto te
traceren. Het was op het landelijke nieuws geweest en het
kenteken van de auto was aan alle politiekorpsen in het land
doorgeseind. In heel Groot-Brittannië waren patrouillewa-
gens naar hem op zoek. Ook de vliegvelden waren gealarmeerd, hoewel het onwaarschijnlijk was dat hij naar het bui-
tenland zou gaan. Ze hadden Stennings paspoort ingenomen,
samen met de persoonlijke bezittingen die ze gisteren uit zijn
huis hadden meegenomen.

Toch had Dave ondanks dat alles een gevoel van paniek dat
hij in twintig jaar dienst niet had gekend. Toen hij die middag
was gebeld om weer naar het pakhuis te gaan, was het opge-
komen, een gewaarwording als een klok die zo strak is opgewonden dat hij blijft tikken. De idioot had het meisje meegenomen! Dat had hij niet verwacht en was het ergst denkbare
scenario. Hij vreesde een gijzeling of nog erger. Daarom wilde hij even alleen zijn, om te kunnen nadenken.

Dit was zonder meer een dramatische wending. Als hij ook maar even vermoed had dat Stenning iets dergelijks zou flikken, zou hij zich tot de politierechter hebben gewend met het verzoek hem nog achtenveertig uur te kunnen vasthouden. Dan zouden de resultaten van het forensisch onderzoek binnen zijn en met een beetje geluk hadden ze hem in staat van beschuldiging kunnen stellen. De man was duidelijk zo schuldig als wat. Dave had al in die richting gedacht toen ze hem gisteren hadden gearresteerd. Nu was hij er bijna honderd procent van overtuigd. De stomme zak was in paniek geraakt en had de benen genomen, mét het kind.

De wind maakte dat zijn sigaret snel opbrandde. Hij nam nog een trek, waarna hij de peuk vol walging naar de rivier wierp. Karen zou hem de mantel uitvegen als ze merkte dat hij naar tabak rook, dus misschien was het maar beter dat hij niet naar huis ging. Hij probeerde al maanden te stoppen. Pleisters, hypnose, aversietherapie, niets leek te werken. Maar in plaats van de kersverse gezonde en geïnspireerde hoofdrechercheur Gosforth van zijn dromen, met een platte buik en gespierd bovenlichaam, was hij door gebrek aan sigaretten een chagrijnige zenuwpees geworden. Hij zou aan fitness moeten doen, maar in plaats daarvan lag hij languit op de bank, of zat hij in zijn auto en propte zich vol met snacks en winegums. Een week geleden had hij er de brui aan gegeven en een nieuw pakje Benson&Hedges opengemaakt. Karen wist het nog niet. Het was slecht, slecht, slecht.

Hij pakte zijn mobiele telefoon en toetste zijn thuisnummer in, terwijl hij zich voorstelde hoe de telefoon ging in hun knusse woonkamer met de nieuwe wollen vloerbedekking en fleurige stoffen. Karen zou waarschijnlijk tv-kijken, misschien met een doos bonbons binnen handbereik. Ze klaagde altijd over haar gewicht, maar hij vond haar volmaakt: weelderig, in zijn woorden, lekker rond; niet zoals die schriele vrouw aan de andere kant van de muur met haar ongekamde krullen en knokige handen wier leven Simon Stenning bezig was te verruïneren. Hij zag wel dat Mel Stenning aantrekkelijk was, maar ze was te breekbaar. Het was hem ook niet ont-

87

gaan hoe minachtend ze hem bekeek, met haar hooghartige opmerkingen bedoeld om hem op zijn plaats te zetten.

'Hallo?'

'Met mij.'

'Hoi, schat!'

'Het wordt laat vandaag.'

'Ai!'

Als Karen al moeite had met zijn onvoorspelbare werktijden liet ze het nooit merken. Dat hoorde er nu eenmaal bij als je met een politieman was getrouwd, zei ze als hij zich wilde verontschuldigen voor het zoveelste uitje dat niet doorging of verpieterde eten. Het was zijn werk. Hij was haar grote held, die op pad ging om criminelen te pakken; ze zou niet anders willen. Nu voelde hij zich al beter bij het horen van haar stem, alsof er warme handen over een pijnlijke rug gleden.

'Het is niet best, allemaal. Ik weet niet wanneer ik thuiskom.'

Hij zou haar niet vertellen dat het meisje was vermist; dat zou haar alleen maar van streek maken. In sommige gevallen was ze van alle details op de hoogte, in andere hield hij zich op de vlakte. Dan was het gewoon te vreselijk, en hij beschermde haar liever. Ze was teerhartig, altijd tot tranen geroerd bij verhalen over kinderen met kanker op het achtuurjournaal, of bij het horen over mishandelde ezels in de derde wereld. Ze zou vast niet willen weten wat er met de kleine Poppy Stenning was gebeurd.

'Oké, schat.'

'Je blijft toch niet voor me op, hè?'

'Alleen als je het de moeite waard zou maken.'

'Kon ik dat maar.'

Ze giechelde veelbetekenend. 'Pas goed op jezelf.'

'Ik bel je nog.'

Hij stopte de telefoon in zijn zak en liep terug naar het pakhuis. Waarom kozen dure artistieke types ervoor om in zoiets te wonen? Hij vond het echt niets, afgelegen bij een moeras, vol tochtgaten en griezelige echo's. Hoe noemden ze het ook weer? Open wonen. Eerder de ballen van je lijf kleumen, als je het hem vroeg. Rillend liep hij de keuken in.

10

Hartje zomer, en het leven leek volmaakt. Simon was terug, zijn plotselinge vertrek was niet meer dan een oprisping waar we het niet meer over hadden. Deze keer zou hij blijven. Ik dwong mezelf niet meer aan Rosa te denken: Simon had me trouw beloofd en ik geloofde hem. Nu, terwijl Londen verpieterde in de van smog vervulde julihitte, kon ik bijna niet van hem afblijven. Ik koesterde me in zijn nabijheid, mijn mooie haveloze man die aan tafel shagjes zat te rollen terwijl ik kookte; mijn kunstenaar, die Poppy's tekenblokken vulde met bizarre monsters of kleine potloodportretjes, maar toch beweerde dat hij niet meer kon schilderen; mijn minnaar, die in bed nooit zelfzuchtig maar teder en geruststellend was, alsof ik gekoesterd moest worden. Ik was zo lang alleen geweest dat ik was vergeten hoe het was om regelmatig te kunnen genieten van een ander lichaam. Vijf, zes, zeven maanden hadden we al een relatie en nog vond ik het heerlijk om hem lui op mijn kussens te zien liggen. Ik zou hem nooit als vanzelfsprekend beschouwen, of verveeld raken, daar was ik zeker van, want mijn oude zelf was aan het vervagen en defaitisme maakte plaats voor levensvreugde. Ondanks al mijn angsten zag onze toekomst er veilig uit. De principes die ooit mijn leven hadden bepaald leken nu belachelijk. Waarom had ik mannen opgegeven? Ik was een paar keer teleurgesteld, maar mijn overtuiging dat mannen alleen maar pijn veroorzaakten was toch zeker gebaseerd op een dwaas misverstand. Ik was als iemand die haar jeugd in een klooster had doorgebracht en ineens de moed vatte om een wind te laten bij het onzevader. Of misschien was het juist andersom en had ik misschien eindelijk God gevonden.

Simon straalde van geluk. Hij was veel in Kent, maar wanneer hij terugkwam vulde zijn enthousiaste warmte het hele appartement. Dan liep hij zingend door alle kamers, luidkeels popsongs uit de ja-

89

ren tachtig verkrachtend en stoeide met Poppy, of hij nam ons in vliegende vaart mee voor een verrassing: pizza of een film, of een bezoek aan het Lido in Brockwell Park. Hij verheugde zich enorm op het vaderschap, zei hij. Vol belàngstelling hield hij bij hoe de baby groeide en legde zijn hand bezitterig op mijn buik. Hij was degene die mijn boeken over zwangerschap van de stapel paperbacks onder mijn bed trok en zich leergierig over de schema's van de ontwikkeling van foetussen boog; hij keek met verlangende blikken naar babykleertjes in Mothercare, en hij maakte ijverig lijsten met namen.

We spraken over de toekomst en lieten het verleden rusten. Hij wist iets van mijn jeugd, maar toonde weinig belangstelling voor meer informatie. Kort nadat ik had ingestemd met hem te trouwen, waren we een keer bij Pat gaan lunchen en misschien was dat onthullend geweest. Tijdens de soep, gegrilde ham en appelkruimeltaart had ze hem aan één stuk door vragen gesteld over zijn opleiding, de kunstacademie en wat zijn vooruitzichten waren ten aanzien van een carrière. Hij weigerde het spel mee te spelen en ontweek haar vragen met de ondoorzichtige vaagheid waar hij zo goed in kon zijn wanneer hij zich in een hoek gedreven voelde. O, u weet wel, had hij gemompeld op haar vraag welke privéschool hij precies bezocht had, zo'n school waar je liever niet meer aan terugdenkt. Kun je goed verdienen als kunstenaar? Nou, soms wel, soms niet. Hij keek over de tafel heen naar mij en trok een gezicht. Het was duidelijk dat hij en Pat geen dikke vrienden zouden worden.

Over zijn eigen achtergrond liet hij vrijwel niets los. Net als hij had gedaan met het verhaal over zijn nachtelijk bezoek aan het kerkhof in Nunhead vertelde hij soms anekdotes over zijn studietijd in Camberwell, maar zonder vermelding van speciale vrienden of vriendinnen. Veel van zijn verhalen draaiden om geëxperimenteer met drugs, of escapades naar spannende wijken in Londen: een nacht waarin hij had ingebroken in een verlaten werkplaats in de Docklands, bijvoorbeeld, waar hij LSD had genomen, of toen hij op een trottoir in Soho had geslapen, alleen maar om het eens mee te maken. In geen van die verhalen kwam er iemand anders aan te pas; als er al vriendinnen waren, werden die gewist. Een jaar lang had hij alleen in een caravan in de Schotse Hooglanden gewoond, waar hij schilderde. Ook had hij lange tijd liftend door Europa gereisd. Het leek erop dat hij heel goed zonder gezelschap kon.

Naarmate de maanden verstreken, merkte ik dat er stukken van zijn leven waren waarover hij niet wilde praten. Als ik bijvoorbeeld naar zijn jeugd vroeg, verstrakte zijn gezicht en veranderde hij abrupt van onderwerp. Vragen over het recente verleden werden eveneens omzeild. Waarom wilde ik iets weten over die shit, snauwde hij, waardoor ik blozend op mijn lip beet. Het enige belangrijke was onze toekomst. Dan begon hij over het pakhuis, of dat we later in Spanje misschien geiten konden houden, en ik staarde naar mijn handen. Het was vreemd, alsof je in een tropische zee zwom waar je ineens onverwacht koude draaikolken tegenkwam.

Andere keren bezorgde zijn zwijgzaamheid me een gedeeld gevoel van vreedzaamheid, dat ik inmiddels niet probeerde te doorbreken. Vaak zaten we 's avonds bij elkaar, zijn arm om mijn schouder, zonder veel te zeggen. Ik was gewend geraakt aan zijn terughoudendheid. Hij was geen prater, niet iemand die zo nodig elke stilte moest opvullen. Het had iets van verstilling, de nieuwe kalme kern van mijn leven.

In augustus trouwden we in een armetierig zaaltje van de burgerlijke stand in Zuid-Londen, met Poppy als mijn bruidsmeisje en een handjevol vrienden. Het was een benauwde ochtend waarop de hitte dik onder de vervuilde lucht hing en ons met een laag zweet bedekte. Ik droeg een crèmekleurige zijden jurk die beklemmend strak over mijn vooruitstekende buik zat en witte irissen in mijn haar, die al na een korte tijd in de drukkend hete trouwzaal verwelkt neerhingen. We zeiden onze huwelijksgeloften, zetten onze handtekening en kwamen weer buiten op de trappen, opgelucht ademhalend in de iets minder benauwde buitenlucht. Jesse en Nat wierpen ons een hand confetti toe, Ollie zoende me op de wang en Pat nam ons mee uit lunchen in een Italiaans restaurant in Streatham. Ik wist niet wat ze vond van mijn nieuwe leven. Uit mijn ooghoeken zag ik dat ze naar me keek met dezelfde gezichtsuitdrukking als toen ik een rebelse tiener was, piercings in mijn neus had en hele nachten wegbleef: verward en bezorgd en niet wetend hoe ze moest reageren. Maar als ik haar recht aankeek, keek ze opgewekt terug.

Wat Pat, of Nat trouwens, van onze overhaaste trouwpartij vond, deed er niet toe. Ik was licht in het hoofd van blijdschap. Tijdens het eten zat ik dicht tegen Simon aan met een klamme jurk en de baby die als een gevangen vlinder in mijn buik fladderde. Toen ik zag hoe Simon een balanceertruc met Poppy's soepstengels deed, voelde ik een opwelling van puur geluk. Het was alsof ik per ongeluk in het leven van iemand anders was beland. Andere vrouwen, niet ik, viel dat soort geluk ten deel. Jarenlang had ik ze over hun leven horen praten met de nonchalance van mensen die nooit eenzaam zijn geweest, zich druk maakten over waar hun echtgenoten hun vuile sokken lieten slingeren of kraaiden dat ze zo graag eens wat tijd voor zichzelf wilden hebben. Steeds was ik dan inwendig teruggedeinsd omdat ik wist dat ik nooit bij die club van zelfgenoegzame echtgenotes zou horen, maar nu was ik getrouwd. Mijn dochter had een vader, en zou spoedig een klein broertje krijgen. Mijn goede fee had met haar toverstokje gezwaaid.

Na de lunch ging Poppy mee terug met Pat, en Simon en ik spendeerden driehonderd pond aan een kamer in het Ritz. Het maakte niet uit dat het zo duur was, benadrukte Simon, want we waren tijdelijk rijk. Hij had een of andere zakelijke transactie met Ollie bekokstoofd waarover hij vaag bleef en ik drong niet aan op details. Ik moest eens ophouden met me druk te maken, hield ik me voor, en beslissingen eens aan iemand anders overlaten. De weelde van onze kamer was overweldigend: zware fluwelen gordijnen, een enorm bad met jacuzzi en een bed dat nauwelijks in mijn woonkamer zou passen. We zaten op de gebrocheerde rand te giechelen als schoolkinderen. Simon had de champagne al geopend en dronk uit de fles terwijl hij de inhoud van de koelkast inspecteerde. Ik nipte van mijn glas, wetend dat ik het niet zou leegdrinken. Van het koolzuur kreeg ik brandend maagzuur en ik voelde me al loom worden, het zou niet lang meer duren voor de slaap me zou overmeesteren. Simon boog zich over me heen en trok mijn satijnen pumps uit. Met een liefkozend gebaar over mijn wang trok hij de lelies uit mijn haar.

'Je gezicht zit vol stuifmeel,' mompelde hij. Ik leunde tegen hem aan en hief als een kind mijn armen toen hij de jurk over mijn hoofd trok. Toen hij zijn hoofd tussen mijn strak gespannen gezwollen borsten legde, begroef ik mijn handen in zijn dikke haar, en boog me naar hem toe om zijn stoppelige gezicht en mooi gevormde oren en zachte lippen te kussen.

'Ik hou van je.'

Dat had ik wel tegen Poppy gezegd, maar nog nooit tegen een man. Het klonk vreemd: te intiem en onschuldig tegen zo'n chic decor, met buiten het geraas van Piccadilly en in de gang gedempte voetstappen.

'Ik ook van jou, schat.'

Mijn keel werd dik van de tranen. Ik keek omlaag naar Simons hoofd en liet mijn handen over de gladde huid onder de achterkant van zijn overhemd glijden. Ik kende hem nog geen jaar, maar zijn lichaam was als vertrouwd gebied, als thuis bijna, waar ik eindelijk hoorde. Binnen in me buitelde Jo.

'Zo zal het altijd blijven,' zei Simon met schorre stem. 'Jij, ik, Poppy en de baby, voor altijd.'

Een week na de bruiloft was het pakhuis zover klaar dat we erin konden. Ik had het sinds juni niet meer gezien, die mistroostige vochtige dag die me van een somberheid had vervuld, die ik toen we eenmaal terug waren in Brockwell, aan mijn hormonen weet.

'Je moet niet vergeten dat wat we nu zien allemaal nog wat moet worden,' had Simon steeds opnieuw gezegd toen hij de auto in de berm parkeerde. 'Momenteel ziet het er niet uit.'

We bevonden ons aan de rand van de stad, de kreek die door het moerasland naar de rivier de Swale kronkelde was iets verderop. We liepen langs een rij cottages en over een modderig pad dat naar een werf voerde. Onder de nevelige motregen op die teleurstellende zomerochtend torende het gebouw: een groot victoriaans pakhuis dat ooit dienst had gedaan voor schuiten en kustvaarders uit Londen en Rotterdam. Ik liep achter Simon aan langs de verlaten boten en gestrande jachten naar het industriële pand van drie verdiepingen hoog. De moed zonk me in de schoenen.

Binnen was het gebouw een puinhoop. Er was geen stromend water, geen elektriciteit en zo goed als geen dak. We klommen over het puin en keken naar de galmende ruimte.

'Nou, wat vind je?' Simon spreidde grinnikend zijn armen uit. Ik keek om me heen en deed mijn best niet te huiveren. Het stonk er naar pies en schimmel.

'Het zal een uitdaging worden.'

'Ja, maar stel je eens voor hoe het eruit zal zien als het is gerenoveerd. Panden als dit leveren een klein fortuin op, vooral zo vlak bij Londen.'

Ik knikte geforceerd opgewekt. In de balken bovenin vloog een luidruchtige zwerm spreeuwen luid kwetterend op, als beledigde pretmakers wier feestje is verstoord. Ik voelde me bijna duizelig van misselijkheid; elke beweging maakte het nog erger en de geur deed er nog een schepje bovenop. Ik kokhalsde van de opvliegende vogels en de stank in het pakhuis.

'Ga jij maar verder,' bracht ik met moeite uit. 'Ik wacht buiten wel.'

Het uur daarna bracht ik gehurkt op de oever van de rivier door terwijl ik over het troebele water naar de vlakke velden en loodgrijze lucht staarde en Simon de taxateur een rondleiding gaf. Hoe het pakhuis eruitzag was niet van belang, dacht ik. Zoals Simon zei: ik kon het maar beter als een goede investering beschouwen.

Maar nu, zes weken later, verzekerde Simon me dat het radicaal veranderd was. Er was nu elektriciteit en water, en er was een kamer aangebouwd waar we konden koken tot de keuken in het hoofdgebouw af was. De rest van de zomer zouden we doorbrengen in een bouwkeet in de achtertuin. Met kerst, beloofde hij, zouden we in het huis kunnen trekken.

Daarom pakten we de dagen na onze nacht in het Ritz meteen onze spullen in. Simon had zijn appartement inclusief meubilair verkocht en gedurende de paar jaar dat ik in Londen woonde had ik opmerkelijk weinig bezittingen vergaard. Behalve de bedden, mijn futon en wat tafels en stoelen, had ik slechts een paar dozen keukengerei, een paar koffers kleren en nog een doos of wat met boeken. Poppy had meer dan ik. Ze had vier dozen speelgoed, een grote tas verkleedspullen, een driewieler waar ze allang te groot voor was, maar die ze niet wilde achterlaten, een fiets, drie poppenwagens, een paar rolschaatsen en Berrie, haar hamster. Toen de verhuisdag aanbrak, waren we de hele ochtend bezig om alles in de bestelbus die Simon had gehuurd te proppen. Tegen de middag waren we zover. Simon zat aan het stuur met Poppy, die haar hamsterkooi op schoot hield, naast zich. Achter de bestelbus stapte ik in mijn aftandse Fiat, die bijna uit zijn voegen barstte van de koffers en tassen. We zouden achter elkaar rijden.

Er was geen afscheidscomité, geen buren die ons zagen gaan, noch tranen van weemoed. Poppy en ik hadden de dag ervoor afscheid genomen van Nat en Jessie, met de verzekering dat we contact zouden houden.

'Pas goed op jezelf,' had Nat gefluisterd toen we elkaar loslieten. Haar plompe vingers met hun psychedelische glazen ringen en afgebeten nagels omklemden mijn arm en ze keek me strak aan met haar kraalogen. Ik schonk haar een opgewekte glimlach om niet op haar bedenkingen in te hoeven gaan. Waarom moest ze toch altijd zo achterdochtig zijn?

'Reken maar!'

Nu stond ze op Camden Market, waar ze een kraam met wierook en geurkaarsen had, en Jessie was naar school. Toen ik mijn auto van de stoeprand stuurde van de armetierige drukke straat waar we de afgelopen twee jaar hadden gewoond, was het enige wat ik voelde een vlaag van pure opwinding, zoals wanneer je een lijn supergoede coke snuift.

Het was opvallend rustig op de wegen. Er waren geen files in Zuid-Londen, de M2 was vrij en in minder dan een uur sloegen we van de tweebaansweg af en reden we door Sittingbourne richting kust, langs kilometers boom- en wijngaarden, naar het moerasland dat ons thuis zou worden. Ik moet bekennen dat ik nogal angstig en nerveus was, een gevoel had van vlinders in mijn buik. Ik volgde de schokkende bestelbus over een mooie georgian laan die door de stad liep. Vervolgens reden we over een smallere weg langs de cottages en garages tot we bij het water kwamen; en plotseling waren we er: bij de plek van onze dromen. In het warme zonlicht zag het er totaal anders uit, zoals het majestueus oprees vanachter de werf; met de roestige katrol die boven het glinsterende water hing en een zwerm meeuwen die lustig kwetterden op het puntdak. Toen ik ernaar opkeek, was het of het pakhuis een welkomstgroet en mogelijkheden uitstraalde: onze ontsnapping naar een ander leven.

Hobbelend over de gaten in de weg reden we langs de boten en stopten uiteindelijk voor het huis. Voor me zag ik Simon Poppy uit de bestelbus tillen.

'Welkom thuis, meisje.'

Ze keek met argusogen om zich heen.

'Wat vind je ervan?'

'Gaan we in een boot wonen?'

'Nee, suffie, we gaan daar wonen!' Grinnikend wees hij naar het pakhuis. Poppy fronste haar wenkbrauwen.

'Wat? In een fabriek?'

'Zoiets ja. Maar het wordt ook ons heerlijke knusse huis.'

'Staan er ook chocolademachines in?'

Simon rekte zich lachend uit. Ik drentelde door de opgedroogde modder en keek op naar de grauwe muren van ons huis. Er was heel veel veranderd sinds ik hier voor de eerste keer was geweest. Er stonden vrachtwagens en graafmachines in de voortuin, het dak was provisorisch gerepareerd en de tijdelijke keuken van gasbetonblokken was af. Er was een container vol puin, en de muur aan de rivierzijde stond in de steigers. Achter het gebouw stond onze bouwkeet, die Simon de laatste paar dagen woonklaar had gemaakt. Om ons heen klikten bootmasten als windorgels in de bries. Boven het water steeg een reiger op; zijn lange poten sliertten futloos onder hem toen hij over het water vloog.

'Kom mee, Popje,' zei ik met uitgestoken hand. 'We gaan de boel verkennen.'

'En Bertie dan?'

'Die blijft even in de bus. We zoeken straks een goed plekje voor zijn kooi.'

We volgden Simon naar binnen in het pakhuis. Hier was ook van alles veranderd. Het puin op de grond was opgeruimd, de muren waren gedeeltelijk gestuukt en de ruimte voor het grote raam dat Simon had gepland was uitgebroken. Het gapende gat, bedekt met blauw plastic, leek op een slecht verzorgde wond. Naast me greep Poppy me bij de arm.

'Moet ik hier slapen?'

'Nee, liefje. Jij krijgt een mooie slaapkamer boven.'

96

'Zijn er spoken?'

Ik hurkte naast haar en nam haar kleine zachte handen in de mijne. Haar mooie gezichtje keek me fronsend aan, haar onderlip trilde. De afgelopen weken was ik te zeer in beslag genomen geweest om haar goed voor te bereiden op de verhuizing, dacht ik met een steek van schuldgevoel. We hadden haar het huis en de planning eerder moeten laten zien.

'Nee, lief kanjertje van me, er zijn geen spoken. Het wordt een fantastisch huis, met heel veel plek voor je speelgoed en al onze spullen, dus we hoeven niet meer over alles te struikelen. Je krijgt de mooiste slaapkamer die je je kunt voorstellen. We zullen hem in je lievelingskleuren schilderen, en Simon zal een muurschildering voor je maken, met dieren en elfjes. Zou je dat leuk vinden?'

Ze keek me ernstig aan. Het was inderdaad nogal veel gevraagd van haar voorstellingsvermogen.

'En boven,' vervolgde ik, 'maken we logeerkamers voor gasten, zodat we heel veel geld kunnen verdienen. Simon is nu voor ons bezig, daarom gaan we tot het klaar is in een huisje in de tuin wonen. Lijkt je dat niet enig?'

'Gaan we in een schuur wonen?'

'Nee, kindje, het heet een bouwkeet. Zullen we gaan kijken?'

Ze gaf geen antwoord, trok haar hand uit de mijne en staarde naar de bakstenen en het zacht flapperende plastic. Haar gezichtsuitdrukking was als een schaduw, een plotselinge kilte waar ik niet op bedacht was. Achteraf gezien had ik de somberte die in haar ogen weerspiegeld werd moeten zien. Met het oog op alles wat ging komen, had ik haar in mijn armen moeten nemen en uit dit godvergeten gebouw moeten vluchten, naar het zonlicht en dan terug langs het kale moerasland en de deinende boten naar de stad. Maar in plaats daarvan negeerde ik haar scepsis. Ik liep om haar kleine ongelukkige persoontje heen om de nieuwe houten trap naar de kamers boven te inspecteren.

Later wandelde ik met Poppy langs de rand van de kreek over een pad dat langs de zompige oevers naar de riviermond kronkelde, waar het bruine water naar het Isle of Sheppey uitwaaierde. Het was hier minder benauwd dan in Londen, maar toch ervoer ik de hitte als beklemmend en het zweet liep over mijn rug en tussen mijn borsten. Het kwam door de baby. Terwijl ik puffend over het pad liep, buitelde hij pijnlijk in mijn lichaam rond en mijn dikke buik voelde onprettig strak aan.

Boven ons kreeg de hemel al de diepe indigokleur die zo typerend is voor schemer in augustus. Uit de velden klonk het geroep van een leeuwerik; boven het water scheerde een zwerm zwaluwen. Toen we terug waren in het pakhuis, was Simon voor Poppy aan het koken. Wanneer ze uitgegeten was, zouden we haar naar de bouwkeet brengen en haar onder de druppelende douche zetten. Dan zou ik haar in de kleine kamer installeren waar we haar speelgoed hadden uitgepakt en Berties kooi in de hoek hadden gezet. Sinds die eerste onzekere minuten in het pakhuis was haar stemming opgeklaard. Ze vond de keet met de opklapbedden en geheime kastjes enig, en rende voor me uit, zwierend met haar hand door het lange gras dat over het pad helde. Plotseling bleef ze staan en draaide ze zich naar me om.

'Mama?'

'Ja?'

'Wanneer gaan we naar huis?'

Ik bleef staan met mijn handen op mijn bolle buik.

'Dit is ons huis nu, liefje.'

'Nee, niet waar. We wonen in Buckingham Road, naast Jessie.'

'Popje, we zijn verhuisd. Nu gaan we hier wonen.'

'En mijn schóól dan?'

Ik zoog de benauwde lucht diep in mijn longen. Het was alsof ik smolt en mijn huid langzaam losliet om zich te voegen bij de modderpoel. Een maand eerder waren we voor de laatste keer over Poppy's schoolplein gelopen. Het was de laatste dag voor de zomervakantie en overal om ons heen regelden moeders vakanties. Zonder rouwig te zijn was ik langs hen heen gelopen. Ik had me altijd een buitenbeentje gevoeld bij hun vrolijke bedrijvigheid, hun taartbakkerij en huisvlijt voor de schoolmarkt; ook al hadden ze me om een bijdrage gevraagd, ik was niet zo'n bakker. Net als ik had Poppy zich ook vrij onverschillig betoond tegenover haar school. Sinds ze op die school zat, was alleen Jessie haar vriendin geworden, en ook bij het afscheid van haar was ze opvallend koel geweest. Het zou makkelijk worden om haar uit haar omgeving weg te rukken, had ik daardoor geconcludeerd.

'Je gaat hier in Kent naar een nieuwe school. Wil je er morgen heen gaan en door het hek kijken?'

Haar gezicht betrok. 'Nee.'

'Ik wed dat er heel leuke meisjes zijn. En je gaat al naar groep een!'

Maar ze luisterde niet; ze holde voor me uit en haar magere benen haalden uit naar de riethalmen terwijl ze van de werf naar het moeras huppelde, waar de wulpen in de glinsterende modder doken en paradeerden.

11

Augustus vloog voorbij met een reeks vrijwel identieke hete droge dagen, onderbroken door heftige regenbuien, die we in onze bouw- keet uitzaten, lachend om de regendruppels die op het metalen dak afketsten. Een paar uur later waren de plassen niet meer dan gebar- sten kraters, omdat het water meteen werd geabsorbeerd door de uitgedroogde aarde. Het was de heetste zomer in dertig jaar, stond er in de kranten, een ware hittegolf. Nu ik hier naast Sandra zit te rillen, lijkt dat net zo ver weg en versplinterd als een halfvergeten droom.

Poppy en ik bouwden een naadloze routine op waarin heel wei- nig gebeurde of gedaan werd en elke dag net zo leeg en doelloos was als de vorige. Om ons heen gonsde het van de activiteit. Simon stond op zodra het ochtend werd om de balken aan het plafond met zijn schuurmachine te bewerken en een paar uur later arriveerden de werklui, die met hun schuine moppen en gevloek de ochtendrust verstoorden. Ze werkten aan het dak, waarbij ze als mieren over de daksparren krioelden en hun ruggen knalrood werden van de zon. Ik raakte gewend aan hun opgewekte geklets en verlekkerde blik- ken, de gehavende mokken in de gootsteen, het kabaal van hun ra- dio's en mobiele telefoons en het constante gedreun van hun ge- reedschap. Rond vier uur scheurden ze weg in hun bussen en dan werd de plotselinge stilte slechts onderbroken door de kreten van de wulpen en het kabbelende water.

Toch, hoewel ik me deze details herinner, weet ik nauwelijks nog hoe Poppy en ik de tijd doorbrachten. We picknickten op de oever van de rivier en speelden verstoppertje tussen de boten. Soms brachten we de middag door met viltstiften en stickers in de koele aangebouwde keuken, of Poppy speelde alleen met haar Sylvanian Families-muizen, die ze in het lange gras neerzette dat de aanslag van de voertuigen van de werklui had overleefd; en ik soesde in de zon. Zoals bij een krijttekening op een druk belopen trottoir zijn er heel weinig bijzonderheden blijven hangen. Misschien kwam het door mijn zwangerschap dat ik zo traag en vergeetachtig was. Ik trok me diep in mezelf terug, licht bezwijmd in de late zomerse warmte, als een cocon waar Jo spoedig uit zou barsten.

Eén middag herinner ik me wel. Het was bijna september en de lucht was heiig, de horizon vervaagd door het stof van het oogsten verderop. De zwarte bessen die de hele zomer bij het pad langs de rivier waren gerijpt, waren nu donker en sappig, en 's avonds werd het sneller donker. In minder dan een week zou Poppy naar haar nieuwe school gaan. Als laatste verwennerij voor het eind van de vakantie logeerde ze het weekend bij Jessie en Natalie, dus waren Simon en ik alleen. Het pakhuis was ook verlaten, aangezien de werklui het weekend vrij hadden. In die ongewone stilte zwierven we door de vage schaduwen op de begane grond en langs de steile metalen trap naar de bovenkamers, waar honingkleurig zonlicht door de stoffige victoriaanse ramen viel. Helemaal boven was de zolderruimte die we in een reeks vertrekken voor bed&breakfast-gasten wilden inrichten. Er zouden badkamers komen met extra lekkere douches, patrijspoortramen die uitkeken over de rivier en slaapkamers onder de daksparren, alles met mooi licht hout en witgepleisterde muren. Vooralsnog werd echter de oostelijke muur gestut met een metalen steunbalk en in de krakende houten vloeren zaten alarmerend grote scheuren waardoor je een glimp van de kamers eronder opving. In één hoek lag een stapel oude zakken en in een andere kluiten oud stro en kalk die van de instortende muur was losgekomen. De grond was bezaaid met spreeuwenpoep.

We beklommen de ladder naar boven, aangetrokken door het licht. Nu het werk aan het dak eindelijk af was, was de blauwe lucht zichtbaar door vier grote dakramen. Komend van de sombere, nog raamloze begane grond, was het alsof we een andere wereld betraden: de hemel misschien, waar goud zonlicht onze omhooggerichte gezichten bescheen. Even bleven we zwijgend staan en keken door de open ramen naar de glinsterende rivier die door het moerasland kronkelde. Daarachter lag uitgestrekt het vlakke land en in de verte stonden de hijskranen en koeltorens van Sheppey. Ademloos keek ik naar al dat blauw met hier en daar wat wolkjes.

'Kom, we gaan liggen.'

Simon spreidde een oud dekbed op de stoffige vloer. Puffend zeeg ik neer en baadde mijn gezicht in het warme licht. Ik was ruim zes maanden zwanger en herkende mijn lichaam niet meer. Mijn gezicht leek op dat van een mollig melkmeisje, rond en pafferig, omgeven door springerig bruin haar; mijn van nature slanke dijen waren veranderd in ronde pilaren en mijn borsten en buik waren zo gezwollen dat het eruitzag alsof ik ballonnen in mijn jurk had gepropt. Toch kon Simon niet van me afblijven. Hij legde zijn handen op mijn schouders, trok me naar zich toe en haakte een pezig been over mijn dij, de enige vorm van omhelzing die ik kon verdragen.

'Fijn?'

'Heerlijk.'

Zijn handen gleden over mijn krappe truitje en trokken het omhoog terwijl zijn vingers voorzichtig in mijn zwangerschapsbeha tastten.

'Au!'

'Sorry.'

Hij drukte te zwaar op mijn buik. Naar adem happend duwde ik hem achterover en ging met mijn dikke benen schrijlings op hem zitten, met mijn bolle buik als een kussen op zijn smalle heupen terwijl ik mijn vingers in zijn wijde spijkerbroek liet glijden.

'Laten we het zo eens proberen.'

'Goed idee…'

Misschien wilde hij meer zeggen, maar het was al te laat. Hij slaakte een zuchtje, alsof er een last van hem af was gevallen en zijn ogen werden wazig. Ik was al verloren. Onder ons riepen de zwaluwen naar elkaar, scherend over het water, maar ik luisterde niet. Ik verzonk in de zalige gewaarwording, mijn lichaam wiegend tegen zijn heupen, mijn ogen dicht tegen het verblindende licht.

Naderhand lagen we bezweet naast elkaar, mijn arm onder zijn rug en onze benen over elkaar heen. Mijn hoofd lag op zijn borst en zijn vingers waren verstrengeld in mijn haar. Hij was zo stil en zijn adem klonk zo regelmatig dat ik, in de veronderstelling dat hij sliep, loom indutte. Toen hij tenslotte iets zei, leken zijn woorden van ver te komen.

'Hou je van me?'

'Wát zeg je?'

Met knipperende ogen rolde ik op mijn elleboog van hem af. Misschien kwam het door het spel van licht en schaduw op zijn gezicht, maar hij zag er ouder uit dan veertig, met meer rimpels en diepe lijnen in zijn voorhoofd.

'Hou je van me?' vroeg hij gespannen. 'Ik bedoel, hou je écht van me?'

Zijn bleke gezicht keek bijna angstig naar het mijne, alsof hij een onverwachte schaduw in mijn blik had bespeurd. Niet-begrijpend keek ik terug. De intensiteit waarmee hij het had gevraagd gaf me het gevoel dat er geen redelijk antwoord mogelijk was, als iets wat uit een andere wereld binnendrong. Het kon in elk geval niets te maken hebben met wat er net tussen ons was duidelijk geworden.

'Natuurlijk hou ik van je, idioot! Waarom vraag je me dat?'

Hij schudde zijn hoofd, alsof hij een nare gedachte van zich af wilde zetten.

'Ik moet weten of ik eerlijk tegen je kan zijn. Of ik echt alles tegen je kan zeggen.'

'Wat dan?'

'Dingen die in het verleden zijn gebeurd... Ik bedoel, in andere relaties...'

Ik fronste ietwat geïrriteerd door zijn plotselinge omslag die me zo ruw uit mijn gelukzalige droomtoestand wakker schudde. Ik wilde het niet over vorige relaties hebben, vooral niet over Rosa, wier naam ik bijna volledig uit mijn gedachten had weten te bannen. Ik wilde hier voor eeuwig naast hem liggen, zonder te praten, en alleen maar naar de hemel kijken. Ik dacht dat we het daarover eens waren: het verleden was voorbij; het ging alleen om de toekomst.

'Natuurlijk kun je dat,' zei ik vaag. 'Dat weet je toch?'

'Ik bedoel, stel dat een van ons iets is overkomen wat de ander moet weten? We zouden... nou, je weet wel... met een schone lei kunnen beginnen...'

Hij zweeg, maakte zijn vingers uit mijn haar los en ging rechtop zitten. Normaal gesproken was hij niet zo aarzelend in zijn woordkeus. Ik legde mijn handen op zijn rug en liet mijn vingers over de bobbels in zijn ruggengraat glijden. Tot nu toe had hij zulke gesprekken altijd vermeden. En net nu ik me had verzoend met wat hij wilde, namelijk alleen in het heden te leven, wilde hij alles opdreggen.

'Voor mij valt er niets te vertellen,' zei ik mat. 'Zoals ik je verteld heb, heb ik een paar keer in mijn leven misgekleund, maar dat heeft geen enkele invloed op wat ik voor jou voel.'

'Maar misschien heb je fouten gemaakt…'

Ik kreeg het koud. Ik pakte mijn gekreukte truitje van de vloer en trok het over mijn hoofd. Waarom was hij me verdomme zo aan het uithoren?

'Ik begrijp niet wat het uitmaakt.'

'Ik wil alleen dat we eerlijk tegen elkaar zijn. Over fouten die we hebben gemaakt, bedoel ik.'

'Oké dan,' zei ik met een zucht. 'Ik heb waarschijnlijk meer fouten begaan dan jij je kunt voorstellen. Ik ben zwanger geraakt van een waardeloze zak in Australië, van wie ik dacht dat hij diepgang bezat omdat hij nooit iets zei. Helaas was hij gewoon oerstom. Sindsdien zijn de paar armzalige verhoudingen die ik heb gehad op niets uitgedraaid. Tot ik jou tegenkwam natuurlijk. Goed? Wil je nog meer weten?'

Hij zweeg, zijn gezicht stond somber. Ik wilde niet aan Pete denken; onze ongelukkige relatie was een episode uit een ander leven, waaraan ik maar al te graag was ontsnapt. Als ik terugdacht aan hoe afhankelijk ik was van zeldzame liefdesbetuigingen schaamde ik me. Ik had me veel assertiever moeten opstellen, maar was te slap en het was een koud kunstje voor hem geweest om de dominante rol in te pikken. Toen Poppy was geboren, was de relatie al tot mislukken gedoemd; toch lieten we die nog twee jaar voortslepen terwijl ik als een dwaas deed alsof er iets te redden viel, en hij met de ene na de andere vrouw vreemdging. Langzaam ging ik inzien dat ik was geworden tot wat ik het meest verachtte. Goed, ik was dan wel in Australië in plaats van in Engeland, maar ik woonde toch in een voorstadje, en speelde de rol van overbelaste huisvrouw. Een paar weken nadat ik dat had beseft, pakte ik mijn spullen en vertrok met Poppy.

'Het waren allemaal drugsgebruikers die me voorlogen en

vreemdgingen. Jij bent totaal anders en daarom hou ik van je zoals ik nooit van mijn leven van hen had kunnen houden. Begrijp je?'

Hij draaide zich om en keek somber om zich heen. Er was iets mis, dat zag ik aan zijn ogen en aan de manier waarop hij me de rug had toegekeerd, en die plotselinge verkilling deed me huiveren van ongerustheid. Ik wachtte tot hij weer zou spreken, vouwde mijn armen over mijn buik en probeerde mezelf voor te houden dat er niets aan de hand was. Maar met elke seconde die voorbijtikte, leek hij zich verder van me te verwijderen en te veranderen in iemand die ik niet kende. Ten slotte kon ik het niet langer verdragen.

'Ik heb nooit echt van iemand gehouden vóór jou,' fluisterde ik, terwijl ik ging staan en voorzichtig mijn hand op zijn slanke sterke onderarm legde. 'We hoeven de lei niet schoon te vegen. Er valt niets op te biechten.'

Toen hij eindelijk antwoordde, klonk zijn stem zo zacht dat ik hem nauwelijks verstond.

'Maar stel dat ík iets vreselijks had gedaan? Zou je dan nog van me houden?'

God, wat was ik stom. Als ik kon zou ik nu die krakkemikkige ladder op klimmen, de deur opengooien en naar mezelf schreeuwen, zoals ik daar stralend zwanger in het zonlicht stond, met mijn handen over mijn ogen en oren als twee van de drie aapjes. 'Luister naar hem!' zou ik schreeuwen. 'Vraag hem wat hij bedoelt!'

Maar als Simon me iets te vertellen had, wilde ik het vooral niet horen.

'Wat zou je gedaan kunnen hebben?' vroeg ik luchtig. 'Je hebt me beloofd dat je me nooit zou bedriegen en ik vertrouw je. Wat moeten we verder nog zeggen?'

DEEL 2

12

De hitte was bijna niet te harden. Dave Gosforth kiepte het gemaaide gras op de composthoop, veegde zijn grassige handen aan zijn korte broek af en keek tevreden om zich heen in zijn opgeknapte tuin. Karen had al weken aan zijn kop gezeurd om het gazon te maaien en eindelijk had hij toegegeven. Daarna moest Harveys fiets gerepareerd worden en dan had ze nog iets bedacht met klimoprekjes die tegen de achtermuur moesten worden bevestigd. Hij kon wel betere activiteiten bedenken voor zo'n stralende middag. Ze hadden naar het strand kunnen gaan of naar een leuk openluchtzwembad waar Harvey wat van zijn overtollige energie kwijt kon; alles beter dan thuisblijven om te klussen terwijl Karens moeder elk ogenblik kon arriveren voor de zondagse dis.

De buren waren aan het barbecuen. Hij zag rook over de schutting kringelen; iets verderop in de tuin hoorde hij dat er blikjes bier werden opengetrokken. Als hij de kans kreeg zou hij na het eten bij de buren langsgaan, dacht hij. Hij zou de vaatwasser vullen en dan zo onopgemerkt mogelijk het huis uit glippen, over de oprit door de poort van de buren gaan. Intussen zou in zijn eigen tuin zijn schoonmoeder haar zware benen op de ligstoel tillen, die hij dan op de door haar aangewezen plek in de schaduw zou hebben gezet, en klagen over haar constipatie.

Of als het daar niet over ging, dan over haar hartkloppingen of de exorbitante prijs van iets in een van Karens catalogi. Toen hij met de grasmaaier terug naar de schuur liep, ving hij de deprimerende tekenen van haar komst op: het zachte rinkelen van de deurbel, toen beweging door de schuifdeuren van de woonkamer. Karen had een engelengeduld met haar moeders eeuwige gezeur. Vorig jaar hadden ze haar uit Hastings hierheen laten verhuizen zodat ze dichterbij was, en wat Dave betrof was ze sindsdien een nagel aan zijn doodskist. 'Het is mijn moeder, schat,' zei Karen steeds als hij protesteerde tegen haar inmiddels verplichte aanwezigheid op de zondagmiddag. 'Ik kan haar toch niet het hele weekend in haar eentje laten zitten?'

'Harvey, ga naar binnen om je oma te begroeten.'

Zijn zoon negeerde hem. Dave bleef bij de schuur staan, heen en weer geslingerd tussen irritatie en medeleven. De jongen had het afgelopen uur een balletje getrapt tegen de achtermuur; met zijn knokige knietjes in zijn Manchester United-outfit, aan één stuk door binnensmonds iets mompelend wat volgens hem op sportcommentaar leek.

'Ik zei: ga naar binnen om haar gedag te zeggen...'

'Wat?'

'Ga naar binnen om je oma te begroeten!'

Zijn mond hing iets open terwijl de bal tussen zijn voeten rolde.

'Halló... Harvey...'

Dave beende over het gras, pakte de bal en wierp een gespeeld boze blik op zijn zesjarige zoon, die nu met half dichtgeknepen ogen naar hem opkeek.

'Ze wil vast heel graag weten hoe je wedstrijd donderdag is gegaan. Je weet hoe dol oma is op voetbal.' Hij knipoogde samenzweerderig.

'O, pap!'

'Schiet op, Harv. Je komt er echt niet onderuit.'

Hij legde zijn grote handen op de tengere schouders van zijn zoon en voerde hem mee naar binnen.

De maaltijd was net zo saai als hij had verwacht. Hij had zijn aandacht op Karens gebraad gericht om niet te hoeven luisteren naar het wijdlopige relaas van zijn schoonmoeder over een aanval van koopwoede samen met haar vriendin Ivy, of hoe George van iets verderop op vakantie ging naar het Isle of Wight. Terwijl ze haar eentonige monoloog hield, dronk hij snel twee glazen wijn en negeerde opzettelijk Karens afkeurende blikken. Voor Harvey was het niet zo erg, die kon zijn bord leegschrokken en dan van tafel glippen om terug naar de tuin te gaan, waar zijn geliefde voetbal lag te wachten. Dave moest beleefd twee uitgebreide gangen met koffie na uitzitten, aan het eind waarvan hij bijna barstte van ongeduld door de manier waarop de oude vrouw kauwde, haar gewoonte om haar tong over haar kunstgebit te laten glijden op zoek naar stukjes vlees die waren blijven steken. Hij kon haar wel iets doen omdat ze: 'O, dat weet ik niet, kindje', antwoordde op alles wat Karen voorstelde, zelfs als het ging om nog een portie vruchtenpudding of een derde glas bier waar ze duidelijk naar snakte. Toen ze het ook zei als reactie op de doos bonbons die Karen haar voorhield, kon Dave haar wel een dreun in haar verongelijkte gezicht verkopen. Anders gezegd: zijn schoonmoeders aanwezigheid in hun huis hielp hem begrijpen waarom misdadigers een moord begingen. Hij zuchtte hoorbaar, iets waarvan hij wist dat Karen het in de smiezen had. Hij smachtte naar een sigaret.

Het viel niet te ontkennen: hij was in een rotbui. De hele week zat het er al aan te komen, door een opeenstapeling van kleine incidenten, die op zichzelf zijn gebruikelijke goede humeur niet uit balans zouden hebben gebracht, maar allemaal samen net te veel waren. Gewoonlijk begon hij elke maandag vol goede moed en energie. Dan moesten er aanwijzingen worden nagetrokken en verhoren worden gedaan. Vaak was het routinewerk, maar altijd met de hoop op een doorbraak, een plotselinge ontrafeling van het ingewikkelde probleem waarmee ze zich bezighielden: dat waren de flitsen van pure opwinding en adrenaline waardoor hij het werk volhield. Maar vandaag was de gedachte aan een nieuwe werkweek genoeg om zijn stemming te vergallen. De vorige week was opvallend slecht verlopen. Eerst was er dat artikel in de *Kent Enquirer* geweest, twee pagina's vol onopgeloste misdrijven die zinspeelden op de incompetentie van de politie, met de zaak-Jacqui Jennings als middelpunt. Toen had hij een verre van bevlogen gesprek gehad met zijn inspecteur over zijn kans op

111

promotie. Daar kon hij naar fluiten, was het oordeel kennelijk: hij had het afgelopen jaar simpelweg benedenmaats gepresteerd. En ten slotte, als klapstuk, was er vrijdag dat bezoek van de boze moeder van Jacqui Jenning geweest.

Audrey Jenning was niet het type moeder dat je zou verwachten bij een vrouw die volgens de wet nog altijd als een hoer werd beschouwd. In plaats daarvan was ze een beschaafde dame van in de vijftig, die stijf op het puntje van de stoel gezeten die hij haar had aangeboden, hem bits de les las.

Ze kon gewoon niet begrijpen waarom de politie de moordenaar van haar dochter nog steeds niet gevonden had, grauwde ze. Ze hadden toch zeker genoeg bewijsmateriaal in haar appartement gevonden? Ze hadden het lichaam maandenlang vastgehouden voor de lijkschouwing, ze hadden tijd genoeg gehad. Waar waren ze in vredesnaam mee bezig? Kon het hun in werkelijkheid niet schelen? Deden ze geen moeite voor meisjes met een dergelijk beroep? Misschien gingen ze ervan uit dat het hun familie toch niet uitmaakte? Jacqueline had heus niet altijd zo geleefd, dat wilde ze in elk geval even duidelijk maken. Ze was een schat van een meid, met een goed verstand. Met trillende handen had de vrouw een foto uit haar tas gehaald: een knappe tiener in schooluniform, glimlachend voor de camera. Ze had haar middelbareschooldiploma met vlag en wimpel gehaald. Ze had een universitaire studie kunnen doen. Het kwam door die afschuwelijke drugs. De verdorven maatschappij waarin we leefden.

Tegen de tijd dat de vrouw was uitgeraasd, had Dave zijn hoofd op de tafel willen bonken, alles om haar te laten ophouden nog meer van haar vreselijke leed op hem te botvieren. In plaats daarvan had hij zich professioneel moeten gedragen, elke richting die het onderzoek had genomen, moeten herhalen, het aantal uren, dagen en weken die ze besteed hadden aan buurtonderzoek nogmaals moeten uitleggen, evenals elke minuscule aanwijzing die ze hadden nagetrokken, om uiteindelijk toe te moeten geven dat sommige misdaden nu eenmaal nooit werden opgelost, hoe hard de politie ook haar best deed. Het stuitte hem tegen de borst dat te moeten zeggen, maar het was een

112

onverteerbaar feit in zijn beroep. Een of andere schoft pleegde een moord en verdween dan in het niet, zonder een spoor achter te laten. Hij kwam er zonder kleerscheuren van af.

Toen Karen haar moeder naar de tuin bracht, ruimde Dave de tafel af. Hij kon beter ophouden met piekeren over Jacqui Jenning, hield hij zichzelf voor terwijl hij de vuile borden in de vaatwasser zette. Het was niet zijn schuld dat ze geen enkele belangrijke aanwijzing hadden gevonden; ze hadden al het mogelijke gedaan. Op grond van zijn aanzienlijke ervaring wist hij dat je niet kon voorspellen hoe een zaak zou uitpakken. Sommige onderzoeken losten zich letterlijk vanzelf op. Daders raakten in paniek, of begingen een stommiteit. Ze lieten afdrukken achter of verspraken zich, en binnen een paar dagen had het team de zaak mooi afgerond en kon het dossier naar het OM. Ooit had hij de dader zelfs betrapt naast het lichaam van het meisje dat hij had vermoord. Zijn kleren zaten onder het bloed en het mes lag naast hem, alsof hij even een koffiepauze nam. Die jongeman achter de tralies zetten was vreemd genoeg onbevredigend, alsof je voor een examen slaagde waarin je had gespiekt. Maar er waren ook zaken die zich eenvoudigweg niet lieten ontrafelen. Hoe hard zijn mannen ook werkten, ze verzamelden slechts een paar flarden bewijsmateriaal. Het was alsof je met plastic vorken in rotsgrond moest graven.

Dat waren de gevallen die hem wakker hielden. Dan lag hij in de vroege ochtenduren op zijn rug te luisteren naar Karens zachte gesnurk terwijl de uiteenlopende feiten die ze hadden verzameld als boosaardige muizen aan zijn gedachten knaagden. Het was als een puzzel waarvan de cruciale stukjes zoek waren. En als hij ergens een bloedhekel aan had, was het aan iets onafgemaakt te moeten laten.

De zaak-Jacqui Jennings viel duidelijk in die categorie. Ergens liep de gevaarlijke gek, die haar huid met een beitel had bewerkt en vervolgens een groot deel van haar hersens had uitgestoken, vrij rond. Dave kon niet anders dan het als een persoonlijke mislukking beschouwen, een belediging van zijn professionaliteit. Officieel was de zaak nog in onderzoek, maar na bijna negen maanden buurtonderzoek, ontelbare controles van haar vaste klanten en uitgebreide gesprekken met haar luttele vrienden, had hij ernstige twijfels of ze degene die haar had vermoord ooit zouden vinden. Ze hadden genoeg forensisch materiaal uit haar appartement, maar niets van betekenis. De bloedvlekken kwamen alleen overeen met Jacqui's DNA en tot zijn frustratie waren alle afdrukken, op één na, ook van haar. De enige echte aanwijzing was wat sperma op de lakens van haar wanordelijke bed. Maar zonder te eisen dat elke man in het land een monster zou afstaan, leidde het nergens toe. De nationale DNA-computerdatabase gaf geen uitsluitsel. De enige uitkomst was dat het om een blanke man ging. Jacqui had geen vriend, ex of pooier gehad.

Dave was er vrij zeker van dat de dader een klant was, misschien iemand die het weekend naar zee was gegaan. Jacqui had een tijdje in een vervallen bordeel aan de andere kant van de stad gewerkt, maar de laatste tijd had ze op klanten gejaagd in de nachtclub Starlite, ook de nacht voor ze vermoord werd. Een uitsmijter herinnerde zich dat hij haar rond twee uur 's nachts had zien vertrekken met een vrij grote blanke man. Op de beveiligingscamera stond een dronken stel dat om zeven voor halfdrie door het winkelcentrum naar de taxistandplaats dwaalde, maar op de banden stonden alleen wazige beelden van hun ruggen. Geen van de plaatselijke taxichauffeurs herinnerde zich hen te hebben vervoerd.

Het zou het gebruikelijke verhaal wel zijn. Ze had een onbekende opgepikt, seks met hem gehad, en vervolgens had hij haar vermoord. Inmiddels kon hij overal zijn. Dave liep niet over van medelijden: de meeste hoeren leidden een chaotisch leven vol agressie, dat als ze pech hadden, plotseling eindigde. Het was erg dat jonge meisjes zich inlieten met drugs en prostitutie, maar hij kon niet de problemen van de wereld op zijn schouders nemen. Zijn taak was eenvoudig: de schurken pakken. De rest was voor politici en maatschappelijk werkers. Wat hem dwarszat was dat iemand een moord kon plegen en dan zijn normale leven weer kon oppakken. Hij was politiek noch religieus bevlogen, maar geloofde met zijn hele hart dat het recht moest zegevieren.

Hij kuierde naar buiten, hoorde de zeurende stem van zijn schoonmoeder, die leek op een irritant insect dat je zou willen doodmeppen, onderbroken door de zachte kalmerende antwoorden van zijn vrouw. Hij moest stoppen met piekeren over Jacqui Jenning. Ze zouden elke nieuwe aanwijzing blijven natrekken; het onderzoek bleef open. Toch was het onwaarschijnlijk dat haar moordenaar ooit zou worden gevonden.

Veel later, nadat hij zijn schoonmoeder naar huis had gereden en ze Harvey naar bed hadden gebracht, naar het late nieuws hadden gekeken en de deur op het nachtslot hadden gedaan, liep Dave vermoeid naar boven. Karen lag waarschijnlijk al in bed een van haar tijdschriften te lezen: *Chat* of *Closer*, of hoe ze ook heten mochten, vol diëten en foto's van beroemdheden met cellulitis. Toen hij naast haar ging liggen legde ze haar leesvoer voorzichtig op de grond.

'Alles kits, schat?'

'Ja.'

'Een beetje in een dip, vandaag, hè?'

Ze sloeg haar armen om hem heen en nestelde zich tegen hem aan met haar hoofd op zijn borst terwijl haar vingers zacht zijn bierbuik masseerden.

'Nee hoor, niets aan de hand.'

'Echt niet?'

Ze rolde zich op haar rug, woelde met haar handen door zijn haar en trok hem boven op zich. Hij was dol op de sensatie van haar satijnen nachthemd op zijn huid en de warmte van haar huid eronder. Ze rekte zich omhoog en kuste het puntje van zijn neus, bijna alsof hij een kind was.

'Een beetje therapie kan misschien geen kwaad...' zei hij met schorre stem.

Haar ervaren vingers gleden omlaag om hem te kneden, klemden zich strakker, tot hij kreunde. Alle gedachten aan werk verdwenen. Hij gaf zich over en liet zich omhelzen door zijn vrouw, in wier zachtheid hij weldra zou opgaan, waardoor hij eindelijk verlost zou worden van zijn last – een geweldige manier om thuis te komen.

13

Herfst. Wolken dreven over het vlakke land en brachten laaghangende mist, noordenwind en stuwregens die de zon niet langer de baas kon. Het gras aan de rand van het pad langs de rivier was stijf en dor; de bramen waren inmiddels zuur. De rijen zwaluwen die eind augustus kwetterend op de telegraaflijnen hadden gezeten waren ook weg; de kleur was uit het landschap verdwenen als uit oude kleren die te vaak waren gewassen. Het was grijs, bruin en donkergroen. De winter wachtte in de coulissen.

Poppy ging naar haar nieuwe school. Ik bracht haar in de eerste week van september en hield haar stevig bij de hand toen we ons een weg baanden door de menigte kinderen en moeders. Het was een ander publiek dan in Londen: vrouwen in terreinwagens met het welvarende uiterlijk van de Home Counties. Hier geen goedkope warenhuiskleding, geen tientallen piercings of ritsen gouden ringetjes in uitgerekte oorlellen. En ook geen bruine of mediterrane gezichten. Voor het eerst sinds we uit Buckingham Road waren vertrokken, miste ik Nat.

'Ik wil niet.'

Poppy's klaaglijke stemmetje klonk zo zacht dat ik haar als ze niet hard in mijn arm had geknepen misschien niet had gehoord.

'Kom op, liefje. Het komt allemaal goed. Je zult een heleboel nieuwe vriendinnetjes leren kennen.'

'Maar ze zijn mijn vriendinnetjes niet!'

Ik hurkte naast haar en omhelsde haar. Om ons heen riep een groep kleine meisjes die ongetwijfeld bij Poppy in de klas zouden zitten opgewonden naar elkaar.

'Elly! Heb je je Tamagotchi bij je?'

'Kijk eens naar mijn nieuwe jas!'

Blonde vlechten, vesten met glinsterend zilverdraad, enkelsokjes en roze leggings, een stoet nuffige meisjes, tiepjes waar Jessie en Poppy in Londen met een boog omheen waren gelopen.

'Maar dat worden ze heus wel, als je ze eenmaal leert kennen. Kom op, Pop. Wees dapper.'

Ze trok zich los en stond boos voor me op het onbekende schoolplein, mijn mooie wildebras, met haar spijkerbroek en sportschoenen, haar praktische bobkapsel en de trui die Pat als kerstcadeau voor haar had gebreid. Uit mijn ooghoek zag ik de andere meisjes naar ons staren.

'Ik wil niet dapper zijn!'

'Toe nou, liefje. Kijk, alle anderen gaan in de rij staan. Daar is je juf...'

Moeizaam hees ik me overeind. Door het hurken had ik een valse wee gekregen, een zachte contractie die over twee maanden in helse pijnweeën zou veranderen. Ik wilde koste wat kost een scène vermijden.

'Ze zwaait naar je.'

Ik nam haar bij de hand en trok haar mee tot voor aan de rij. Juf Graves, een knappe jonge vrouw met wie Simon en ik in juni even hadden kennisgemaakt, glimlachte ons geruststellend toe.

'Dag, Poppy! Kom je met mij mee naar binnen?'

Poppy moest wel ja knikken, maar haar ogen stonden vol tranen. Langzaam en met tegenzin liet ze mijn hand los. 'En dan zoeken we een paar leuke meisjes om jou gezelschap te houden, goed?'

'Oké.'

Verslagen volgde ze de onderwijzeres over de speelplaats naar binnen. Met haar gebogen hoofd en schouders zag ze er zo klein en verloren uit dat ik het niet langer kon aanzien. Ik draaide me snel om en liep langs de krioelende moeders de poort uit.

Terug in het pakhuis had ik niets te doen. Beneden werd de vloer gelegd en boven werden de slaapkamers opnieuw gestuukt. Simon stond elke ochtend om zes uur op om op de zolder waar we in de zon hadden gevrijd te werken. We wilden tenminste een deel van het gebouw bewoonbaar hebben wanneer de baby kwam. Met een blik op de open ruimte met het ruwe metselwerk en de loshangende leidingen waar de keuken geplaatst zou worden, vroeg ik me af of het ooit zover zou komen.

Ik besloot om wat rond te banjeren bij de werf via het pad langs de kreek tot ik zo diep in het moerasland was dat het pakhuis in de verte zo klein was als een vingernagel. Hoe ver ik ook liep, ik bleef het geraas van Simons schuurmachine horen. Uiteindelijk keerde ik weer huiswaarts in de hoop dat hij even pauze zou nemen, omdat ik niet gewend was aan verveling.

Ik maakte kennis met onze buren. Bob Perkins stelde zich aan me voor op de werf, nadat Ronnie, zijn labrador, zo enthousiast tegen me op was gesprongen dat ik bijna als een wiebelende kegel om was gevallen. Ik had hem al gezien wanneer hij met zijn hond over het pad langs de rivier wandelde: een man van pensioengerechtigde leeftijd in een windjack en met een bril op met jampotglazen, die me nu vertelde dat hij en zijn vrouw al negentien jaar in hun cottage woonden.

'Zijn jullie het pakhuis aan het renoveren?'

Ik vertrok mijn gezicht in een verontschuldigende grimas. 'Excuses voor het lawaai.'

'Het werd eens tijd dat iemand ermee aan de slag ging. Het is ballast, al jaren verwaarloosd. Dan kun je er net zo goed iets bewoonbaars van maken.'

Niet uit het veld geslagen schonk ik hem een opgewekte glimlach.

'We willen ook een bed&breakfast gaan runnen, als het klaar is. Het ligt zo mooi.'

Bedenkelijk keek hij om zich heen. Voor het pakhuis stond een grote baggermolen in het water te roesten. Verderop in de kreek lag een oude gezonken schuit met een dak vol gaten. De werf, waar boten werden gerepareerd en voor de winter in het dok gingen, lag achter ons. Dit was het kerkhof, waar de karkassen van boten waren achtergelaten om in de modder te vergaan, waar zeegeesten doolden.

'Ach ja, misschien komen er wel wat mensen die belangstelling hebben…'

Langzaam leerde ik andere mensen kennen: Richard, de eigenaar van de werf, die een biertje van Simon aannam toen die hem een rondleiding gaf; Janice, Bobs vrouw, die iets afkeurends in haar houding had, alsof we haar al onbedoeld beledigd hadden. Misschien kwam het door het lawaai van de werklui, of door de omgewoelde landweg. Ik maakte vaak een praatje met de vrouw in de drogisterij, die me grote hoeveelheden middelen tegen brandend maagzuur verkocht en me vroeg wanneer ik uitgerekend was; een andere vrouw, die haar hond bij de kreek uitliet, knikte me nu toe.

Ik zou het nooit hebben toegegeven – tegenover Simon, Poppy of mezelf – maar ik miste Don en zijn team, en Natalie en de drukte van Londen als een ledemaat dat bij de aanzet was losgerukt.

Poppy ging nog steeds met tegenzin naar school, pakte paniekerig mijn hand beet als we het schoolplein op liepen en keek met een verloren blik achterom als juf Graves haar mee naar binnen nam. Elke middag wanneer ik haar kwam halen, voelde ik me nerveus worden. Ik wilde zo graag dat ze uit haar lokaal kwam huppelen zoals de andere meisjes die met hun tekeningen en boeken zwaaiden alsof het trofeeën waren, en die door hun respectabele mammies in vrolijke groepjes werden weggebracht naar de padvinderij of naar een vriendinnetje om thee te drinken. Poppy daarentegen was altijd alleen. Ik had het opgegeven te vragen met wie ze speelde. Mijn onhandige vragen werden onveranderlijk beantwoord met een sneer.

'Dat gaat je niks aan!' riep ze dan en ze beende voor me uit. Of: 'Als je dat zoveel kan schelen, waarom heb je me dan weggehaald bij Jessie?'

Zelf leed ik ook aan de eenzaamheid van de nieuwkomer. Bij de lagere school aan Buckingham Road had ik zelden tijd gehad om op de speelplaats te blijven hangen. Of Natalie haalde de meisjes op, of ik arriveerde in vliegende haast nadat ik de Fiat dubbelgeparkeerd had of op een dubbele gele streep had achtergelaten. 's Morgens sprong Poppy uit de auto en rende ze alleen door de schoolpoort. In tegenstelling tot de fulltimemoeders kon ik niet blijven staan om te kletsen. Mijn afspraken begonnen om negen uur. Ik moest panden taxeren en gegadigden spreken. Ik kon het me niet permitteren mijn baan te verliezen.

Maar nu stond ik aan de andere kant. Wanneer ik eenmaal mijn zwangerschapsyoga had gedaan, de ontbijttafel had afgeruimd en thee voor de werklui had gezet, hoefde ik niets dringends te doen. En zolang Poppy geen contact had met hun kinderen had ik geen toegang tot de groep moeders die zo kameraadschappelijk op het schoolplein wachtten. Hoe waren ze zo dik met elkaar geworden? Terwijl ik aan de rand van het plein talmde, stonden zij in groepjes bij elkaar en negeerden me. Het deed me weer denken aan toen ik negen was, op mijn lagere school, waar ik, op instructie van een dik meisje, Josephine, terstond genegeerd werd. In tegenstelling tot de andere kinderen had ik me de complexe omgangsregels van prepuberale meisjes niet eigen gemaakt. Hun leek vriendschap van nature af te gaan. Mij ontging dat echter voortdurend, het glipte me altijd door de vingers. Het was alsof ze allemaal iets wisten wat mij nooit was verteld, een geheim dat verborgen bleef.

In het pakhuis verliepen de werkzaamheden stroef. Het team dat Simon in dienst had genomen had goed werk geleverd met het slopen van het vervallen interieur en de dakreparatie, maar nu de muur aan de rivierzijde moest worden beraapt, hadden de werklui kwaadaardige rot ontdekt in het metselwerk, iets wat de tweederangs aannemer over het hoofd had gezien. De hele boel moest worden neergehaald, mompelde Simon somber. Dat betekende nog eens vijftien- tot twintigduizend extra. De leidingen vormden ook een probleem. De loodgieter die in de zomer de waterleiding voor de nieuwe keuken had aangelegd had er een zootje van gemaakt. Drie maanden eerder had Simon nog kameraadschappelijk een biertje met hem gedronken in de Anchor Inn bij de brouwerij. Nu bestempelde hij de man als een beunhaas, een onbetrouwbare kennis van Ollie, die de klus nooit toegespeeld had mogen krijgen. Het hele karwei zou overgedaan moeten worden.

Hij had er veel moeite mee. Elk probleem vrat aan zijn aanvankelijk onstuitbare optimisme tot er alleen nog maar een matte somberheid overbleef die ons als mist terneerdrukte. En alsof het nog niet erg genoeg was, waren de werklieden plotseling verdwenen. Hun luidruchtige aanwezigheid had gedurende de zomer al tot lichte irritatie geleid, hun afwezigheid nu het herfst was sloeg alles. Ze hadden een andere klus aangenomen, vernam ik, omdat er wat problemen met de betaling waren. Simon weigerde er met mij op in te gaan. Hij trok zich terug op zolder en was lange middagen bezig de verrotte muren te lijf te gaan met een pikhouweel, om uiteindelijk vermoeid en met een strak gezicht weer te verschijnen, het zweet parelend op zijn doorgroefde gezicht alsof hij koorts had.

Ik wilde hem helpen, maar in mijn hoogzwangere staat kon ik weinig doen. De keukenkastjes waren besteld en de vloer en kleuren gekozen. Tot de achtermuur gestukadoord en opnieuw gepleisterd was, konden we niet verder. En zelfs al was er iets voor mij te doen geweest, had ik daar vrijwel geen puf voor. Ik had last van de zwangerschap, de baby drukte tegen mijn slokdarm, waardoor ik zo'n last had van brandend maagzuur dat er geen tabletten tegen opgewassen waren.

De dagen gingen traag voorbij. Ik hing maar wat doelloos rond, en deed mijn best wakker te blijven. Wekenlang had ik niet kunnen slapen, de opklapbedden van de bouwkeet waren te smal en hard. Wanneer de baby bewoog en trapte, lag ik wakker en luisterde naar het ratelen van de wind tegen het dak terwijl ik al opzag tegen de vermoeidheid van de komende dag.

Toen, ergens in oktober, kreeg Poppy een vriendinnetje.

'Mama!' riep ze blij toen ze me bij de schoolpoort zag. 'Mag Megan bij me komen spelen?'

Ze duwde haar tas in mijn hand en keek me hoppend van de ene op de andere voet stralend van opwinding aan. Naast haar stond een meisje uit haar klas, een kind met een scherp gezicht, bruine vlechten en een zilverkleurig vest.

'Nu meteen?'

'Ja! O, alsjeblieft! Mag het alsjeblieft, alsjeblieft, alsjeblieft?'

'Goed dan, als Megans moeder het goedvindt.'

'Gaaf!' riep Poppy triomfantelijk met een vuistslag in de lucht. Ik gaf haar een knipoog, blij dat ik mijn dochter zoals ik haar kende eindelijk weer terughad. 'Wie is je moeder, Megan?' vroeg ik aan haar nieuwe vriendin.

Het meisje wees naar een vrouw in het midden van een groepje moeders. Ze knikte overdreven nadrukkelijk met haar hoofd en schaterde het plotseling uit, haar stem schalde boven het geroezemoes op de speelplaats uit. Ze was me al eerder opgevallen: een grofgebouwde vrouw in een lange broek met hooggehakte laarzen, die in een van de opzichtigste terreinwagens reed, waarin ze continu grote groepen kinderen vervoerde. Op de eerste schooldag had ik naar haar geglimlacht toen we langs de netbalpalen liepen, maar ze had langs me heen gekeken, alsof ik niet bestond. Ik vermande me en pakte Poppy bij de hand. Resoluut liepen we over het asfalt naar Megans moeder.

'Hallo,' zei ik met een brede glimlach. 'Ik ben Mel, Poppy's moeder. Zou Megan het leuk vinden om bij Poppy te komen spelen?'

De vrouw keek me beleefd aan. Het was duidelijk dat ze nog nooit van Poppy had gehoord. Nu ik naar haar gelakte nagels, modieuze gestreepte trui en getuite mond keek, voelde ik me plotseling sjofel in mijn mannenspijkerbroek die wijd over mijn dikke buik hing, mijn honkbalschoenen vol verfspetters en hennakleurige haar.

'Megan moet helaas naar ballet,' zei ze met een zelfgenoegzaam lachje. Naast me voelde ik lijfelijk hoe Poppy de moed verloor. 'Alsjeblíéft, mam,' siste ze, aan mijn mouw trekkend.

Het was kennelijk van het grootste belang dat ik ervoor zorgde dat dit afspraakje doorging.

'En morgen?' drong ik opgewekt aan. 'We kunnen haar thuisbrengen.'

Megans moeder schonk me een strak onvriendelijk glimlachje. 'Morgen zou wel kunnen,' zei ze. 'Leuk, hè, Megan?'

Maar Megan was al weggehold en stond met de andere meisjes te giechelen.

Ik had strikte instructies van Poppy gekregen wat de voorbereidingen van thee met Megan betrof. Er moesten jamkoekjes, chips, boterhammetjes met pindakaas en chocolademilkshakes zijn. De bouwkeet moest opgeruimd zijn en ik mocht Megan geen gênante vragen stellen. Ik mocht niet dansen of luid meezingen met de radio. Onder geen voorwaarde mocht Simon zijn opwachting maken met zijn gitaar. Haar nadruk op dat laatste verbaasde me. Een paar maanden eerder waren zijn 'optredens' het hoogtepunt van onze avond geweest. Nu, met nieuwe vriendinnen, was een Dylan kwelende stiefvader met gerafelde truien en zaagsel in zijn haar kennelijk niet cool.

Toen ik ze van school had gehaald, renden de meisjes voor me uit en ik waggelde achter hen aan. Ze leken plannetjes te smeden. Met de armen om elkaars schouders liepen ze smiespelend over het landweggetje en door de werf. Ik zag het opgelucht aan. Het was duidelijk dat ik niet zo ongeduldig had moeten zijn. Poppy was meer dan capabel om zonder mijn bemoeienis nieuwe vriendinnen te maken; ze was tenslotte nog maar een paar weken op haar nieuwe school. Zoals Simon steeds zei: ik moest leren vertrouwen te hebben.

Maar toen de meisjes aan tafel kwamen, was de sfeer veranderd. In plaats van het vrolijke gebabbel dat ik had verwacht, aten ze zwijgzaam, waarna ze plechtig naar Poppy's kamertje vertrokken. Na al die middagen met Jessies grappen en grollen, die net zo luidruchtig en aanwezig was als Poppy, was ik uit het veld geslagen door Megans vormelijkheid. Ze zat met rechte rug aan tafel en sprak me aan met 'mevrouw Stenning', iets waar ik van verschoot, fronste bij Poppy's voorstel om door haar rietje in de melk te blazen en stelde voor om met de speelgoedmake-up te spelen die in een roze plastic etui uit haar schooltas te voorschijn kwam. Ze trokken de deur van Poppy's kamer gedecideerd achter zich dicht en bleven er wel een uur. Ik liet hen met rust en terwijl ik in het kleine keukentje ronddrentelde luisterde ik hoopvol of ik gelach hoorde.

Toen de deur eindelijk weer openging, vervloog mijn hoop. Poppy kwam als eerste naar buiten en sloeg de deur dicht. Met haar spitse gezicht roze van woede liep ze langs me heen.

'Mag Megan nu naar huis? Ik wil niet meer met haar spelen.'

Megan verscheen met een zelfgenoegzame grijns achter haar. Toen ik haar aankeek viel het me op dat haar ogen een rancuneuze, bijna kwaadaardige glinstering hadden.

'Ach, toe nou, meisjes! Megan is hier nog maar net. Waarom laat je haar de rivier niet zien, Pop? Misschien zijn er nog wel bramen langs het pad.'

'Ik wil niet naar die rotrivier.'

'Ik eigenlijk ook niet, mevrouw Stenning.'

Ze bleven onverzoenlijk. De fragiele saamhorigheid die er voor de thee nog was geweest, was geknapt als een dorre twijg. Met haar armen over elkaar ging Megan stijfjes op de opklapbank in het kleine woongedeelte zitten en Poppy liep kwaad naar haar kamer. Tien minuten later arriveerde Megans moeder in haar fourwheeldrive.

'Geeft niet!' Ze schonk me een ijzige glimlach en wierp een nieuwsgierige blik op de rotzooi in de tuin. Ik zag iets van lichte schok op haar gezicht, niet overduidelijk, slechts een knipperen van de ogen bij het zien van de chaos van bouwgereedschap, dozen tegels, emmers verf en allerlei andere rommel. We waren duidelijk kampers; een vriendschap tussen Poppy en haar dochter moest niet aangemoedigd worden.

'Zo zijn meisjes nu eenmaal!'

Even later waren ze verdwenen en scheurden ze terug over de landweg naar hun neogeorgian showhuis.

Toen ik voorzichtig de deur van Poppy's kamer opende, lag ze op bed met het dekbed over haar hoofd getrokken. De vloer was bezaaid met haarversierinkjes, stervormige clips en kleine potjes nagellak, verwerpelijke verjaardagscadeaus die eerder tot achter in haar laden waren verbannen en alleen te voorschijn waren gehaald om Megan een plezier te doen.

'Wat is er misgegaan?' vroeg ik zacht.

'Niets!' klonk haar gedempte stem klagend vanonder haar Princess Fionadekbedovertrek. 'Ga wég, mama! Ik háát je!'

Het was alsof er een steen op mijn maag viel. Ik zeeg met een zware plof op haar bed neer en friemelde aan de rand van haar dekbedovertrek. 'Waarom haat je me?'

'Omdat het allemaal jouw schuld is!'

'Waarom dan? Ik heb juist mijn best gedaan om het leuk voor jullie te maken, liefje.'

Ze ging rechtop zitten. Haar haren hingen verward om haar gezicht en haar wangen waren nat van de tranen, haar gezicht vertrokken van ellende.

'Omdat ik door jou hier moet wonen! Ik wilde helemaal niet in dit afschuwelijke huis wonen!'

'Ik dacht dat je hier gelukkig zou worden. Als het pakhuis af is, hebben we heel veel ruimte en het is zo mooi...'

'Megan vond het ráár! Ze zei dat alleen rare mensen in woonwagens wonen!'

Ik beet op mijn lip en huiverde. De hele tijd dat dat kleine madammetje aan tafel had gezeten had ze haar gemene kleinzielige oordelen zitten voorkoken.

'Maar zo blijft het niet, meisje,' zei ik en ik deed mijn best kalm te blijven. 'We gaan het pakhuis heel mooi maken en dan gaan we daar wonen. Bovendien, dit is geen woonwagen maar een verplaatsbaar huis.'

Poppy keek me echter met een uitdrukkingsloos gezicht aan. 'Waarom kunnen we niet net zo leven als een gewoon gezin?'

'We leven als een gewoon gezin!'

'Niet waar! Waarom lieg je altijd tegen me? Megan zei dat als je moeders man niet je echte vader is, dat je moeder dan een slet is!'

Mijn mond viel open. Ik hapte letterlijk naar adem. Hoe leerden zevenjarige meisjes mensen zo te kleineren? Terwijl ik haar koekjes en chocolademelk serveerde, was Megans preutsheid als een rotsblok op ons huis gestort, een zwerfkei met het woord 'kleinburgerlijk' erin gegraveerd.

'Dat is klinkklare onzin.'

Poppy deinsde terug voor mijn uitgestrekte hand en trok het dekbed weer over haar hoofd.

'Ga weg! Ik haat je echt, mama!'

Verslagen liep ik naar het keukentje met het gevoel alsof de zakken cement die buiten op de oprit stonden in mij waren gepropt. Poppy had gelijk. Ik had een bloedhekel aan de moraal van Megan en mensen zoals zij, maar ik had mijn dochter geen normaal gezinsleven kunnen geven, zelfs geen normaal huis. En nu was ze net als ik een buitenbeentje, dat niet werd opgenomen in dit bekrompen milieu. Als ik een betere moeder was, zou ik in staat zijn om haar te troosten, haar te leren lachen om gemene pedante wezens als Megan; ze zou meer dan genoeg vriendinnen hebben. Maar ik wist niet hoe je sociaal gezien een succes werd. Ik was net zo stuurloos als zij. Als kind was ik verhuisd al naargelang de grillige eisen van Michaels carrière: een tijdlang woonden we in Reading, toen in Milton Keynes, daarna in Swansea. Mijn tienerjaren bracht ik grotendeels in Surrey door. Ik had nooit ergens bij gehoord.

In een ellendige stemming begon ik de keukentafel af te ruimen. Sinds ik Simon had leren kennen, was mijn gevoel van onmacht terzijde geschoven, maar nu was het in volle omvang terug. Hoe was het mogelijk dat ik zwanger was van een tweede kind terwijl ik al zo faalde bij het eerste? Dat was het zoveelste voorbeeld van mijn onkunde. Ik was niet bedreven in goed moederschap. Bij ieder ander leek het zo makkelijk, maar hoe ik ook mijn best deed, ik bleef een leerling die steeds opnieuw zakte voor haar examen.

14

Terwijl Simon steeds fanatieker aan het pakhuis werkte, verzonk ik almaar dieper in mijn prenatale lethargie. We brachten vrijwel geen tijd meer samen door. Hij kon zich geen lange pauzes veroorloven om te lunchen of met me te luieren in de late herfstzon, en als ik toch probeerde hem te verleiden, snauwde hij me af. Ook al hadden de werklui hun spullen gepakt en ons in de steek gelaten, hij zou koste wat kost doorwerken. Ik wist dat hij gelijk had; om onze schulden beheersbaar te houden, moesten we het gebouw zover in orde krijgen dat we betalende gasten onderdak konden bieden. Toch vond ik het moeilijk om zijn afwijzing niet persoonlijk op te vatten. Als hij niet onder de dakspanten bezig was, was hij in Londen. Daar moest hij 'zaken regelen', antwoordde hij op mijn halfhartige vragen. Ik wist dat ik niet door moest vragen. Vanaf het begin had hij mijn pogingen om me in zijn leven te verdiepen afgeweerd. 'Maak je geen zorgen, schat,' zei hij dan, met een plotseling ondoorgrondelijk gezicht. 'Het komt allemaal goed.'

Zo had ik me ons nieuwe leven niet voorgesteld. Ik had meer dan genoeg van het alleen-zijn; daarom was ik met hem getrouwd. Ik had aangenomen dat we samen aan het pakhuis zouden werken, en zouden pauzeren voor een knusse wandeling of om een broodje bij de kreek te eten. Ik had zeker niet verwacht de meeste avonden in mijn eentje door te brengen in onze benauwde bouwkeet terwijl hij ervandoor ging in zijn busje voor eindeloze 'afspraken' met architecten en aannemers. Hij had het druk, hield ik me voor, daarom praatten we niet meer met elkaar; als de renovatie voltooid was, zouden we ons oude intieme leventje weer oppakken. Nu we de zekerheid van het huwelijk hadden, hoefden we ons niet als een Siamese tweeling te gedragen met de nadruk op 'quality time'. Bovendien was ik hoogzwanger. Misschien had hij een afkeer van mijn bolle buik. 'Als de baby er is' en 'als het huis af is' werden mijn mantra's, eindeloos opgedreund voor het altaar van mijn neuroses. Ze werkten niet echt. Soms, als ik naast hem lag te piekeren en hem zacht hoorde snurken, na weer een avond zonder echte communicatie beëindigd met slechts een zoen op de wang, was ik bang dat onze relatie alweer voorbij was.

Ik had nog meer zorgen. De datum waarop ik was uitgerekend kwam steeds dichterbij. Waar ik een paar maanden tevoren slechts in abstracte termen over had gedacht, was nu levensecht. Poppy's geboorte was een achtenveertig uur durende beproeving geweest waarin ik ervan overtuigd was geweest dat ik zou sterven. Toen haar wasachtige lichaampje eindelijk uit het mijne gleed, was ik zo perplex dat ik nog leefde, en nog schokkender, dat deze perfect gevormde baby zojuist tussen mijn benen uit was verschenen, dat ik de eerste paar uur geen woord kon uitbrengen. Dat mijn lichaam zo'n gebeurtenis een tweede keer zou ondergaan, ervoer ik tegelijkertijd als angstaanjagend en verbluffend. Het kon eenvoudig niet dat het wriemelende ding in mijn buik zich over ongeveer een maand een weg naar buiten zou banen. Hoe meer ik erover tobde, des te onmogelijker het leek.

En toch, hij was er. Ik lag op bed en drukte mijn vingers tegen wat ik dacht dat zijn billen waren. Elke dag groeide hij, tot hij, onontkoombaar, geboren zou moeten worden.

'Gaat het wel?'

Verschrikt keek ik op. Simon stond in de deuropening van onze slaapkamer met half dichtgeknepen ogen tegen het ochtendzonlicht.

'Ik heb je overal gezocht.'

'Ik lig een beetje te rusten.'

Hij liep de kamer in en legde verstrooid de hamer die hij in zijn gehavende handen had op het kussen toen hij ging zitten.

'Hoe gaat het met de baby?'

'Goed.'

Hij legde zijn hand teder op mijn blote buik, boog zich voorover en kuste hem.

'Wat is er dan?' Hij ging staan, pakte mijn hand en kuste mijn knokkels.

'Ik weet het niet. Ik...'

Er rees een golf van hormonale misère in me op. Omdat ik niets kon uitbrengen staarde ik naar de katoenen sprei. Ik deed mijn uiterste best om niet in tranen uit te barsten.

'Ik ben gewoon een zielige dwaas...'

'Maak je je weer zorgen om de bevalling?'

Ik keek naar zijn stoffige gezicht. Sinds we naar Kent waren verhuisd, was zijn haar zo lang geworden dat hij het nu met een elastiekje in een staart droeg. Ook was hij steviger geworden; het magere van Londen was in spiermassa veranderd. Ik trok mijn hand weg van zijn mond en legde mijn vingers om zijn biceps. Nu hij naast me zat en me met zo'n lieve bezorgde blik aankeek, verdwenen mijn angsten als sneeuw voor de zon.

'Ik stel me gewoon aan.'

'Het is geen aanstellerij om bang te zijn, schat. Als ik me alleen al voorstel hoe het moet zijn...'

Ik gaf geen antwoord. De waarheid was dat hij me tot de bevalling een feit was nauwelijks kon geruststellen. Ik was in een nieuwe bijna onderbewuste fase beland waarin mijn lichaam en de baby het hadden overgenomen. Zelfs als we de bevalling allebei overleefden, zou ik geen goede moeder zijn, daar was ik inmiddels van overtuigd. Pat had me geen voorbeeld meegegeven; terwijl andere moeders automatisch leken te weten wat ze moesten doen, had ik altijd het gevoel dat ik in open water spartelde, niet in staat om voor iemand anders te zorgen.

'Ik maak me zorgen om Poppy,' fluisterde ik ten slotte. 'Ik bedoel, hoe zal ik het redden met twee kinderen?'

'Het komt allemaal goed. En het zal juist heel goed voor Poppy zijn om een broertje of zusje te hebben.'

Ik keek naar hem op. Ik had hem niet verteld wat Megan tegen Poppy had gezegd. 'Waarschijnlijk moet ik aan mijn moeder denken nu ik zelf nog een kind krijg,' vervolgde ik terwijl ik mijn ogen bette. Tot ik die woorden had uitgesproken, had ik niet beseft dat dat was wat ik dacht.

'O, kom nou. Pat is geen monster. Ze is alleen wat stijfjes.'

'Ik heb het niet over haar. Ik bedoel mijn echte moeder.'

Hij fronste, boog zich naar me toe en nam een streng van mijn haar tussen zijn vingers. Ik had hem verteld dat ik was geadopteerd, maar veel meer ook niet. Net als wanneer het om zijn eigen jeugd ging, had hij altijd benadrukt dat we onze verre van gelukkige achtergrond en familie maar het beste konden vergeten.

'Bedoel je dat je erover nadenkt hoe het is om geadopteerd te worden?'

'Ja. En dat ze, nu ik volwassen ben, nog steeds geen contact wil.'

'Heb je haar ooit ontmoet?' vroeg Simon zacht.

Ik knikte en voelde een golf van verdriet opkomen. Het was de eerste keer dat ik het aan iemand vertelde.

'Toen ik terugkwam uit Australië. Ik vond opeens dat Poppy haar biologische grootmoeder moest leren kennen. Ik wilde dat Engeland de plek werd waar ze echte familiebanden had. Daarom ging ik terug naar het bureau dat de adoptie had geregeld, in de West Country.'

Simon bleef mijn haar strelen en keek me met een zorgzame blik aan.

'Het was verbluffend eenvoudig. Ze gaven me een telefoonnummer, dus ik belde en kreeg een oude dame aan de lijn, van wie ik later besefte dat het mijn grootmoeder moet zijn geweest. Ze zei dat haar dochter al heel lang geleden was verhuisd. Blijkbaar was ze hertrouwd. Ze scheen te denken dat ik iemand van de sociale dienst was. Ze gaf me haar dochters adres zonder zelfs maar te vragen wie ik was.'

Ik had Poppy tot de volgende dag onder Pats hoede achtergelaten en was naar het adres gereden dat ik met trillende handen had neergekrabbeld. Het was in een smalle straat in Bristol; kleine rijtjeshuizen met onbeduidende voortuinen en auto's die voortdurend schokkend over de verkeersdrempels scheurden terwijl ze juist vaart moesten minderen. Ik verkeerde in een soort bedwelmde toestand. Ik stelde me voor dat de deur geopend zou worden door een hartelijke vrouw die me onmiddellijk in haar armen zou sluiten en zou uitleggen dat ze gedwongen was mij af te staan. Ik dacht dat ze in alle opzichten Pats tegenpool zou zijn. Ze heette Sally Arkwright.

Het was echter niet mijn lang verloren moeder die de deur opende, maar een man, een voddig type met een dikke buik die over de riem van zijn spijkerbroek hing en een grijze baard waarvan de woeste uitgroeisels in een vlechtje zaten. Hij zag eruit als een biker. Toen ik naar Sally vroeg, keek hij me achterdochtig aan, draaide zich om en liet me op de stoep staan met een hart dat zo bonsde dat ik nauwelijks adem kreeg.

Even later kwam ze naar de deur. Ik gaapte haar aan, zo overmand door mijn emoties dat ik niets kon uitbrengen. Ze was totaal anders dan ik me had voorgesteld: gepermanent geblondeerd haar, spijkerbroek met lovertjes die te strak was voor haar lichaam van middelbare leeftijd, harde ogen in een gegroefd gezicht. Ze zag er precies zo uit als ik mogelijkerwijs over een jaar of zestien, gesteld dat mijn persoonlijkheid totaal zou veranderen.

'Als het over Darren gaat, kan hij oprotten, wat mij betreft,' zei ze terwijl ze haar armen over elkaar sloeg.

'Nee, daar kom ik niet voor.'

'Waarom dan wel?'

'Ik ben Melanie,' flapte ik eruit. 'Ik ben in 1969 geboren in een tehuis voor tienermoeders in de buurt van Cheltenham. Ik heb het adres van je moeder gekregen, als contact…'

Mijn moeder knipperde een paar keer met haar ogen, maar haar gezichtsuitdrukking veranderde niet. In plaats daarvan leek het alsof haar gezicht zich verhardde en iets ondoorgrondelijks kreeg.

'Ik weet niet waar je het over hebt.'

'Je bent toch Sally Arkwright?'

Misschien houd ik mezelf voor de gek, maar er flitste even iets zachts over haar gezicht. Toen klemde ze haar vingers om de deurknop.

'Laat het rusten, meid. Het wordt nooit iets.'

Ze trok de deur voor mijn neus dicht.

'En wat gebeurde er toen?' vroeg Simon.

Ik keek hem aan terwijl ik het beeld uit mijn gedachten probeerde te bannen. Het maakte niet meer uit. Ik had nu mijn eigen gezin, het verleden was voorbij.

'Nou, ze wilde niets met me te maken hebben. Het was een regelrechte ramp.'

Hij legde zijn hand op mijn wang. 'Mel, mijn arme schat.'

'Het maakt niet meer uit. Ik denk nooit meer aan haar.'

Simon keek me een paar ogenblikken aan en zoog zijn onderlip naar binnen. Ik wilde dat ik er nooit over begonnen was.

'Waarom zocht je me trouwens?' vroeg ik terwijl ik van het bed opstond en mijn pantoffels aanschoot.

'Ollie heeft me net gebeld.'

'O ja?'

'Hij heeft wat problemen met een verbouwing. Ik ga een paar dagen naar Londen om hem een handje te helpen. Dat vind je toch niet erg?'

Ik verstijfde. Ik draaide me om, liep naar het raam en keek omlaag naar de troebele rivier. Buiten regende het zacht.

'Oké.' Ik had mijn best gedaan niet klagerig te klinken, maar toch kwam het er gespannen en geforceerd uit.

'Ik ben niet langer dan een dag of wat weg. En ik kan boven toch niets meer doen tot het eikenhout binnen is.'

Ik haalde mijn schouders op en dwong mezelf om me met een glimlach naar hem toe te draaien. 'Ik vind het echt niet erg.'

'Ik wilde meteen vanmiddag gaan. We kunnen het geld goed gebruiken. En de baby komt pas over ruim een maand...'

'Simon, maak je geen zorgen. Poppy en ik zullen ons prima redden.'

Maar toen hij weg was, ging ik terug naar bed. Hij loog, dacht ik somber. Hij had genoeg van me en greep elk excuus aan om weg te kunnen. Misschien was er wel een andere vrouw in het spel. Ik had beloofd hem te vertrouwen, maar nu begonnen de twijfels aan me te knagen, als een plaag korenwormen. Het zou een hoop verklaren: waarom hij zo vaak weg was, dat hij ineens geen zin meer had in seks. Ik was zo'n humeurig mormel, waarom zou hij in hemelsnaam bij me willen blijven?

Achtenveertig uur later stond ik tegen de voordeur geleund toen Simon uit de bus op het voorterrein sprong. Ik hunkerde naar het weerzien en tegelijkertijd was ik doodsbang voor de tekens van ontrouw die ik op zijn gezicht verwachtte te zien.

'Hallo, schat!'

Hij sprong over een plas, landde precies voor mijn voeten en nam me in zijn armen en drukte me stevig tegen zich aan. 'Ik heb je gemist.'

Ik reageerde niet op zijn omhelzing, maar bleef met mijn armen losjes langs mijn lijf staan. Simon maakte zich van me los en keek me scherp aan.

'Voel je je beter?'

'Hoezo "beter"?'

Hij fronste. 'Oké, opnieuw. Ben je in een betere stemming?'

'Ik doe mijn best.'

Ik klonk humeurig en rancuneus, als het type vrouw aan wie elke verstandige man zou willen ontsnappen. Kwam het door de hormonen dat ik zo achterdochtig was?

'Ben je bij een andere vrouw geweest?' flapte ik eruit. Traag, bijna vermoeid schudde hij zijn hoofd. Ik wist zeker dat ik een schaduw over zijn ogen zag glijden.

'Jezus Mel, doe normaal! Natuurlijk niet.'

Toen, beslist te haastig, liep hij langs me heen het pakhuis in.

En nu past dat allemaal op weerzinwekkende wijze in elkaar, net als de handboeien die rechercheur Simmons eergisteren met zo'n verveelde bedrevenheid om Simons polsen klikte. *Stel dat ik iets vreselijks had gedaan?* had hij gevraagd, en ik, dwaas die ik was, had aangenomen dat hij dat hypothetisch bedoelde. Maar zelfs toen, toen ik zwanger was van Jo, had ik het bij het rechte eind en ging hij inderdaad nog met Rosa om. Maar waarom zou hij Poppy meenemen? Er klopt iets niet in het verhaal dat de politie zo pasklaar denkt te hebben. Het kan niet waar zijn; Simon zou Poppy nooit in gevaar brengen, hoezeer hij ook in de nesten zat. Dat zou hij me nooit aandoen, daar ben ik van overtuigd.

Toch zijn er de feiten. Ik was Poppy aan het zoeken en hoorde achter me een deur dichtgaan. Een paar minuten later reed Simon weg. Ik bleef naar Poppy zoeken, maar ze was verdwenen. De politie moest wel gelijk hebben. Zij zijn professionals, experts in het ontrafelen van persoonlijk drama. Poppy is verdwenen, en Simon, die ik ooit als mijn redder beschouwde, heeft haar meegenomen.

Ik zit wiegend op de bank. Als ik mijn ogen open zie ik dat Sandra aan de andere kant van de ingezakte kussens heeft plaatsgenomen. Daar zit ze stil te kijken. Ik kan me niet herinneren hoe lang ik hier ben, of waarom ze bij me zit. Buiten is het donker geworden.

Terwijl we zo onder het lamplicht zitten, zie ik onze weerspiegeling in het kamerbrede raam. Het is niet het gebruikelijke tafereel dat een toevallige voorbijganger zou zien als die de hond zou uitlaten en een blik naar binnen zou werpen. Ingelijst door het venster zou zo iemand misschien een vrouw zien die met een klein meisje op schoot tv-kijkt. Een andere avond zit het meisje misschien alleen knus op de bank een stripboek te lezen; op de achtergrond drentelt haar moeder tevreden rond, met een baby in een draagzak op haar borst. Weer later ziet men misschien een echtpaar dat, blijkbaar gelukkig in hun huiselijke chaos, dicht naast elkaar op de kussens zit. Het tafereel in zich opnemend zou de voorbijganger een reeks vluchtige emoties kunnen ervaren: tevredenheid bij het zien van een gelukkig gezinsleven, afkeuring vanwege de rommel, of misschien verwondering omdat de bewoners niet de moeite hebben genomen om gordijnen op te hangen. Wat men ook dacht of zag, het zou gewoon zijn, niet de moeite van het vermelden waard.

Vandaag is het echter anders gesteld. Aan een kant van de bank zit een net geklede vrouw met haar benen opzij gedraaid, alsof ze zich wil beschermen tegen de chaos. Zonder de mobilofoon die aan de tailleband van haar praktische lange broek is vastgeklemd, zou ze door kunnen gaan voor een verveelde passagier die op het vliegveld op haar vlucht wacht. Aan de andere kant van de bank zit een jongere vrouw, ineengezakt. Misschien heeft ze gehuild, want haar gezicht ziet er kaal uit, alsof er iets af is gehaald. Haar warrige donkere haar zit plakkerig om haar gezicht; aan de achterkant steekt het piekerig aan alle kanten uit, alsof ze eraan heeft getrokken. Het lijkt wel of ze is ingestort, want ze wiegt als een krankzinnige heen en weer met haar armen om haar knieën geklemd. Als de toeschouwer dichter naar het raam toe zou lopen om beter te kunnen kijken, zou hij of zij zien dat haar rode ogen uitdrukkingsloos zijn.

'Er is nieuws, Mel,' zegt Sandra zacht.

Ik staar haar aan, de moed zinkt me in de schoenen. Een paar seconden zit mijn keel dicht. Aan de manier waarop ze me aankijkt, zie ik dat het slecht nieuws is.

'Wat dan?'

'We hebben een telefoontje gehad van iemand in reactie op de nieuwsflits.'

'En?'

'Hij herinnert zich een auto te hebben gezien die op die van Simon lijkt. Het was rond halfvier, op Sittingbourne Road.'

Ik slik en probeer dit nieuws tot me door te laten dringen. 'Wat betekent dat?'

'Dat weten we nog niet zeker, maar het is een belangrijke aanwijzing. De reden waarom die man zich de auto zo goed herinnert, is dat hij er bijna tegenaan botste. Hij reed naar het centrum van de stad en Simons voertuig reed met hoge snelheid in tegenovergestelde richting. Toen het dichterbij kwam, passeerde het een trager voertuig en onze getuige moest uitwijken naar de berm om een botsing te voorkomen.'

'Juist.'

'En nog iets, Mel…'

Sandra zwijgt even. Ik knijp mijn handen zo stijf in elkaar dat mijn nagels zich in mijn huid boren.

'De man zag een klein meisje op de passagiersstoel.'

'Bedoel je dat hij Poppy heeft gezien?'

'Daar gaan we van uit, ja.'

Op de achtergrond hoor ik de voetstappen van politieagenten op de trap. Uit de keuken klinkt geroezemoes en dan ineens het beltoontje van een mobiele telefoon. Boven begint Jo te huilen. Ik hoor dat Trish hem probeert te sussen met haar zangerige stem. Even later stopt het geweeklaag.

'Maar waarom zou hij haar meenemen? Ik begrijp het niet…'

'Sommige mensen doen zoiets als ze onder extreme druk staan,' zegt Sandra met een ernstig gezicht.

Ik krijg een wee gevoel in mijn buik. Ik word misselijk en het zweet breekt me uit.

'We denken dat hij in paniek is geraakt,' vervolgt Sandra terwijl ze een koele hand op mijn schouder legt. Ik reageer niet. Het enige wat me te binnen schiet is dat het een vreselijk misverstand is. Simon rijdt altijd voorzichtig en is een liefhebbende stiefvader. Hij kán het niet geweest zijn.

'We zijn bang dat hij iets onbezonnens gaat doen.'

'Iets onbezonnens?'

Sandra bijt op haar lip. 'We kunnen natuurlijk niet voorspellen wat er gaat gebeuren, maar we zijn bang dat hij zelfmoordneigingen heeft. We zijn erg bezorgd om Poppy.'

Zowel door haar gezichtsuitdrukking als door haar woorden lijkt het alsof ik een stomp in mijn maag heb gekregen. Zonder iets te kunnen uitbrengen staar ik haar aan.

'Wat ik in dit stadium kan zeggen, is dat we alles doen om de auto op te sporen,' vervolgt ze. 'We hebben de gegevens landelijk verspreid, het komt op de lokale zender, we…'

De rest hoor ik niet. Ik spring op en ren naar de wc. Ik voel armen om me heen en zachte lichamen om tegen te leunen. Ik word mee teruggevoerd naar de woonkamer en op de bank gedrukt. Iemand heeft een dekbed om mijn schouders gelegd.

Trish is in de weer bij de salontafel met een dampende beker. Ik kan de beker niet vasthouden want ik beef onbedwingbaar, net zoals toen mijn vliezen braken bij Jo. Op een vreemde manier is het een opluchting om mijn lichaam de vrije hand te geven. Ik ben alleen nog maar huid en botten, fysieke impulsen en reacties. De spierverkrampingen worden veroorzaakt door een chemische reactie, uiteindelijk komt alles daarop neer.

'Drink wat thee, Mel,' zegt Trish. 'Daar word je warm van.'

Ze wil me de beker geven, maar ik duw hem weg.

'Ik wil Jo,' fluister ik. 'Haal hem voor me.'

Hij wordt in mijn armen gelegd. Hij wordt wakker uit zijn dutje, zijn armen strekken zich en zijn wimpers knipperen tegen zijn doorschijnende huid. Ik klem zijn ingepakte lichaampje tegen me aan en maak met trillende vingers automatisch de voedingsbeha onder mijn trui los. Ondanks alle opschudding zijn mijn borsten pijnlijk gezwollen. Als ik zijn hoofd naar mijn tepel breng raakt mijn beha doorweekt door de plotselinge stuwing van melk. Jo zuigt gulzig en tevreden snuffend krult hij zijn handje om mijn vinger. Het gevoel van zijn warmte tegen mijn buik doet me goed.

'Kan ik nog iets voor je doen?' vraagt Trish, terwijl ze zich naar me toe buigt en mijn hand even aanraakt. Ik kijk naar haar lieve bezorgde gezicht en de zwelling van haar ongeboren baby onder haar strakke wollen jurk.

'Nee hoor,' zeg ik. 'Ga jij ook maar eens zitten.'

'De politie doet haar best…' Ze zwijgt en kijkt met een hulpeloos schouderophalen om zich heen, kennelijk in de richting van de verschillende agenten die hier nog zijn.

'Ja,' zeg ik. 'Dat weet ik.'

'Zal ik bij je komen zitten?'

'Lief van je, maar eigenlijk zou ik heel graag even alleen zijn.' Ik knijp even in haar hand om te laten merken dat ik het niet persoonlijk bedoel.

'Oké. Als je me nodig hebt, ben ik in de keuken.'

Ik knik en zie hoe ze zich elegant door de wanordelijke kamer beweegt. Misschien gaat ze met Sandra praten, of zal hoofdrechercheur Gosforth haar bombarderen met vragen over ons gezin. Ze zullen niets te weten komen, noch van haar, noch van iemand van de buren. Als ik Jo van mijn rechterborst neem en hem omdraai naar de linker, weet ik dat noch Sandra's voorzichtige vragen, noch de talloze procedures die de politie voor deze situatie volgt Poppy terug zullen brengen. Jo slurpt en smakt met zijn lippen in zalige onwetendheid over het lot van zijn zus. Terwijl ik naar hem kijk weet ik wat me te doen staat. Ik moet mijn paniek wegdrukken en me concentreren. Het is zinloos om ach en wee te roepen en zo passief te blijven. Ik ben degene die de antwoorden heeft.

Mijn taak is me alles te herinneren wat er is gebeurd.

15

Jo werd eind november geboren, drie weken te vroeg. Het was een korte pijnlijke bevalling, die me met de kracht en felheid van een orkaan overviel. Als een foto die te lang in de zon heeft gelegen, krult en vervaagt mijn herinnering zich om de scherpste details. Tot mijn schrik braken mijn vliezen toen ik onder de douche stond, net voor ik naar bed ging. Simon legde handdoeken over mijn schouders en ik bleef even in de plas op de vloer zitten tot het beven was opgehouden. Hij was bijna net zo zenuwachtig als ik, holde de trap op en af om de telefoon te zoeken, veranderde van gedachten en haalde een kruik, vergat toen waar hij het nummer van de afdeling verloskunde had gelaten. Ik wachtte op de vloer van de badkamer en maakte me zorgen om Poppy. We hadden dit pas half december verwacht, dan zou Pat gekomen zijn om op haar te passen. Wat moesten we nu doen?

Toen kwamen de weeën, die alle gedachten uitbanden. Hoe kan het menselijk brein zich zo'n pijnniveau herinneren? Ik weet niet meer hoe het voelde, slechts dat ik alleen maar kon staan, met mijn armen om de wastafel geklemd en mijn billen omhoog. Een kind baren heeft niets waardigs. Toen Simon het ziekenhuis had gebeld om een ambulance te sturen, hurkte ik luid kermend bij het pasgeïnstalleerde bad. Jo werd na enkele waanzinnig pijnlijke persweeën geboren, net nadat de verloskundige de trap op was geklost.

Ondanks mijn angsten leefde ik nog en de baby was perfect. Hij huilde niet en lag in mijn armen met zijn ogen te knipperen. Tien piepkleine vingers en tenen, lange magere benen, plekken wasachtig huidsmeer op zijn kale schedel. Onze kleine zoon. Simon was extatisch en holde rond als een opgewonden puppy terwijl hij thee zette voor de verloskundige, zonder succes naar een fles champagne zocht en hielp opruimen. Toen hij Jo in zijn armen hield, had ik nog nooit zo'n zachte uitdrukking op zijn gezicht gezien.

'Ongelooflijk,' fluisterde hij terwijl zijn ogen zich met tranen vulden.

Hoe had ik aan hem kunnen twijfelen? In de daaropvolgende dagen verdwenen de onbestemde angsten die me gedurende de laatste maanden van mijn zwangerschap hadden geplaagd als sneeuw voor de zon. Ik was natuurlijk zo paranoïde geweest door de hormonen, concludeerde ik. Het idee dat Simon iets verborg en niet de meest toegewijde partner was, was belachelijk. Hij was steeds om me heen, bereidde de lunch terwijl ik Jo de borst gaf, of nam hem mee om zijn luier te verschonen onder het luidkeels kwelen van een van de onzinnige kinderliedjes die hij sinds kort componeerde. De ongemakkelijke stiltes van de herfst, toen hij zich boven had opgesloten en met god weet wat op zolder bezig was, waren verleden tijd. Ook rende hij niet meer naar buiten met zijn mobiele telefoon, alsof hij niet wilde dat ik zijn gesprekken hoorde. Verdwenen was de afstandelijke blik in zijn ogen die me zo'n kil gevoel had gegeven. De man voor wie ik in Londen was gevallen, was terug. Hij was nog nooit zo gelukkig geweest, zei hij op een ochtend terwijl hij mijn gezicht met kussen overdekte. Het was alsof zijn diepste wens in vervulling was gegaan nu hij mij, Poppy en Jo om zich heen had.

Het werk aan het pakhuis viel stil, maar het leek Simon niet langer te deren. Over een paar weken zouden de werklui terugkomen om de nieuwe keuken te installeren, zei hij. Tot dan was er weinig te doen. We waren een paar weken tevoren uit de bouwkeet naar het pakhuis verhuisd en waren blij met de adempauze. Het was ongewoon stil in huis, de stilte slechts doorbroken als Jo huilde, of als onze voetstappen over de houten vloer klosten. Eerder had de werf weergalmd van het gegier van boren of het gedreun van hamers, maar nu hoorden we slechts het huilen van de wind, de flapperende zeilen en het constante geklepper van nylon touwen tegen de masten, als koebellen. De winter was in aantocht en veranderde het moerasland in een wildernis.

Simon ging weer schilderen. Hij stalde zijn materiaal uit in een van de toekomstige slaapkamers aan de corridor en veranderde die in een provisorisch atelier. Daar was hij tot laat in de avond bezig

138

terwijl ik met Jo voor de tv dutte. Dat kwam doordat hij eindelijk rust had gevonden, mompelde hij terwijl hij verlegen een landschap met een rivier liet zien, met op de achtergrond de gastorens van Sheppey. Een week later maakte hij een serie houtskoolschetsen van mij, op de bank liggend met Jo. Ze waren zo goed dat ik hem probeerde over te halen ze naar een plaatselijke galerie te brengen. Natuurlijk weigerde hij. Daar was hij nog niet aan toe, zei hij. Hij had meer tijd nodig om te 'herstellen'. Afgeleid door een prikkelbare baby en een stapel wasgoed vroeg ik niet wat hij daarmee bedoelde.

In december veranderde alles plotseling. Simon had een telefoontje van Ollie gekregen, zei hij op een stormachtige middag toen de wind over het moeras gierde. Hij had een crisis met zijn werk, moest een of andere deadline halen. We waren in de badkamer en Simon stond bij de deur terwijl ik me over de commode boog om Jo's luier te verschonen. Eerlijk gezegd luisterde ik maar met een half oor. Ik kuste Jo's fris bepoederde billetjes en wierp een vage blik in Simons richting.
     'O jee...'
     Hij vertelde me uitgebreid over een aannemer die hen had laten zitten, het had te maken met een levering van tegels en een restaurant dat met Kerstmis open moest. Hij zou naar Londen moeten om Ollie uit de brand te helpen, besloot hij; zijn oude kameraad was ten einde raad. Ik plakte de luier vast en tilde Jo op. Het enige wat me opviel, was dat Simon nogal uitweidde voor zijn doen. Dat was nog een bijkomstigheid van onze nieuw hervonden intimiteit: nu alles goed leek te komen, ontspande hij zich en betrok hij me meer bij zijn doen en laten.
     Hij ging vroeg naar bed en vertrok naar Londen voor ik wakker was.

De volgende middag, een saaie winterdag, was het al bijna donker bij zijn thuiskomst. Toen ik de koplampen van zijn bus in de richting van ons huis zag komen, haastte ik me naar de voordeur om hem te begroeten, blij verrast dat hij zo vroeg terug was. maar toen hij uit de bus stapte en ik zijn gezicht zag, verkilde ik.
     Hij zag er vreselijk uit. In de korte tijd dat ik hem niet had ge-

zien, leek hij wel tien jaar ouder geworden. Zijn gezicht was bleek en zijn schouders hingen omlaag, zelfs zijn slordige haar leek een grijze tint te hebben gekregen. Toen hij op het modderige voorterrein sprong en de deur van de bus met een klap dichtsloeg, wierp hij me zelfs geen blik toe.

'Wat is er? Ben je ziek?'

'Nee, joh.'

Toen hij opkeek, zag ik tot mijn schrik dat zijn onderlip gezwollen en bloederig was, alsof hij een klap had gekregen.

'Wat is er met je lip gebeurd?'

'O, dat.' Hij raakte zijn mond aan en zijn gezicht vertrok van pijn. 'Ik was bezig een plint vast te hameren, toen schoot mijn hand uit.'

Ik grijnsde toen ik me dat tafereel probeerde voor te stellen.

'Gaf mezelf een dreun met de hamer.' Hij schonk me een schijn van een glimlach.

'Heb je het ontsmet? Zal ik iets voor je halen?'

Toen hij op de veranda stapte, wilde ik een arm om zijn schouder slaan om naar zijn gewonde lip te kijken, maar hij duwde me zacht van zich af.

'Nee, laat maar.'

Met afgewende blik liep hij van me weg, naar de holle donkere benedenverdieping.

'Is er iets gebeurd?'

'Wat zeg je?'

'Of er iets gebeurd is.'

Hij luisterde niet, maar wierp een verstrooide blik in mijn richting, daarna schudde hij zijn hoofd alsof hij de vraag niet goed had verstaan. Hij drentelde door de kamer, morrelde met een snoer in de keuken, pakte een losse vloerplank die nog vastgespijkerd moest worden op en zette die tegen de muur, toen schoof hij de schuiframen open en dicht. De laatste keer dat ik hem zo had gezien, toen hij mijn blik en mijn vragen ontweek, was vlak nadat ik hem had verteld dat ik zwanger was. Toen ik hem uiteindelijk naar boven weg zag glippen, voelde ik me net zo koud als de decemberwind die door de open ramen blies.

140

De daaropvolgende weken trok Simon zich in zichzelf terug, en was hij zo gesloten als een oester die zich in zijn schelp verschuilt. Hij was niet opvliegend of onaardig. Hij nam Jo nog steeds op zijn knie als ik aan het koken was en hielp hem 's avonds in slaap te wiegen. Soms haalde hij Poppy van school, of deed boodschappen; hij bleef werken aan de verbouwing. Hoewel hij dus lichamelijk aanwezig was, was er iets anders verdwenen. Het leek wel alsof hij voortdurend afgeleid was, alsof hij over een enorm probleem piekerde dat te ingewikkeld was om met me te delen. Als ik een poging deed over iets anders te beginnen dan huiselijke ditjes en datjes kreeg zijn gezicht een vage, ongerichte uitdrukking, alsof hij alleen maar voorwendde te luisteren. 's Avonds ging hij naar boven om te schilderen, terwijl ik tv-keek. Hij wilde niet dat ik zag waaraan hij in dat stadium bezig was, mompelde hij in antwoord op mijn steeds dringender vragen; het was nogal privé.

Sinds zijn trip naar Londen hadden we elkaar nauwelijks aangeraakt, laat staan gevrijd.

16

Jo kreeg last van darmkrampjes. De eerste vredige weken van zijn leven leken wel een ver land, een bijna vergeten herinnering. Nu werd mijn leven beheerst door zijn gehuil. 's Avonds wiegde ik hem tegen mijn schouder terwijl hij krijste. Ik kon zelden een bord leegeten, want zodra ik een hap in mijn mond stak, zette hij het weer op een jengelen. De ochtenden bestonden uit telkens onderbroken borstvoeding, waarbij hij een paar minuten zoog, dan verstijfde en zich woedend afkeerde van mijn pijnlijke borsten. 's Middags maakte ik stevige wandelingen met hem door de rustige straten van de stad, en naarmate het volume uit de wandelwagen steeg, ging ik steeds sneller lopen. Als ik geluk had, sliep hij een paar uur nadat ik Poppy uit school had gehaald. Dan begon de beproeving van de avond.

Ik zweefde op de rand van hysterie. Met Poppy had ik nooit zoiets meegemaakt. Zij dronk en sliep, en als ze wakker werd keek ze dromerig om zich heen. De wijkverpleegster raadde me aan om een fles te proberen, maar dat weigerde hij. We gaven hem Infacol, probeerden een homeopathisch middel en lieten hem in onze wanhoop zo vaak mogelijk boertjes laten. Niets hielp. Mijn leven was gereduceerd tot een strakke routine van borstvoeding, in slaap wiegen en haastig zelf wat slaap zien te krijgen. Ik was misselijk van vermoeidheid, ik had voortdurend hoofdpijn en mijn zintuigen leken door watten gedempt. Terwijl het steeds chaotischer werd in het pakhuis, bestond mijn relatie met Simon voornamelijk uit terloopse uitwisselingen van vitale informatie. Hij probeerde me te helpen, maar telkens als hij Jo van me overnam, werd het gehuil tien keer zo hard. Dan accepteerde hij zijn nederlaag en vertrok weer naar boven.

Poppy werd grotendeels aan haar lot overgelaten. Het klinkt gevoelloos, maar ik had weinig keus. Na school keek ze tv. Als we geluk hadden, sliep Jo wanneer ze haar avondeten kreeg en in bad ging. Daarna had ik nauwelijks puf om haar een verhaaltje voor te lezen, laat staan bij haar bed te zitten om te kletsen zoals we altijd hadden gedaan. De weekenden speelde ze meestal alleen, en ze werd zo nu en dan uitgenodigd bij een van de weinige meisjes uit haar klas met wie ze ten slotte bevriend was geraakt. Simon ging soms met haar zwemmen, of we gingen wandelen door het drassige land, ik met Jo om mijn borst gegespt. Het was inmiddels bijna Kerstmis en Simon had kerstlichtjes in het pakhuis opgehangen.

Nadat we van zo'n wandeling terugkwamen, het begon te schemeren en de kieviten over het moeras riepen, vond Poppy de eerste brief. Hij lag op de deurmat en toen ze hem zag, lichtte haar gezicht op.

'O kijk, Poppy!' riep ik toen we de voordeur openden. 'Je hebt een kerstkaart!'

Ze greep de envelop en scheurde hem open.

'Van wie is het?'

Met zijn hand op haar schouder tuurde Simon naar het stukje papier dat ze tussen haar vingers hield geklemd.

'Is het van iemand op school?'

'Gaat je niks aan!'

Ze verfrommelde het tot een prop en rende naar boven. Even later hoorden we haar deur dichtslaan.

Simon en ik keken elkaar aan.

'Wat is er met haar aan de hand?'

'Geen idee.'

Ik maakte Jo los uit de draagzak, mijn uiterste best doend hem niet wakker te maken.

'Kun je me even helpen? O verrek, hij wordt wakker!'

De volgende twee uur huilde hij aan één stuk door, weigerde mijn borst en kalmeerde alleen als ik met hem door het huis wandelde. Toen ik eindelijk naar boven ging om met Poppy te praten, had Simon haar eten gegeven en gebaad en sliep ze.

We vonden een soort ritme. Jo huilde niet meer aan één stuk door en ik kon hem net lang genoeg op zijn matje leggen om me aan te kleden voor hij weer onrustig werd. Nu hij zijn hoofd recht kon houden, kon ik hem in zijn wipstoeltje zetten, vanwaaruit hij belangstellend toekeek terwijl ik gejaagd door de kamer liep in een vergeefse poging tot opruimen. Zoals de wijkverpleegster al had gezegd, gingen darmkrampjes altijd over. Toch voelde ik me ondanks die geleidelijke verbetering vermoeider dan ooit. Jo kreeg steeds meer eetlust en werd nu drie tot vier keer per nacht wakker om te drinken.

Verward van uitputting raakte ik van alles kwijt en vergat ik afspraken. Toen Sally Travis, de moeder van een van Poppy's schaarse vriendinnen op school, opgewekt over het speelplein op me af stapte om Poppy mee te nemen om met Lily te spelen, staarde ik haar niet-begrijpend aan, omdat ik me niets meer van die afspraak herinnerde. En toen ik Jo een paar avonden later de borst gaf, schoot het me ineens te binnen dat ik over tien minuten een ouderavond op school moest bijwonen. Toen ik twintig minuten later rood van het haasten bij de schoolpoort stond, was die gesloten en alle lokalen waren donker. Het was de week ervoor geweest, besefte ik nu. Erger nog, de week nadat Jo geboren was, was ik mijn huissleutels verloren, waarschijnlijk waren ze van de handgrepen van de wandelwagen gevallen waar ik ze tegenwoordig aan hing.

Nu was mijn tas ook verdwenen. Het was de eerste week van januari en het was een jaar geleden dat ik Simons appartement had getaxeerd. We hadden een rustige fijne kerst gehad, met zijn viertjes, met gebraden gans, goede rode wijn en een enorme vruchtenpudding met slagroom. Ondanks onze precaire financiële situatie hadden we genoeg geld bijeengeschraapt om voor Poppy een fiets te kopen en voor Jo babyspeelgoed. Voor Simon had ik olieverf en kwasten gekocht. Op zijn beurt gaf hij me een zilveren bedelarmband die zo mooi was dat ik toen ik het zachte vloeipapier terugvouwde even sprakeloos was. Ondanks zijn periodes van zwijgzaamheid en algehele verstrooidheid hield hij nog steeds van me. Alles zou goed komen. Het was kalm grijzig weer, het zachte winterlicht dat 's morgens over het moerasland viel veranderde 's middags al in schemering. Ook rondom de werf was het ongewoon stil, er werd niet gewerkt, er loeide geen felle wind, we hoorden slechts het gekrijs van meeuwen en af en toe het plonzen van plevieren die

144

in de kreek doken. We maakten wandeltochten, maakten vuur aan in de nieuwe houtkachel en speelden Muizenval met Poppy. Eindelijk vormden we echt een gezin.

Nu was de koelkast leeg, ik had geen aardappelen meer en Jo was aan zijn laatste luier toe. Toen ik in de supermarkt mijn creditcard wilde pakken, besefte ik dat de leren schoudertas met mijn portemonnee, Jo's luiers, mijn mobiele telefoon en een schat aan klein plastic speelgoed was verdwenen.

'Verdomme!'

Verwoed doorzocht ik de draagtassen, graaiend langs blikjes, wc-papier en pakken sap, maar geen schoudertas te bekennen. Aan de andere kant van de kassa vertrok de dikke caissière afkeurend haar mond. Ze had al veelbetekenend gezucht toen Poppy zwierend op het karretje stond terwijl ik mijn boodschappen op de lopende band legde. Nu vouwde ze haar armen over elkaar en keek toe terwijl ik paniekerig op en neer sprong, aan mijn schouders voelde of de tas daar misschien toch hing, onder het karretje keek en vervolgens naar de groeiende rij klanten die steeds ongeduldiger werden. Had ik het ding soms in de auto laten liggen?

'Sorry,' zei ik, schor van de zenuwen. 'Ik kan mijn tas niet vinden.'

De caissière snoof verachtelijk. Als zij in de rij had gestaan in plaats van achter de kassa had gezeten met de tekst 'Jenny, altijd tot uw dienst' prijkend op haar uniformjas, zou ze geërgerde geluidjes hebben gemaakt en misschien haar ogen ten hemel hebben geslagen om het nog erger te maken.

'Wilt u uw boodschappen hier achterlaten en ze later ophalen?'

Ik knikte zwijgend. Jo was begonnen te jengelen, Ik moest met hem terug naar de auto om hem te voeden, anders zou hij het op een krijsen zetten en zou mijn misère compleet zijn.

'Poppy!' riep ik. Ze had zich langs de rij karretjes gewurmd en draaide hoopvol rond bij het snoep en de snacks. 'We moeten naar huis om geld te halen!'

Woedend reed ik terug naar huis. Hoe kon ik meer dan een uur in de supermarkt rondlopen zonder te merken dat ik mijn tas kwijt was? Dit was de spreekwoordelijke druppel. De chaos zat me tot hier. Het huis was in constante staat van verbouwing, overal lagen bergen rotzooi; alle oppervlakken waren bedekt met stof, het was-goed werd nooit uitgezocht, zodat je maar moest graaien in de groeiende berg ongestreken kleren. Elke brief die Poppy's school stuurde raakte kwijt in de berg post waarmee de keukentafel was be-zaaid, dus wist ik nooit wanneer ze een schoolreisje had of bij welke evenementen ik geacht werd aanwezig te zijn. Nu moest ik dan weer een nieuwe mobiele telefoon aanschaffen, nieuwe huissleutels laten maken en mijn creditcard blokkeren. Bovendien was ik dertig pond cash kwijt. Misschien was de tas gestolen. Het leek me echter waarschijnlijker dat hij van het wagentje was gevallen zonder dat ik het zag. Ik was zo woedend om mijn slordigheid dat ik mijn handen hard tegen het stuur sloeg zodat mijn knokkels blauw werden. In zijn zitje achterin was Jo weer aan het krijsen.

'Hou op!' gilde ik.

Toen ik thuiskwam, was Simon bezig de bus in te laden. Terwijl mijn Fiat over de modderige landweg hobbelde, zag ik hem de plas-tic kratten waarin hij zijn gereedschap bewaarde, optillen, inladen en terug naar binnen gaan om meer te halen. Hij straalde iets me-lancholieks uit, merkte ik vluchtig op, dat er niet was geweest toen we elkaar pas hadden leren kennen. Ik stopte naast hem en draaide mijn raampje open.

'Ik ben mijn tas kwijt, verdomme.'

Niet-begrijpend keek hij me aan. Ik kreeg de indruk dat hij een fractie van een seconde was vergeten wie ik was. 'O, jee,' zei hij vaag.

'Kun je met me mee terug naar de supermarkt om de boodschap-pen te betalen? Ik ben mijn creditcard kwijt.'

Hij bleef op de oprit staan en keek me verbaasd aan. Het was een ijskoude winterochtend, ijzel dwarrelde om de boten, maar hij droeg slechts een T-shirt. Ik keek naar het kippenvel op zijn huid. Zijn handen zaten onder de verf.

'Ik heb geen creditcards,' zei hij.

'Hoe kan dat nou weer?'

'Ik denk dat ik ze bij Ollie heb laten liggen…'

Met open mond staarde ik hem aan.

'Toen ik daar vorige week was,' verklaarde hij mismoedig. Met

146

opeengeklemde kaken keek hij naar zijn afgetrapte werkschoenen. Het was waar dat we onze kerstinkopen hadden betaald van mijn re- kening: geld dat ik gespaard had van mijn makelaarswerk. Toen had ik er nauwelijks aandacht aan geschonken; wat maakte het uit nu we getrouwd waren? En Simon had zo veel eigen geld in het pakhuis gestoken. Toen ik mijn creditcard had overhandigd in Toys R Us, had ik een moment van trots gevoeld omdat ik ook mijn steentje kon bijdragen. Maar hoe had hij zo verstrooid kunnen zijn om nu pas te merken dat hij zijn creditcards bij Ollie had laten liggen?

'Maar dat is eeuwen geleden!'

'Dat weet ik, ik...' Zijn stem stierf weg en hij wendde zijn blik af.

'Je haalt ze toch wel terug?'

'Natuurlijk. Ollie bewaart ze voor me...'

'Waar moeten we van eten tot het zover is?'

'Ik heb nog wat geld.'

Hij stak zijn hand in de zak van zijn spijkerbroek en haalde er een bundel bankbiljetten uit, van een klus, nam ik aan. 'Neem dit maar. Daar kun je even mee vooruit...'

Een plotselinge angst beving me. Waarom zei hij 'jij' in plaats van 'wij'? En waarom laadde hij de bus in? Toen ik mijn mond open- deed, klonk mijn stem zo kil als de ijslaag op de plassen water om ons heen.

'Waar ga je heen?'

'Naar Londen.'

'Ga je weer voor Ollie werken?'

Hij keek me met een wrevelige blik aan. We waren verdorie ge trouwd. Mocht ik niet vragen waar hij heen ging?

'Zoiets,' mompelde hij, terwijl hij tegen het zand schopte. 'Ik heb een klus aangenomen.'

'En hoe moet ik ondertussen aan geld komen?'

'Ik denk dat je het daarmee wel even redt.' Hij knikte naar de rol bankbiljetten. 'Tegen de tijd dat het op is, heb je van de bank een nieuwe creditcard ontvangen. We zullen een tijdje in de min moe- ten gaan.'

'Mama!' klonk Poppy's hoge stemmetje achter me. 'Wanneer stappen we uit?'

Ik draaide me om en maakte haar gordel los.

'Ga binnen maar tv-kijken.'

Ze glimlachte naar Simon toen ze langs hem naar binnen huppelde. Jo was gelukkig ingedut. Ik keek naar zijn pluizige blonde kruintje. De moed zonk me in de schoenen.

'Wat voor klus is het dan?'

'Iets met een vriend van Ollie. Het gaat om een uitgebreide renovatie in Kennington. Er moet wat timmerwerk gedaan worden.' Hij zweeg even om zijn woorden zorgvuldig te kiezen. 'Het gaat een paar maanden duren.'

Ik keek naar mijn handen, die ik nog steeds om het stuur geklemd hield alsof ik degene was die op het punt stond te vertrekken. Mijn vingers zaten vol kloofjes en rimpels, mijn nagels waren gescheurd, handen van een oud wijf. 'Een paar maanden, zei je?'

'We hebben het geld nodig, Mel. Ik kan me niet permitteren dit te laten schieten.'

'Dus je bent al die tijd weg?'

Hij glimlachte geforceerd. 'Misschien duurt het niet zo lang. In de weekenden kom ik thuis…'

'Waar logeer je?'

Zijn ogen kregen een omfloerste blik. Alles wat hij zei klonk zinnig. We konden niet verder met het pakhuis tot we meer geld hadden. Hij was een ervaren timmerman, had wonderen verricht met de zolder. Eigenlijk was dit een mooie kans. Maar ergens in mijn hoofd zei een sluw stemmetje dat hij loog.

'Ga je nu al weg?'

'Ik ga nu alleen om mijn gereedschap naar Ollies garagebox te brengen en het een en ander op te meten. Morgenmiddag ben ik terug. Dan kunnen we het er uitgebreid over hebben.'

Ik zakte achterover in mijn stoel. Waarom vertelde hij het me nu pas, nu hij op het punt stond te vertrekken? 'Prima. Ik zal de auto keren.'

'Mel?'

Hij hurkte naast mijn geopende raampje en bracht zijn gezicht dicht bij het mijne. Ik rook koffie in zijn adem en een lichte zweetgeur.

'Ik hou van je, schat, oké?'

Ik knipperde mijn tranen weg en zette de auto in zijn achteruit.

17

Die nacht had Poppy haar eerste nachtmerrie. Ik schrok wakker van gegil en keek even verward om me heen in de donkere kamer. Het was een vreselijk geluid, niet het bekende zachte huilen van een kind dat half slaapt, maar felle kreten, alsof ze door een monster in het nauw werd gedreven. Naast me was Jo vast in slaap. Poppy! Ik sprong uit bed en haastte me door de gang naar haar kamer.

'Wat is er?'

Ik keek rond in haar kamer en probeerde haar omtrek te ontwaren in het doffe oranje licht van haar nachtlampje. Toen ze mijn stem hoorde, veranderde het gegil in laag dierlijk gekreun. Toen ik aan het donker gewend was, zag ik dat ze in een hoek van het bed in elkaar gedoken zat met het dekbed over haar hoofd.

'Wat is er gebeurd, lieve schat?'

Ik liep struikelend door de kamer en nam haar in mijn armen. Ze klampte zich aan me vast en wreef haar snotterige tranen over mijn T-shirt.

'Er was iemand bij mijn kamer! Die liep voorbij. Ik zag iemand de trap af lopen!'

'Je hebt een nachtmerrie gehad.'

'Nee, nietwaar! Er wás iemand, ik heb het gezien!'

Ze wees naar de corridor, in de richting van Simons atelier, de ladder naar de zolder en de metalen trap naar de begane grond. Had ze misschien een inbreker gezien? Ik liep haar kamer uit en luisterde met bonzend hart of ik beneden iets hoorde. Er was echter niets, alleen het fluisteren van de wind en het klikken van de bootmasten buiten. Het beeld van een inbreker die beneden rondsloop was te afschuwelijk om te bevatten.

'Er is niemand, echt niet.'

Ik liep terug door de kamer en knipte het licht aan. De spullen in

Poppy's kamer kwamen in beeld: haar ladekast vol tekeningen en dozen en viltstiften; haar kleren gedrapeerd over de kleine houten schommelstoel die Pat haar voor haar zesde verjaardag had gegeven; een warboel van speelgoed in een plastic krat gepropt.

'Wie zou er nou bij ons willen inbreken? Het enige wat ze kunnen meenemen is een zak puin. Je hebt het gedroomd.'

'Ze zijn vast gevlucht...'

De tranen liepen over haar wangen. Ze ging op bed staan en strekte haar armen uit om te worden opgetild, zoals toen ze een peuter was.

'Poppy gaat bij mama slapen,' mompelde ze.

Mijn gezicht verstrakte. We hadden dit gedoe gekregen sinds Jo's geboorte. Overdag leek alles koek en ei; misschien was ze wat stiller, maar over het algemeen meegaand. Maar 's avonds wilde ze per se bij mij in bed slapen, waarbij ze afwisselend haar babystemmetje gebruikte of kwaad gilde dat ik niet meer van haar hield. De vorige avond nog had ze haar Shrek-pop naar me gegooid, die me alleen miste omdat ik wegdook.

'Liefje,' zei ik, mijn best doend om mijn irritatie uit mijn stem te houden. 'Er is geen plaats. Jo ligt er al. Ik wil niet dat hij wordt platgedrukt.'

'Poppy wil bij mama!'

Slaperig stond ik bij de deur zoekend naar een uitvlucht. Ik voelde me niet opgewassen tegen een confrontatie. Daarom liet ik me vermurwen en liet haar begaan, met haar sterke benen stevig om mijn middel geklemd. Ze was te zwaar en na Jo's kleine wiebelende hoofd voelde het hare als een enorme steen op mijn schouder.

'Ik leg je terug in bed,' zei ik ten slotte.

'Poppy wil bij mama slapen!'

Ik was echter vastbesloten. 'Praat niet zo babyachtig,' zei ik geïrriteerd terwijl ik haar neerlegde. 'Je bent zeven, niet twee. Ga slapen.'

'Poppy wil máma!' riep ze.

Ik had er genoeg van. Ik trok haar deur gedecideerd achter me dicht en haastte me terug naar mijn eigen bed, dat groot was zonder Simon, met Jo's kleine lijfje uitgestrekt op zijn rug. Na een tijdje hield Poppy op met gillen, maar ik was klaarwakker. Ik ging nu eens op mijn rug liggen en dan weer op mijn zij, steeds opnieuw het kussen verleggend. Spoedig zou het licht onder de gordijnen door komen en Jo zou beginnen te dreinen om zijn ochtendvoeding. Dan was het gedaan met de rust: Poppy zou opstaan en ik zou de hele dag misselijk zijn van vermoeidheid. Ik dacht terug aan haar driftbui van de vorige dag, hoe Shrek langs mijn oor was gesuisd en tegen de muur was geknald. Ze was luid huilend naar haar kamer gestuurd. Ze was jaloers op Jo, weggerukt uit haar leventje in Londen en er waren zo veel veranderingen waaraan ze zich moest aanpassen. Maar ik was niet in staat om haar de tijd of geruststelling te geven die ze nodig had. Ik zou meer aandacht aan haar moeten besteden, besloot ik mismoedig terwijl ik de vele soortgelijke voorvallen de revue liet passeren waarin ik tegen haar was uitgevallen met Jo in mijn armen, of weigerde een verhaaltje voor te lezen omdat ik met hem bezig was. Het was logisch dat ze getraumatiseerd raakte. De combinatie van schuldgevoel en uitputting maakte me overgevoelig. Ik was een vreselijke moeder.

Buiten begon een vogel te tjilpen. Ik lag vloekend op mijn rug. Als ik attenter was geweest, had ik Poppy mee naar ons bed genomen en Jo naar het lege ledikant verbannen dat aan de andere kant van onze kamer stond. Waarom was ik zo onvermurwbaar tegenover haar? Ze had gegild dat er een kwaadaardig persoon bij haar kamer was, een vreemde die haar iets aan wilde doen. Zou een analyticus dat geen projectie noemen? Ik was er in mijn naïviteit van uitgegaan dat ze dol zou zijn op haar babybroertje, maar het enige wat hij tot nu toe had gedaan, was mijn aandacht opeisen ten koste van haar. Toen een tweede vroege vogel zich bij de eerste voegde, overdacht ik de scène nogmaals. Als kind had ik ook dat soort nachtmerries gehad, waarin ik dacht dat er boemannen onder het bed lagen die met hun knokige handen mijn enkels probeerden te grijpen. Er had een engerd boven aan de trap gestaan, had Poppy geroepen. En toen ik bij haar was, was ze ineens vijf jaar teruggevallen. Het was overduidelijk een schreeuw om aandacht. En toch had ik voor de zoveelste keer niet willen luisteren.

Ik sta buiten te hijgen. De regen slaat op me neer en bedekt mijn donkere haar met een glanzende laag. Ik buig mijn hoofd en luister naar de wind. Ik verlang naar de kou. Ik wil dat mijn kleren doordrenkt worden en het ijskoude water op mijn huid beukt. Hoe kan ik binnen in de warmte thee zitten drinken terwijl mijn dochter vermist wordt? Ik wil gestraft worden voor alles wat ik niet heb gezien en alles wat ik niet heb gedaan.

Ik ploeter langs Sandra's roodbruine sedan tot de rand van de werf en kijk langs de deinende masten naar de gapende duisternis erachter. Is Poppy daar, ligt ze koud en bang in de modder? Ik strompel naar de houten brug die naar het moeras loopt. Poppy en ik zijn er wel honderd keer overheen gelopen, schaterend wanneer hij onvast over de blubber heen en weer zwaaide. Nu lijkt die brug me te bespotten met allerlei herinneringen die nergens toe leiden. Als achter de voorbijjagende wolken de maan te voorschijn komt, wordt mijn omgeving plotseling verlicht: spookachtige boten die op het water deinen, modderige oevers glinsterend in het zilveren licht, dan eindeloos moeras. In de verte krijst een dier.

'Mel, wat dóé je hier?'

Ik voel handen op mijn schouders die me mee terug trekken. Als ik me omdraai, zie ik Trish' gezicht boven het mijne.

'Ik moet bij het moeras zoeken…'

'Daar is Poppy echt niet, liefje.'

'Waar is ze dán?'

'Bij Simon.'

Mijn knieën knikken. Ik val tegen Trish' omvangrijke lichaam en trek aan haar schouders. Ik maak vreemde klaaggeluiden.

'Maar waarom zou hij haar meenemen?'

Met een gezicht vol afkeer haalt ze haar schouders op. 'Omdat hij de weg kwijt is, neem ik aan.'

'Denk jij dat hij die vrouwen heeft vermoord?'

Ze voert me mee terug naar het pakhuis. Nu zou ik er alles voor overhebben om in haar schoenen te staan: in verwachting van haar eerste kind, veilig, zonder ingewikkelde relatie. Nu vind ik het belachelijk dat ik ooit medelijden met haar had.

'Volgens mij zijn de meeste mannen tot alles in staat.'

Ik blijf staan en staar haar aan. Ik heb een hol gevoel, alsof alles waar ik ooit in geloofde uit me is gelepeld. Een goede man, een gezin, stabiliteit, dat was alles wat ik wilde. Ik dacht dat mijn huis solide was, maar het was van stro; de wolf hoefde maar één keer te bla-zen en het lag in duigen. Trish neemt me mee naar de keuken. De politie is weg, met achterlating van hun afgespoelde bekers die keu-rig in het druiprek bij de gootsteen staan. Ik hoor Sandra vanuit de woonkamer zacht in haar mobiele telefoon praten.

'Ik had naar Poppy moeten luisteren,' jammer ik terwijl ik op de stoel neerzak die Trish uit voorzorg achter me heeft gezet. 'Ik luis-terde nooit!'

'Je moet ophouden jezelf de schuld te geven, Mel. Niets van dit alles is jouw schuld.'

'Maar ze kreeg rare brieven! En die nachtmerries... zou dat ver-band met elkaar houden?'

Trish kijkt me aan. Ze ziet er moe uit. Op haar voorhoofd zijn groeven verschenen die me niet eerder zijn opgevallen en haar ogen zijn bloeddoorlopen. Ze is al over een paar weken uitgerekend, ze zou thuis in bed moeten liggen en uitrusten, in plaats van mijn cri-sis het hoofd te bieden. Maar het vooruitzicht om in mijn eentje de politie te woord te moeten staan, jaagt me de stuipen op het lijf. Zij is mijn enige steun en toeverlaat, de enige vriendin die ik nog heb.

'Er was geen insluiper in het pakhuis,' zegt ze zacht. 'Dat was al-leen...'

Ik luister niet. Ik kan me niet lang genoeg op iets concentreren om een normaal gesprek te voeren.

'Hoe laat is het?' vraag ik, en ik schiet met een schok rechtop.

'Kwart over acht.'

'O, god,' kerm ik 'Dan is ze al bijna vier uur weg!'

Trish blijft bij de tafel staan en haalt diep adem. Ze wil iets zeg-gen, dat zie ik. Misschien heeft ze genoeg van mijn hysterische ge-bazel en wil ze tegen me snauwen dat ik ermee moet kappen. Op zijn minst zal ze denken dat ik een dwaas ben geweest. Ze heeft me met klem aangeraden om bij Simon weg te gaan, maar ik negeerde haar advies. Maar wat ze ook op het punt stond te zeggen glipt voorbij en haar gezicht verzacht zich.

'Zal ik nog een kopje thee zetten?' vraagt ze.

18

Ik was in de derde opslagkamer in de corridor, waar we een slaapkamer voor Jo van wilden maken. Dit was het meest vervallen deel van het pakhuis, met ingezakte muren van het vocht en verrotte vensters. Na het stuken en de dakreparatie, wat het grootste deel van ons budget had opgeslokt, hadden de werklui in september de muren gepleisterd en nieuwe ramen geplaatst. In december had Simon een houten vloer gelegd. Nu Jo sliep, was ik eindelijk met schilderen begonnen.

Ik raakte gewend aan Simons afwezigheid. Vreemd genoeg was ik rustiger zonder hem. Er waren geen tekenen van tanende liefde waar ik op kon broeden, geen ongeduldigheden of halve waarheden die ik voor leugens aan kon zien. Eigenlijk was hij nu liefdevoller. Hij belde elke avond, sms'te dat hij van me hield en kwam in de weekenden vermoeid en vermagerd terug met een pak geld op zak. Zoals hij zei, dit was een tijdelijke fase waarin hij genoeg geld kon verdienen om ons huis af te maken. Omdat ik geen ruzie wilde, zei ik niets over zijn creditcards. Het was wederom alsof ik wachtte tot ons echte leven zou beginnen, maar nu was mijn mantra 'als de baby er is' veranderd in 'als we meer geld hebben'. Het was de oplossing voor alles, die me onthief van de noodzaak dieper te graven. Jo was ook een stuk rustiger. Hij was inmiddels zeven weken en hield zich aan een voorspelbaar ritme van slapen, gevoed worden en blij trappelen onder zijn elastiek met speeltjes. Ik had al weken geen krijsende baby meer hoeven wiegen, besefte ik; misschien was ik toch geen mislukkeling. Het beeld van ons nieuwe bestaan, waarin ik net als de andere moeders op het schoolplein een normaal gezinsleven had opgebouwd, flikkerde voortdurend aan de horizon, als de luchtspiegeling van water langs een woestijnweg.

Op een ochtend, toen ik een dikke laag magnolia verf op het pleister aanbracht, hoorde ik beneden een klap. Het klonk zo luid dat ik ervan schrok; niet het zachte ratelen van de wind of het gezwoeg van boten, maar een duidelijke klap. Ik legde mijn verfkwast terug in de bak en liep voorzichtig naar de trap. Een meter verderop in de corridor lag Jo in zijn wandelwagen te slapen.

'Wie is daar?'

Het was een dwaas gevoel om in het lege pakhuis te roepen. Misschien was het een hond of een vos die in de vuilnisbakken snuffelde. Ik liep behoedzaam de trap af over de halfgelegde vloer. Door de hoge ramen zag ik de roerloze zeilen van de boten die op de werf op het strand waren getrokken. Ik wachtte een paar seconden en probeerde te bepalen uit welke richting het geluid was gekomen. Toen hoorde ik een geluid waarvan ik verstijfde: de zachte klik van de grendel.

Met een ruk draaide ik me om en holde naar de achterdeur. Was er iemand in huis? Misschien een werkman die zonder kennisgeving was teruggekomen? Of Simon? Ik had geen auto op de oprit gehoord, maar misschien had hij op de landweg geparkeerd.

'Simon? Ben jij het?'

Ik zwaaide de achterdeur open en rende om de zijkant van het huis heen. De oprit was leeg. In de verte zag ik een man in een jekker om een jacht drentelen. In de andere richting liep Bob over het pad langs de kreek. Ik had me het geluid verbeeld, hield ik me voor toen ik terugliep door de voordeur. Hoe dan ook, mijn handen trilden toen ik de deuren zorgvuldig afsloot.

Die avond nam ik geen enkel risico. Ik wilde niet nog eens geconfronteerd worden met een nachtmerrie van Poppy, daarom stopte ik haar meteen in mijn bed. Niet dat ik geloofde in het spook waarvan ze zei dat ze het in de corridor had gezien en dat, zoals ze beweerde, 'in haar dromen was geklommen'; dat ze bij mij in bed mocht was alleen maar verwennerij. Ook was ik niet supernerveus toen ik voor de derde keer die avond de sloten nakeek. Als Simon terugkwam mocht hij lachen om mijn voorzorgsmaatregelen, maar hij wist niet hoe het was om als vrouw alleen thuis te zijn.

Net zoals de modder uit de rivier door de kreek stroomde, ging de ene week in de andere over. Overdag schilderde ik de slaapkamers of stopte ik Jo in zijn wandelwagen om van de ene naar de andere winkel te dwalen. Na school keek Poppy tv terwijl ik kookte. Als ze niet zo veranderd was, zou het net zo geweest zijn als vroeger in Londen. Maar in kleine subtiele opzichten was ze een ander kind geworden. Ze was stil, bijna somber. Ze wilde niet meer knuffelen en ook niet dat ik haar na haar bad als een worstje in het badlaken wikkelde; ook huppelde ze niet meer zingend naar school. In plaats daarvan sjokte ze achter me aan en maakte ze afwerende geluidjes als ik haar hand wilde pakken. Misschien kwam het doordat ze groter werd, en al op haar zevende onbereikbaar voor me werd. Of misschien had ze te veel veranderingen meegemaakt. Net als ik moest ze zich aanpassen aan dit nieuwe geïsoleerde leven.

'Ze heeft heel wat op haar bord gekregen,' zei Sally Travis op een middag terwijl ze op de bank zat te wachten tot Lily en Poppy beneden kwamen. 'Ik weet zeker dat het overgaat.'

Ik dronk mijn thee, wensend dat ik het onderwerp niet ter sprake had gebracht. Lily was de jongste van vier en Sally was een en al moederlijke zelfverzekerdheid, die op elk wissewasje van haar kinderen met een nonchalant ophalen van haar ronde schouders reageerde. Een jaar tevoren had ik me nooit kunnen voorstellen dat ik zo'n vrouw in vertrouwen zou nemen: een fulltimehuisvrouw, befaamd om haar talent om geld in te zamelen en cake te verkopen tijdens schoolbazaars, met een abonnement op de *Daily Mail*, wier leven onaanvechtbaar om haar man en kinderen draaide. Toch wenste ik plotseling toen ik naar haar tevreden gezicht keek dat ik net zoals zij was. Wat had ik per slot van rekening bereikt met mijn zogenaamd onconventionele leefstijl? Ik had het grootste deel van mijn leven verspild aan het vermijden van waar zij voor stond, maar het enige wat ik had bereikt, waren gevoelens van eenzaamheid en onzekerheid.

'Ik weet dat ze meer aandacht nodig heeft,' zei ik. 'Maar dat gaat zo moeilijk met Jo erbij…'

'Zei je niet dat ze nachtmerries heeft?'

'Ja, echt vreselijk. Ze maakt me bijna elke nacht wakker.'

Even overwoog ik Sally alles te vertellen; dat ik door Poppy's nachtmerries zelf door allerlei angsten werd gekweld, de vreemde geluiden die ik nu meende te horen in de onbewoonde delen van het pakhuis, die dag dat de deur achter me was dicht geklikt. Ik keek naar haar lichtblauwe ogen en ronde wangen en stond op het punt alles eruit te gooien. Ze knikte meelevend, maar toen ze zuchtte en met haar gemanicuurde handen door haar dameskapsel streek, wist ik dat ik haar nooit in vertrouwen zou kunnen nemen.

'O jee,' zei ze en ze sloeg haar ogen ten hemel alsof Poppy's gedrag een alledaagse ergernis betrof. 'Zou het iets met school te maken kunnen hebben, denk je?'

'Dat weet ik niet. Ze praat er eigenlijk nooit over.'

'Hoort ze bij dat clubje van Megan?'

Met een ruk keek ik op. 'Dat heeft ongeveer een week geduurd.'

'Aha...'

Ze leek op het punt meer te zeggen, maar besloot kennelijk anders, want ze rechtte haar schouders en zette haar beker neer.

'Ik moet er echt vandoor. Ik moet Harry van voetbal halen.'

Tien minuten later stonden Poppy en ik bij de voordeur en zagen we de Range Rover op de oprit keren.

'Vind je Lily aardig?' vroeg ik terwijl ik over haar haar streek.

'Mm-mm.'

'Fijn dat je wat vriendinnetjes krijgt op school.'

Dat was tegen het zere been in deze nieuwe fase waarin ik zo op mijn woorden moest letten. Ze trok zich kwaad los. 'Mam! Waarom heb je het altijd maar over vriendinnen?'

Ik had steeds meer moeite met slapen. Als Simon naast me lag, raakte ik buiten westen zodra het licht uitging. Nu, in mijn veel te grote bed, lag ik uren wakker en luisterde ik naar het piepen en kraken van het oude gebouw. Soms viel ik pas om een of twee uur 's morgens in slaap. Als ik lag te woelen en steeds weer mijn kussens opschudde, merkte ik dat ik mijn vuisten balde en mijn voorhoofd fronste van spanning. Dan ging ik op mijn rug liggen en probeerde te ontspannen. In Londen had ik het nooit erg gevonden om alleen te zijn, maar het pakhuis was zo groot en door zijn ligging bij de werf zo ver van andere huizen dat elk onbekend geluidje me de stuipen op het lijf joeg. Ik werd ook 's nachts meerdere malen wakker en sliep licht zonder echt te rusten. Ik was trots geweest op mijn onafhankelijkheid, op hoe goed ik alleen kon zijn. En nu kromp ik ineen bij elk kraakje en wenste ik dat het licht zou worden en de vogels begonnen te zingen zodat ik eindelijk kon slapen. Ik versliep me vaak zodat we te laat op school kwamen.

157

19

In die periode van saaie dagen en rusteloze nachten ontmoette ik
Trish. We hadden elkaar al een paar keer toegeknikt voor we kennis
met elkaar maakten, in het winkelcentrum, of op de werf, in het
voorbijgaan, met een beleefde glimlach. Gewoonlijk maakte ik
geen contact met onbekenden, maar bij Trish had ik meteen het gevoel dat we best wel eens vriendinnen konden worden. Dat kwam
onder andere door haar kleding: een lange parka, kortgeknipt haar
en cowboylaarzen, onconventioneel chic, een stijl die ik niet met
het provinciale Kent associeerde. Ze was zwanger, zag ik toen ze op
een ochtend bij de kreek met een glimlach opzij stapte voor Jo's
buggy. Ik had het vermoeden dat zij ook alleen was. Misschien
kwam dat doordat mijn aanwezigheid haar net zo leek op te vallen
als andersom, niet iets voor iemand met een knusse relatie. Ik voelde dat ze naar me keek terwijl ik door de geplaveide straat langs
Woolworths en Boots liep; toen we elkaar bij de kreek voor de derde keer in even zoveel dagen passeerden, knikte ze me verlegen toe.
Ik dacht dat zij degene was die in de leegstaande cottage aan het
eind van de landweg was getrokken. Het was me opgevallen dat er
jaloezieën voor de ramen hingen en dat er lege verhuisdozen in de
voortuin stonden. Ik had nog geen woord met haar gewisseld, maar
wist intuïtief dat we vriendinnen zouden worden.

Het kwam door Jo dat we ten slotte met elkaar kennismaakten.
Hij was de hele ochtend huilerig geweest, en nu we over de landweg
liepen, liep ik om de wandelwagen heen om zijn wollen muts nog
eens recht te trekken toen Trish uit haar voordeur kwam lopen.

'Wat een verdriet!'

Ze grinnikte opgewekt naar me, liep naar de wandelwagen en
keek erin. 'Arm klein ding. Heeft hij honger?'

'Hij is verkouden.'

'Ach…'

Ze bleef even zwijgend naar hem kijken. Hij was opgehouden met huilen en keek haar aandachtig aan. Een minuut eerder was ik gespannen en gefrustreerd geweest, en nu liep ik over van moederlijke trots.

'Is het geen plaatje?' fluisterde ze.

'Ik weet het niet. Vind je?'

Ze ging weer rechtop staan en gooide haar hoofd in haar nek, waardoor ik haar lange hals zag toen ze naar me grinnikte. 'Natuurlijk wel. Alleen die ogen al! Hoe oud is hij?'

'Negen weken.'

'Is het makkelijk? Of een uitputtingsslag? Vertel het me! Ik bedoel, hoe red je het allemaal? Ik weet nog niet eens hoe ik een luier moet verschonen!'

Haar ogen glinsterden vrolijk. Ze droeg geen trouwring, zag ik, maar in haar neus had ze een diamantje. Haar gulle glimlach en spontane vragen die, als ze niet zo charmant was geweest, misschien iets onhandigs hadden, noodden me om haar bij de arm te pakken en alles te spuien.

'O, hemel. Ik weet niet zo goed wat ik daarop moet zeggen!'

'Je hebt toch ook een dochtertje? Ik heb gezien dat je haar naar school bracht. Hoe doe je dat met twéé kinderen? Ik kan het me gewoon niet voorstellen. Ik kan nauwelijks voor mezelf zorgen, laat staan voor iemand anders!' Ze schaterde het uit, maar ik zag een flits van paniek in haar ogen. Ze was ongeveer acht maanden zwanger, schatte ik met een onopvallende blik op haar buik.

'Ik modder maar wat aan, volgens mij.'

Even was ze stil. We stonden op het trottoir dwaas naar elkaar te glimlachen. Jo was alweer aan het jengelen in zijn wandelwagen.

'Ik heet Trish, trouwens,' zei ze plotseling en ze stak haar hand uit. 'Sorry, je zult wel denken dat ik gek ben om je zomaar op straat aan te klampen.'

'Ik ben Mel. Ik woon bij de werf in dat krakkemikkige pakhuis.'

'Dat weet ik. Ik heb je daar gezien.'

'Ben je net verhuisd?' vroeg ik met een knikje naar de cottage. Ze had een windorgel bij de voordeur gehangen en de verhuisdozen opgeruimd.

'Twee weken geleden.'

'Waar kom je vandaan?'

'Uit Londen. Ik wilde mijn leven omgooien. Je weet wel, voor de baby…' Ze trok een gezicht.

'Heb je al kennisgemaakt met Bob en Janice?'

'Ja. Janice heeft een cake voor me gebakken. Lief, hè?'

Het gejengel zwol aan. Ik pakte de handvaten van de wandelwagen en schudde hem zacht heen en weer.

'Ik moet met hem naar huis voor zijn voeding. Heb je zin om mee te komen voor een kop koffie? Als je het niet erg vindt dat het nogal een zootje is…'

Ze lachte weer. Aan de roze gloed op haar wangen zag ik dat ze het leuk vond.

'Je zou eens bij mij binnen moeten kijken, en ik heb niet eens kinderen.'

Ze bleef de hele ochtend met haar voeten omhoog op Poppy's kruk zitten, die kleverig was van de jam, terwijl ik in de keuken in de weer was. Ze vertrok geen spier bij de aanblik van de rommel, had gewoon de stapel rompertjes van Jo en allerlei ondergoed dat over de stoel gedrapeerd lag opgepakt en zonder plichtplegingen in de wasmand laten vallen.

'Het is hier nogal een zwijnenstal,' zei ik toen ik haar om zich heen zag kijken. 'Dat komt door de verbouwing, je kunt niet blijven opruimen. We hopen aan het begin van de zomer uit deze ruimte naar onze nieuwe keuken te verkassen.'

Ze haalde haar schouders op. Anders dan bij Janice of Sally kreeg ik de indruk dat de wanorde haar nauwelijks opviel, laat staan dat ze me erop beoordeelde. 'Wat een mooie engel,' zei ze met een hoofdgebaar naar de schets die Simon me in Londen had gegeven. Ik had hem laten inlijsten en nu hing hij boven het aanrecht, als icoon van ons nieuwe leven.

'Ja, die heeft mijn man voor me gemaakt. Ons eerste afspraakje was in Nunhead Cemetery. Hij is kunstenaar…'

'Wat romantisch.'

Ik gaf haar een beker koffie, de ironie in haar stem ontging me niet. Wat konden haar mijn liefdesavonturen schelen?

'Vertel eens iets over jezelf,' zei ik haastig. 'Waarom ben je bijvoorbeeld hiernaartoe verhuisd?'

Ze was werkloos actrice, zei ze, die haar brood verdiende met reclamespots. Vorig jaar had ze in een paar politieseries gespeeld en ze had een klein bijrolletje in een aflevering van *EastEnders* gehad. Ik keek naar haar terwijl ze haar koffie dronk. Inderdaad kwam ze me vaaglijk bekend voor. Ze was naar Kent verhuisd om aan de luchtvervuiling te ontsnappen, vervolgde ze. En natuurlijk waren de huizenprijzen hier veel lager. Een carrière als actrice zou er met een baby niet in zitten, daarom dacht ze erover iets anders te gaan doen. Misschien een boek schrijven. En ja, ze was single; haar vriend had haar laten zitten toen ze weigerde abortus te laten plegen.

'Wat een hufter, hè?' besloot ze haar verhaal. 'Maar daarna dacht ik gewoon: ach, wat maakt het ook uit? Ik zal hem wel eens wat laten zien.'

'Goed zo.'

'Tja, ach, je mag je niet door die ellendelingen laten kisten. Daarna kwam ik erachter dat hij ook nog eens vreemdging met een of andere sloerie...'

Ze zweeg en haar lippen krulden zich in een schampere lach. 'Dus nu zin ik op wraak.'

'Hoe bedoel je, wil je zijn pakken aan repen knippen?'

'Zoiets ja.' Ze lachte ondeugend. 'Kijk me niet zo aan! Die stomme zak heeft een lesje nodig!'

Terwijl ik een banaan fijnprakte voor Jo's lunch vertelde ik haar over Pete. Of liever, ik gaf een gekuiste versie waarin ik mijn wanhopige meelijwekkende angst om alleen te zijn wegliet en me concentreerde op zijn vreemdgaan, weigering om rekeningen te betalen of zich meer dan een halfuur achtereen met Poppy bezig te houden.

'Mannen! Wie heeft ze nodig?' besloot Trish uiteindelijk. Ik grinnikte naar haar met maar een zweem van schuldgevoel jegens Simon.

'Nou, de vader van dit mannetje is zo slecht nog niet...'

'Mm-mm.'

'Eerlijk gezegd had ik de mannen wel afgeschreven voor ik hem

161

ontmoette,' vervolgde ik enthousiast. 'Maar nu is alles veranderd. Ik ben nog nooit zo gelukkig geweest. Zo zie je maar, soms komt de prins op het witte paard echt, ook al is hij een beetje gerafeld!'

'In wat voor opzicht is hij gerafeld?' vroeg ze met een grijns.

'Nou, hij heeft het een en ander meegemaakt. En hij kan nogal verstrooid zijn. Hij is schilder en wil nog wel eens naar boven verdwijnen en pas rond middernacht weer verschijnen. Toch heb ik dat liever dan dat hij zou vreemdgaan.'

Dat was een vrij tactloze opmerking, maar Trish gaf geen krimp. 'Wat is zijn stijl van schilderen?' vroeg ze belangstellend.

'O, je weet wel, landschappen en zo. Eigenlijk mag ik momenteel niet zien waar hij mee bezig is. Hij doet er heel geheimzinnig over... Zo zijn kunstenaars waarschijnlijk!'

Ik zweeg, gegeneerd dat ik zo vrijuit sprak. Ik kende haar tenslotte nog maar net. Ze zag er wat verveeld uit en keek uit het raam naar een mus die aan iets op de vensterbank pikte. Ik was tactloos geweest, besefte ik, om over mijn perfecte leven op te scheppen terwijl zij alleen was.

'Vertel,' zei ik snel. 'Weet je al of je een jongen of een meisje krijgt?'

20

Februari, de meest kleurloze maand. Zuidoost-Engeland was onder invloed van een hogedrukgebied vol grijze dagen waarin niets leek te veranderen. Hoe kun je je gelukkig voelen als de lucht grauw is en alles met modder is bedekt? In het kleine beetje gras dat nog in onze achtertuin stond, kwamen sneeuwklokjes omhoog, maar de herinneringen aan hoe de rivier als een diamanten snoer kon glinsteren in de zon en de kreten van de gierzwaluwen waren te ver weg. In het pakhuis was de vloer nog altijd slechts gedeeltelijk gelegd. De keuken was nog niet geïnstalleerd en de zolder was onbewoonbaar. Misschien had Bob Perkins gelijk, dacht ik mismoedig. Misschien was dit huis wel pure ballast.

Poppy werd 's nachts nog steeds wakker en sliep alleen door als ze in mijn bed mocht. Er kwamen ook meer brieven. Meestal lagen ze in het weekend op de mat, maar ze was me altijd te snel af en nam de enveloppen zwijgend mee naar haar kamer. Op een ochtend toen ze naar school was, gaf ik eindelijk toe aan mijn nieuwsgierigheid en doorzocht haar kamer. Ik vond niets: niet onder haar bed, of achter in een la gepropt, of onder haar matras, alleen stof, vergeten speelgoed en een roze pyjama die niet meer paste. Toch was ik er zeker van dat ze iets geheimhield. Ze keerde zich van me af, sloot zich als bloemblaadjes die geen licht krijgen.

Ik bleef slecht slapen. Ik droomde steeds dat er iemand het huis wilde binnendringen. Dan rende ik de trap af en wierp mezelf tegen de voordeur om die af te sluiten voor er een donkere gestalte voor het matglas verscheen. Ik was altijd te laat. Ik pakte de greep beet terwijl ik wanhopig de sleutel probeerde om te draaien en voelde de druk van een hand die tegen de andere kant duwde. Dan werd ik met een kreet wakker en lag nahijgend in bed. Onder me hoorde ik het water tegen de boten klotsen en het gekraak van het oude hout-werk.

Rond die tijd kreeg ik een vreemd telefoontje. Ik lag in de slaapka-mer met Jo te dutten toen het schelle gerinkel me wekte. Slaperig pakte ik de hoorn van de haak en ging voorzichtig rechtop zitten om Jo's slapende lijfje niet fijn te drukken. Ik had een zure smaak in mijn mond.
'Hallo?'
Het was een mannenstem, kortaf en nogal onduidelijk, alsof de bezitter ervan had gedronken.
'Is Stenning daar?'
'Nee,' zei ik geërgerd. 'Met wie spreek ik?'
De beller liet een onaangenaam lachje horen. 'Maakt niet uit wie ik ben, schat. Komt hij later nog?'
Ik snoof verachtelijk en stond op het punt te zeggen dat Simons gaan en staan hem geen moer aanging. 'Hij is weg momenteel,' zei ik stijfjes. 'Kan ik een boodschap doorgeven?'
Weer dat nare lachje. Ik stelde me een dikke roze man voor met harige armen en tatoeages; een bouwvakker, zonder twijfel.
'Zeker, schat. Zeg maar dat Boz heeft gebeld en dat ik er een beetje genoeg van krijg.'
Toen hing hij op.

'Simon?'
'Ja?'
'Met mij. Waar ben je?'
'Aan het werk. Ik ben net trapspijlen aan het opmeten.'
'Er heeft een man voor je gebeld.'
'Jaha…'
'Ene Boz. Hij was erg brutaal.'
Stilte. Mijn vingers friemelden aan de matras. Ik voelde dat de spanning me blokkeerde.
'Hij zei dat hij er genoeg van begon te krijgen.'
'Aha.'
'Wie is dat in hemelsnaam?'
Langere stilte. Ik drukte mijn nagels in mijn handpalmen en ge-noot bijna van de pijn.

164

'Waarom geef je geen antwoord?' Ik had niet zo verongelijkt willen klinken, maar ik had een klein klagerig stemmetje, zoals Poppy wanneer ze geen koekje meer mocht of niet meer tv mocht kijken.

'Hij is niet belangrijk. Hoor eens, ik ben bezig, schat. Ik bel je later, oké?'

Voor de tweede keer die middag werd de verbinding verbroken.

Later die avond kwam Poppy bij me staan toen ik Jo in het babybad liet dobberen. Haar gezicht stond dromerig en zacht mompelend liet ze haar vinger langzaam over de onbetegelde muur glijden. Ze had haar schooluniform verruild voor een luchtig wit balletjurkje en sandalen met gouden sterretjes, haar lange haar zat in een dikke vlecht. Even bleef ze naast me staan en keek naar mijn met schuim bedekte onderarmen terwijl ik de spons boven Jo's buik uitkneep. Het was een nieuw spelletje, hij was er dol op en gooide kraaiend van plezier zijn mollige armpjes omhoog.

'Kijk eens naar Jo'tje,' zei ik zacht. 'Hij vindt het fijn om gekieteld te worden.'

Ze luisterde niet. Ze knielde naast me, sloeg haar armen om mijn knieën en staarde dromerig uit het raam.

'Mam?' zei ze plotseling.

'Ja, Popje?'

'Is er nog steeds een spook in dit huis?'

Mijn handen met de spons bleven roerloos boven het bad hangen. Het was alsof er een groot blok ijs diep in me omlaag zonk.

'Natuurlijk niet, liefje!' zei ik opgewekt. 'Waarom vraag je dat?'

'Er sluipt een groot dik iemand over de galerij. Ik zag hem uit die kamer komen waar Simon al zijn schilderijen maakt.'

'Wát?'

Ik liet de spons vallen en draaide me met een ruk om. Vol afgrijzen keek ik haar aan. De haren op mijn armen stonden overeind als die van een bange kat. Poppy keek terug, om haar mondhoeken verscheen een klein glimlachje.

'Jok je tegen me, Poppy?'

'Nee!'

Ik pakte Jo uit bad, wikkelde zijn natte lichaam in een handdoek, legde hem op de commode en trok boos zijn luier strak om zijn buik dicht. Ik zou niet zo kwaad moeten reageren. Als ik een goede moeder was, zou ik haar kalm naar meer bijzonderheden vragen en proberen te achterhalen waarom ze zulke verhalen verzon. Maar ik was te moe om meelevend te zijn en mijn zenuwen waren aan flarden.

'Wat is er toch met je! Hoe kan er nou boven iemand ronddwalen? Hoe zou iemand in hemelsnaam binnen kunnen komen?'

Ik schreeuwde naar haar. Ze boog haar hoofd en begon te snikken.

'Ik zeg alleen maar wat ik zag! Waarom ben je altijd zo boos op me?'

'O, verdorie, dit is net wat ik nodig heb!'

Ik tilde Jo op en beende de badkamer uit. Poppy draafde naast me mee, luid snotterend. 'Kom op dan, laat me dat spook eens zien!'

We klommen de trap op naar de corridor. Daar sloop niemand rond; dat was onmogelijk. Ik had zorgvuldig alle deuren van het pakhuis op slot gedaan toen we terugkwamen van school. Toen we bij de ladder naar de zolder waren bleven we staan en keken naar boven. Zoals gewoonlijk was de kleine deur met een groot metalen hangslot afgesloten.

'Je bent daar toch niet gaan spelen, hè?'

'Het is op slot!'

'Je weet hoe gevaarlijk het is…'

'Ik ben daar niet geweest! Waarom denk je altijd dat ik stout ben?'

Ze jammerde luid en haar gezicht was rood van verdriet. Ik kreeg medelijden en wreef met mijn vrije hand over haar schouder. Als ik Jo niet vast had gehad zou ik haar in mijn armen hebben genomen en haar betraande gezicht hebben gekust.

'Sorry, liefje. Ik had niet boos moeten worden. Alleen de gedachte dat je daarnaartoe zou gaan jaagt me de stuipen op het lijf. Ga je me nu dat spook helpen vinden?'

'Nee!'

'Dan leggen we Jo op jouw bed. Jij kunt op hem letten terwijl ik naar boven ga.' Ik liep haar kamer in en legde Jo op haar dekbed met kussens om hem heen als ondersteuning. 'Let op hem voor me, en blijf daar, goed?'

Ze knikte zwijgend en legde haar hand voorzichtig op zijn buik.

Toen boog ze zich naar hem toe en begon zacht een wiegeliedje in zijn oor te zingen. Toen ik bij de deur was, hield ze op met zingen.

'Het is een slecht iemand,' zei ze. 'Die wil ons kwaad doen.'

Ik negeerde dat en beende door de corridor terug naar beneden. Daar was het donker; de enige lichtbron was het geluidloze geflikker van de tv in het midden van de kamer; zonder dat er iemand keek flikkerden de beelden doelloos over het scherm. Ik liep ernaartoe, hurkte en zette hem uit. Toen kwam ik overeind en bleef roerloos op de plankenvloer staan luisteren. Het was stil in huis, een onnatuurlijke stilte, alsof iemand zijn adem inhield. Om me heen tekenden zich schaduwachtige vormen af: de bank; een berg van iets op de vloer wat ik bijna aanzag voor een vooroverliggend lichaam; een aantal uitgepakte kisten waarachter iemand zich zou kunnen verstoppen.

Nee. Ik liet me niet bang maken. Dat verhaal van een insluiper was gewoon Poppy's op hol geslagen fantasie, een list om mijn aandacht te trekken. Gedecideerd beende ik door de kamer, knipte het licht aan en keek opgelucht om me heen in de rommelige ruimte. De vormen op de vloer waren een grote stapel knuffels die verpleegster Poppy gisteren geopereerd had; achter de kisten lagen geen personen op de loer. Ik liep door de gang en wierp een snelle blik in de keuken. De resten van het avondeten lagen op het aanrecht; de vloer was bezaaid met overblijfselen van vissticks en aardappelpuree. De deur was op slot, de ramen waren dicht. Er was niemand.

Ik liep terug naar de woonkamer en ging de trap naar de corridor op.

'Popje!' riep ik. 'Alles kits met Jo en jou?'

Toen ze niet antwoordde, vatte ik dat op als bevestiging en liep via de corridor naar de metalen ladder die naar de gesloten deur voerde. Ik wist zeker dat er daar niets was. Ik zou even een snelle blik werpen, het hangslot weer sluiten en meteen naar beneden gaan. Hoe dan ook, toen ik de roestige treden beklom kreeg ik hartkloppingen.

Het hangslot moest worden geopend met een cijfercode in plaats van een sleutel. Toen ik de cijfers in de juiste volgorde had gedraaid, trok ik het open en duwde de deur open, die met een klap tegen de vervallen muur zwaaide. We hadden hier nog geen elektriciteit, dus was er geen licht. Even bleef ik op de drempel van de kamer staan en tuurde in de duisternis terwijl de dakbalken en oneffen muren vorm kregen. Door het dakraam zag ik het vage licht van de bewolkte avondlucht. Toen ik op de gebarsten vloerplanken stapte probeerde ik de vormen in de hoeken te ontwaren. Een stapel opgevouwen stoflakens, Simons werkbank die hij gebruikte om te zagen, een oude cd-speler vol verfspatten. Toen ik mijn mond opende om iets te zeggen verscheen mijn adem in een wit wolkje in de koude lucht.

'Is daar iemand?'

Het was een belachelijke vraag. Hoe kon iemand zich hier in vredesnaam schuilhouden? Ik wierp een blik op het oude luik waaraan de roestende katrollen zaten en draaide me met een ruk om. In augustus had ik precies op die plek onder de hete zon gelegen met mijn hoofd op Simons naakte borst. Nu was alles veranderd. Simon was weg, het huis dat ons ooit een gelukkige toekomst had beloofd bleef een bouwval met weergalmende lege donkere kamers. Ik bleef even bij de deur staan, keek om me heen en voelde tot mijn spijt hete tranen opwellen. Gedecideerd vermande ik me, sloot de deur, klikte het hangslot dicht en klom haastig de ladder af.

Nu liep ik met grote stappen door de corridor, terwijl ik deuren opentrok en naar binnen keek. Er was nergens een plek waar iemand zich kon verstoppen. Ik zag alleen puin, kapotte vloerplanken en afgebrokkelde muren. Ik liep verder naar de laatste kamer, die het dichtst bij Jo's kinderkamer lag en die Simon gebruikte als schilderatelier. Ik stapte naar binnen en keek om me heen in de kleine ruimte; de kou bezorgde me kippenvel. Ik zag de bekende rommel van verftubes en vodden in het rond slingeren en er stond een ezel tegen de schilderijen van het moeras waarvan ik hoopte dat Simon die ooit zou tentoonstellen. In de hoek lag een stapeltje houtskoolschetsen van mij, slapend met Jo.

Dat was echter niet wat mijn aandacht trok. Recht tegenover de deur, tegen het raam geleund, stond een enorm doek dat ik niet eerder had gezien. Het was een schilderij van een vrouw, een heel groot naakt, met dezelfde hoekige botten en uitstekende heupen als dat wat ik in Simons keuken in Londen had gezien. Aan haar puntige borsten lag iets wat voor een baby moest doorgaan, maar er eerder als een wond uitzag: een mengelmoes van rood en roze. Het hoofd van de vrouw was afgewend en haar gelaatstrekken waren vaag, alsof ze er niet toe deden. De achtergrond was bespat met wat op bloedvlekken leek.

Het schilderij straalde zo'n agressie uit dat ik terugdeinsde. Ik staarde er even naar terwijl het bloed me naar de wangen steeg. Was dit hoe Simon werkelijk over mij en Jo dacht? Geen wonder dat hij niet had gewild dat ik zijn meest recente werk zag. Het was net zo schokkend en vernederend als wanneer ik een verzameling hardcore porno onder de echtelijke sponde had gevonden. Ik draaide me om en smeet de deur achter me dicht. Toen hoorde ik ineens een bons.

'Poppy?'

Uit haar kamer klonk het luide gehuil van Jo.

'Wat gebeurt daar, verdomme?'

Ik rende de kamer in en zag Jo met een paars gezicht op de vloer liggen kronkelen.

'Wat heb je met hem gedaan?'

Ik tilde hem op en drukte zijn verstijfde lichaampje tegen me aan. Hij had zo te zien geen bulten, alleen een rode vlek op zijn wang waar hij waarschijnlijk de grond had geraakt. In de hoek van de kamer zat Poppy gehurkt bij een doos Lego. Haar gezicht had de nonchalance van een schuldig iemand die doet alsof haar neus bloedt. Toen ik me woedend naar haar toe draaide, sprong ze op met haar handen over haar oren.

'Ik wil niet dat je tegen me gaat schreeuwen! Hij is gewoon gevallen!'

'Je zou toch op hem letten!'

'Dat kon toch niet? Het spook was buiten en rende weg!'

Nu had ik er eindelijk genoeg van. Ik trok haar aan haar mouw omhoog en pakte haar pols zo hard beet dat mijn vingers zich in haar huid boorden. 'Hou op met liegen!'

'Ik lieg niet!'

We stonden midden in de kamer en keken elkaar woedend aan. Ik wilde haar slaan en een bekentenis uit haar schudden, alles behalve doorgaan met dit griezelige spel. Plotseling zakte ze achterover in haar geplooide ballerinajurk; haar goudblonde haar viel over haar gezicht.

'Je houdt niet meer van me!'

'O, schatje, wel waar!'

Nu begon ook ik te huilen, met Jo in de ene en Poppy in mijn andere arm geklemd, met mijn grote gezicht tussen haar schouders gedrukt: een snotterige bundel van berouw en spijt.

Toen Simon eindelijk belde, sliep ik. Ik ontwaakte uit onprettige dromen en pakte slaperig de telefoon.

'Hallo?'

'Met mij.'

Uit het geroezemoes op de achtergrond maakte ik op dat hij in een kroeg was. Een blik op de klok vertelde me dat het bijna elf uur was. Ik stelde me hem voor in een of andere pub in Zuid-Londen met Ollie en de andere klussers. Waarschijnlijk zaten ze aan hun derde of vierde halve liter, lui uitgestrekt op gevlekte leren banken, in een walm van rook.

'Ik slaap.'

Hij zweeg toen hij de beschuldigende klank van mijn stem hoorde.

'Waarom heb je niet eerder gebeld?' vervolgde ik.

'Sorry, ik heb een zware dag achter de rug.'

Ik was meteen klaarwakker en mijn woede laaide op als felle vlammen. Als hij dacht dat stukken hout meten en zagen zwaar was, moest hij eens een dag alleen met Jo en Poppy doorbrengen in een bouwvallig pakhuis waar je overal struikelde over elektrische zagen, kapotte vloerplanken en veronderstelde insluipers.

'Nou, ik ook,' antwoordde ik. 'Jo is van het bed gevallen en Poppy dacht weer dat ze iemand bij de zolder zag rondsluipen.'

'En was er niemand?'

'Natuurlijk niet. Ze verzint dat soort dingen alleen maar om aandacht te krijgen.'

'Nou, dan is er dus niks aan de hand, hè?'

Daar reageerde ik niet op. Op de achtergrond hoorde ik het gerinkel van glazen en een lachsalvo. De seconden tikten in stilte voorbij. We hadden nog nooit zo'n vijandig telefoongesprek gevoerd; het maakte me gespannen en verdrietig. Ik had me beter kunnen inhouden, mijn excuses moeten aanbieden en zorgzaam moeten vragen hoe zijn dag was geweest. Maar terwijl ik zat te rillen in het donker wist ik alleen hoe erg ik me in de steek gelaten voelde.

'En wie is Boz in vredesnaam?' wilde ik weten. 'Het is niet bepaald leuk, weet je, als de telefoon gaat en je krijgt een of andere crimineel aan de lijn die je man moet hebben.'

De verbittering en het zelfmedelijden in mijn stem waren afstotelijk.

'Hij is geen crimineel,' zei Simon op vlakke tooon. 'Hij is tegelzetter. Hij heeft er de pest in omdat we achter zijn met ons werk.'

'Waarom belt hij mij dan in Kent?'

'Omdat hij een eersteklas hufter is.'

Weer een langdurige stilte. 'Wanneer kom je thuis?' mompelde ik.

'Dat weet ik niet.'

'Maar ik mis je zo!'

'Dat weet ik, schat. Ik mis jou ook.' Hij klonk verslagen. 'Maar we moeten door tot deze klus af is. We werken ons suf om de deadline te halen.' Hij zweeg even. 'Ollie wil zelfs het weekend doorwerken.'

Ik keek voor me uit in de donkere kamer. Boven me in de balken ritselde iets, waarschijnlijk een rat. Ik kreeg het gevoel dat ik het geen dag langer meer zonder Simon kon uithouden.

'Oké.'

'Ga me alsjeblieft geen schuldgevoel aanpraten, Mel.'

'Ik bezorg je geen schuldgevoel, ik ben gewoon moe. Het spijt me als ik niet aardig klink, maar ik heb een moeilijke dag gehad en ik moet weer gaan slapen. Welterusten.'

Zonder zijn reactie af te wachten verbrak ik de verbinding.

21

Een paar dagen later kwam Trish langs om een tas met Jo's eerste babykleertjes op te halen. Sinds die ochtend in mijn keuken toen we zo diepgaand over mannen en het leven hadden gesproken, zagen we elkaar bijna elke dag. We waren allebei eenzaam en moesten het uitzingen, en in tegenstelling tot Natalie, die me wel eens had verveeld met haar doemscenario's en ernstige pogingen om me over te halen tot homeopathische middelen en vegetarisme, was Trish geestig en werelds. Ze had op een reeks alternatieve kostscholen gezeten terwijl haar rijke artistieke ouders over de wereld zwierven, vertelde ze me toen we op een middag van thee op wijn waren overgestapt. Daarna had ze een tijdje op de kunstacademie gezeten, in een alternatieve woongemeenschap op het Isle of Skye geleefd, en de kost verdiend met het verkopen van tweedehandskleding op de markt van Portobello Road. Ze vond zichzelf een mislukkeling, maar dat deerde haar niet. Goddank had ze mij leren kennen, zei ze schaterlachend toen ik de moeders op Poppy's schoolplein beschreef. Hoe zou ze anders de koffieochtenden doorkomen?

Terwijl ze in de tas graaide, probeerde ik uit te leggen waarom ik zo kwaad was op Simon.

'Ik weet heus wel dat hij moet werken. Alleen heb ik er ontzettend genoeg van om alles alleen te moeten opknappen.'

Ik zweeg. Ze had een piepklein rompertje te voorschijn gehaald en hield het met een stralende blik tegen het licht.

'O god, ik moet eens ophouden met klagen over dingen alleen opknappen, vind je niet?'

Lachend schudde ze haar hoofd. 'Maak je toch niet druk. Ik vind het prima om alleenstaande moeder te worden. Heel wat minder ellende, als je het mij vraagt.'

Ze vouwde het kledingstukje op en legde het voorzichtig terug in de tas. Ondanks de donkere kringen onder haar amandelvormige ogen zag ze er bijzonder knap uit, met haar hoge jukbeenderen en sierlijke hals. Naast haar voelde ik me plomp en stijlloos in mijn eeuwige spijkerbroek en wijde trui.

'Ik kan me jou niet echt lang single voorstellen.'

'Reken maar van wel! Ik heb het helemaal gehad met mannen. Kijk me niet zo aan, Mel! Het is mijn eigen keus.'

'Echt?'

'Neem jou nou. Ik weet dat je van Simon houdt enzo, maar maakt hij je echt gelukkig? Ik bedoel, ik weet dat het me niks aangaat, maar aan de buitenkant lijkt het of je alleen maar zit te kniezen omdat hij niet bij je is.'

Ik beet op mijn onderlip en voelde dat ik bloosde. Was dat echt de indruk die ik maakte?

'Je bent bang dat hij vreemdgaat, hè?' vervolgde ze. Ik keek naar haar opgewekte gezicht. Al maanden draaide ik om die hete brij heen, maar ze had gelijk. De echte reden waarom ik het zo naar vond dat Simon weg was, was dat ik tegen beter weten in mijn paranoia niet de kop in kon drukken.

'Daar had ik ook altijd last van,' vervolgde Trish. 'Daar word je toch gek van? Het vreet zo aan je dat je aan niets anders kunt denken.'

'Zo erg is het niet…'

'Nee?' Ze bekeek me met een sceptische blik. 'Ik zou die ellende niet meer willen meemaken.'

'Ja, maar Simon is echt een schat van een man. Ik weet zeker dat hij wat wij samen hebben nooit op het spel zou zetten.'

Ze lachte schamper. 'Ach, het zal wel, maar in mijn beleving zijn vrouwen beter af zonder mannen.'

'Hij houdt echt van me,' zei ik. 'Dat weet ik zeker. Goed, de laatste tijd is het niet alleen maar rozengeur en maneschijn, maar als hij klaar is met deze klus en we onze financiën weer op orde hebben, komt het allemaal goed.'

Toen ik opkeek, zag ik Trish' ogen op me gericht. Er lag iets melancholieks in haar blik, alsof zij een realistischere kijk had op hoe alles zou gaan lopen dan ik.

'Dat hoop ik dan maar voor je,' zei ze met een trieste ondertoon

173

in haar stem. 'Alleen is mijn ervaring dat er iets aan de hand is als mannen plotseling continu weg moeten.' Ze haalde haar schouders op en schonk me een lieve glimlach, waardoor er kleine rimpeltjes om haar ogen verschenen. 'Misschien is jouw man anders,' zei ze nonchalant. 'Ik heb gehoord dat sommige mannen wel oké zijn.'

'Hij is écht anders! Ik bedoel, ik weet dat je me tot nu toe alleen maar hebt horen klagen, maar wacht maar tot je hem ontmoet. Hij is echt een schat. En hij is dol op Poppy en Jo. Ons enige probleem is eigenlijk geld.'

Ze knikte, maar zei niets. Opeens wilde ik het heel graag ergens anders over hebben want ons gesprek maakte onverklaarbare angsten in me los. Van buitenaf leek onze relatie dus gedoemd te mislukken.

De mist kwam in alle hevigheid opzetten. Door de spiegelende ramen zag ik de toppen van de bootmasten in het donker omhoogsteken, maar de rivier en het omliggende moerasland waren verdwenen. Ik wikkelde Jo in dekens en beende over de modderige landweg om Poppy van school te halen, om een halfuur later terug te komen met vochtig haar dat over mijn voorhoofd viel en Poppy zo ver achter me dat ik bang was dat ze zou verdwalen en in de rivier zou vallen. Toen we voetje voor voetje langs de boten liepen, zag ik door de mist heen een grote bestelbus. Hij stond bijna bumper aan bumper met mijn auto geparkeerd, een ongebruikelijke plek voor iemand die alleen maar naar de werf hoefde. Ik verwachtte geen bezoek, en toen we bij de oprit kwamen, begonnen de zenuwen in mijn huid te prikkelen omdat de mist zo dicht was en de werf uitgestorven. Ik keek achterom in de hoop een glimp op te vangen van Richard of een van zijn werklieden, maar ik zag alleen maar mist die ons omsloot. Met mijn hand om de handvatten van de buggy geklemd liep ik langs de achterlichten van de bus en zag dat de motor aanstond. Het was dus vast iemand die op de werf werkte en per ongeluk op onze oprit had geparkeerd. Of misschien werden de onderdelen voor onze nieuwe keuken eindelijk afgeleverd. Toen ik echter door de voorruit keek, kreeg ik de kriebels van wat ik zag.

In de bus zat een gedrongen man onderuitgezakt met zijn grote handen om het stuur geklemd strak voor zich uit te kijken. Hij had het opgeblazen vlekkerige gelaat van een zware drinker, met een paarse neus en gelige huid. Hij was helemaal kaal, of had zijn hoofd kaalgeschoren, skinheadstijl. Het leek of hij grijnsde, maar ik kon niet bespeuren of hij werkelijk kwaadaardig keek of dat het zijn normale gezichtsuitdrukking was. Toen mijn aanwezigheid tot hem doordrong, draaide hij zich om en keek me aan, terwijl hij zijn blik langzaam over mijn hele lichaam liet dwalen en toen naar Poppy, die me eindelijk had ingehaald en nu zwijgend haar hand in de mijne stak. Even grinnikte hij angstaanjagend. Ik keek terug met een vage glimlach. Toen keerde hij de bus op de oprit, waarbij het grind omhoog spoot, waarna hij in de mist verdween.

Naast me trok Poppy aan mijn hand.

'Wat deed die man daar, mama?'

'Dat weet ik niet. Misschien was hij verdwaald.'

'Hij zag er heel eng uit.'

'Hij is nu in elk geval weg.'

De rest van de middag keek ik met Poppy naar een kinderzender op de tv. Toen maakte ik avondeten voor haar en liet haar bad vollopen. Ik voedde Jo tot zijn ogen wegdraaiden en hij slap werd van de slaap, las Poppy een verhaaltje voor en stopte haar in mijn bed. Met uitzondering van Trish had ik al dagen geen volwassene meer gesproken. Het was inmiddels donker en de mist maakte het zicht buiten onmogelijk. Ik bleef maar denken aan die man in de zilverkleurige bestelbus. Ik ging in de keuken zitten met een glas wijn en probeerde hem uit mijn gedachten te zetten. Het was alsof het pakhuis in kalm water dreef, onbemand achtergelaten, op drift. Buiten de ramen was er niets, alleen verstikkend dichte mist.

Ik leegde nog een glas merlot, waardoor mijn zintuigen voldoende verdoofd raakten. Zo meteen zou ik mezelf de trap op hijsen en in bed kruipen. Dan kon ik eindelijk van de wereld raken. De bestuurder van de bus had vast even pauze genomen, hield ik mezelf voor. Misschien had hij aan het eind van de weg de verkeerde afslag genomen en probeerde hij zich te oriënteren. Ik stond onvast op en begon halfdronken op te ruimen en borden in de gootsteen te zetten. Toen ik buiten in de tuin een klap hoorde, hapte ik naar adem en liet bijna de pan vallen die ik in het vettige water wilde onderdompelen. Ineens werd er aan de klink van de keukendeur gedraaid en getrokken en door het matglas zag ik een gestalte ertegenaan gedrukt. Als versteend bleef ik bij het aanrecht staan, mijn hart sloeg over.

Het was Simon. Hij liet zijn tas op de grond vallen, zette zijn metalen brilletje af en keek me met vermoeide ogen aan. Hij was afgevallen, zijn versleten kleren hingen los om zijn magere lijf en zijn lange haar viel piekerig over zijn gezicht.

'Jezus, wat heb jij me laten schrikken!'

Met uitgestrekte armen rende ik door de keuken naar hem toe. 'Ik dacht dat je een inbreker was,' fluisterde ik, mijn gezicht verbergend in zijn dikke jas. 'Waarom heb je niet gebeld om te zeggen dat je kwam?'

'Het was een opwelling. We hebben onverwacht vertraging met de vloerlevering, dus is er even niets te doen.'

Het klonk al te makkelijk, alsof hij het uit zijn hoofd had geleerd. Ik keek naar hem op en wilde doorvragen, maar de gespannen ondertoon in zijn stem en de groeven rond zijn mond maakten duidelijk dat dit daar niet het juiste moment voor was.

'Geweldig!' zei ik terwijl ik mijn handen onder zijn jas liet glijden en in zijn magere vel kneep. Maar in plaats van me dichter naar zich toe te trekken, huiverde hij ineens en maakte hij zich van me los.

'De rit was een verschrikking,' mompelde hij. 'Dichte mist, de hele M2.'

'O, arme schat. Ga lekker zitten. Ik zal iets te eten voor je maken.'

Ik loodste hem door de kamer en wilde dat hij zijn jas zou uittrekken en me voor hem liet koken, zoals toen we elkaar pas kenden. Dan zaten we aan tafel met een fles wijn, en hij krabbelde tekeningetjes en vertelde me grappige anekdotes. Zo kon het weer worden. Ik zou al mijn twijfels overboord gooien en hem vragen over de verbouwing in Kennington. Ik zou niets over Boz zeggen of over dat nare gevoel in mijn achterhoofd dat nu steeds vaker onverwachts de kop opstak. In plaats daarvan zou ik opgewekt babbelen over mijn nieuwe vriendin Trish of over Jo die zo goed op flesvoeding reageerde. Dan zouden we naar boven gaan en onstuimig en liefdevol vrijen. Maar toen Simon houterig bij de tafel bleef staan en niet ging zitten en met een ongelukkig gezicht naar de stapel post keek die daar steeds maar hoger was geworden, maakte de discrepantie tussen hoe het tussen ons was geweest en hoe het nu was die simpele voornemens even onmogelijk als proberen te lopen met gebroken benen.

'Nog meer kutrekeningen…'

Geld en het pakhuis waren onderwerpen doorwrocht met problemen. Ik streelde over zijn arm en probeerde het gespreksonderwerp te veranderen.

'Heb je al gegeten, schat?'

Hij antwoordde niet, draaide zich om van de tafel en keek met een verward gezicht om zich heen, alsof hij niet helemaal zeker wist waar hij was.

'Gaat het wel met je?'

Even, toen hij om zich heen keek, dacht ik dat hij op het punt stond om iets te zeggen, maar toen ging zijn mobiele telefoon.

'Dat is natuurlijk Ollie of iemand over de verbouwing. Neem toch gewoon niet op.'

Geïrriteerd schudde hij zijn hoofd en zocht in zijn zak naar zijn telefoon. Toen hij hem te voorschijn haalde, zag ik met een schok dat zijn handen trilden en zijn gezicht vertrokken was. Hij klapte de telefoon open, drukte hem tegen zijn oor en liep snel de keuken uit, de deur met een voet achter zich dichtschoppend.

Ik bleef bij de tafel staan en speelde met mijn glas. De diepe frons op Simons gezicht toen hij zag wie er belde bezorgde me de kriebels. Waarom deed hij altijd zo geheimzinnig? Het was de bedoeling dat we partners waren, maar steeds als ik iets over zijn bezigheden vroeg, werd de deur voor mijn neus dichtgesmeten, vaak letterlijk. Ik klokte een derde glas wijn achterover. Hij was kennelijk niet van plan terug te komen in de keuken. Ik goot het laatste restje wijn in de gootsteen en liep aangeschoten door de deur naar de donkere gang die naar het pakhuis voerde.

De begane grond was in duisternis gehuld. Ik strompelde de trap op en liep door de corridor. Misschien zat Simon in bad te weken en was hij meer ontspannen en spraakzaam. Dan zou ik bij hem in het dampende water stappen terwijl hij nadenkend mijn dijen streelde. Later zou hij me vertellen wie er had gebeld. Ik was beneveld door de alcohol, maar vastbesloten om de dag niet als vreemden voor elkaar te besluiten.

177

Hij was niet in de badkamer, maar lag op bed naar het plafond te staren.

'Poppy was hier,' zei hij toen ik de deur verder openduwde. 'Ik heb haar naar haar eigen bed teruggebracht.'

'Ze heeft steeds nachtmerries, daarom mocht ze bij mij slapen.'

Ik ging zitten en streelde voorzichtig zijn hand. Die bleef slap liggen zonder dat zijn vingers op mijn aanraking reageerden. 'Is alles goed met je?'

'Prima.'

'Wie belde er?'

Zijn ogen richtten zich op een punt ergens boven mijn hoofd. 'Iemand over de verbouwing.'

'Wat is er aan de hand?'

Zijn gezicht vertrok van ergernis. 'Niets. Ik heb hoofdpijn, meer niet.'

'Er is iets gebeurd, hè?'

Gaf hij nou maar eens antwoord. Terwijl ik vol verwachting naar zijn strakke gezicht keek daalde het besef hoe vervreemd we van elkaar waren geraakt als een kille steen in me neer.

'Zeg me wat er is!'

Met een zucht keek hij me eindelijk aan. 'Jezus, Mel, kap ermee. Het gaat alleen om geld. Ik vertel het je nog wel, oké?'

Ik had een droge mond. Ik slikte en probeerde mijn kalmte te bewaren. Plotseling vond ik het van het grootste belang dat het weer goed was tussen ons.

'Wat ben je mager geworden,' zei ik, dichter naar hem toe schuivend en mijn hand op zijn borst leggend. 'Ollie laat je veel te hard werken.'

Ik liet mijn hand over het wollige haar op zijn buik glijden, duwde mijn vingers omlaag in de warmte van zijn onderbroek.

'Het is te lang geleden,' fluisterde ik. 'Kus me.'

Toen ik mijn gezicht naar hem ophief, drukte hij zijn mond op de mijne. Hij kuste me zo hard dat zijn tanden tegen mijn lippen stootten. Ik ontspande, leunde tegen hem aan en voelde me week worden. Alles zou toch nog goed komen. Zoals hij had gezegd: het ging alleen maar om iets vervelends met geld. Toen ik zijn penis streelde voelde ik hem hard worden en warm tussen mijn handen oprijzen.

178

Ik trok mijn hoofd weg en kuste de zachte huid achter zijn oor. Het was zo eenvoudig. Seks was het enige vereiste om de intimiteit in ons huwelijk terug te vinden. We hadden al zo lang niet gevrijd; daarom heerste er zo'n gespannen sfeer tussen ons. Simon zuchtte, zijn vingers boorden zich in mijn schouder. Ik liet mijn lippen over zijn hals en borst omlaag glijden. Even ontspanden zijn vingers zich en liet hij zijn handen langs zijn zijden vallen terwijl hij bijna gekweld kreunde.

Ineens ging hij rechtop zitten en duwde me van zich af.

'Nee, Mel, ik kan het niet…'

Ik viel terug in de kussens en staarde hem diep gekrenkt aan.

'Waarom niet, verdomme?'

'Ik ben bekaf,' zei hij kortaf. 'En ik heb barstende koppijn.'

Mijn wangen brandden. Ik bedekte ze met mijn vingers en kon even niets uitbrengen.

'We hebben het al sinds de herfst niet meer gedaan…'

'Tja, je was zwanger.'

'Maar nu ben ik niet zwanger!'

Hij antwoordde niet, maar zuchtte alsof ik hem aan zijn hoofd zeurde om een onaangename klus te klaren.

'Je houdt niet meer van me,' mompelde ik. Dat was natuurlijk volkomen verkeerd, maar ik had bijna een hele fles merlot leeggedronken en door zijn abrupte weigering was mijn gezond verstand aan flarden. In de zomer zou hij me in zijn armen hebben genomen, me op mijn kruin hebben gekust en gezegd hebben dat ik niet zulke onzin moest verkopen. Maar de zomer was allang voorbij. Dit waren de dode maanden en alles was veranderd.

'Allemachtig, begin daar alsjeblieft niet over,' zei hij vermoeid. Hij zwaaide zijn benen over de rand van het bed en stond op. 'Het spijt me dat ik niet aardig ben, schat. Ik heb waarschijnlijk griep onder de leden of zoiets. Ik voel me vreselijk.'

'Waar ga je naartoe?'

'Ik ga op de bank slapen als je het niet erg vindt. Ik heb echt een nacht rust nodig en je weet dat dat niet lukt met Jo, en Poppy die de kamer in komt…'

Hij zweeg met zijn hand op de deurknop. Ik keek naar hem en nam hem in me op: een lange magere man met afgekloven nagels en

179

oren die hij ooit had laten piercen. Zijn ogen stonden triest, alsof hij verdriet had dat hij niet kon delen. Toen ik naar zijn gehavende verschijning keek, waar ik ooit zo gecharmeerd van was geweest, was het alsof zich een loden gewicht in mijn borst vastzette. Hij was eigenlijk een vreemde. Ik had de illusie gehad dat we elkaar na stonden, maar nu bleek dat de draden die ons verbonden ragfijn en fragiel waren.

'Oké,' zei ik. 'Welterusten.'

Toen ik wakker werd, was de mist opgetrokken. Ik bleef een tijdje op mijn rug liggen luisteren naar Jo's regelmatige ademhaling terwijl de zwakke winterzon in banen op het bed scheen. Het was zeven uur 's morgens en ik had Jo voor het laatst om middernacht gevoed. Voor het eerst sinds november had ik zeven heerlijke uren ongestoord achter elkaar geslapen. Nu ik op mijn ellebogen leunend naar zijn bolle gezichtje keek voelde ik me ongewoon uitgerust. Poppy was ook nog niet wakker. Mijn hoofd was helder, als een vette spiegel die was opgepoetst. In plaats van de misselijkmakende uitputting waarmee ik me gewoonlijk voortsleepte, tintelden mijn ledematen van de energie. Het was een nieuwe dag, eindelijk scheen de zon, en ik wilde van alles ondernemen.

Ik zwaaide mijn voeten energiek uit bed, liep door de kamer en trok de rolgordijnen van het raam op het noorden omhoog, dat uitkeek op de rivier. Boven het water dwarrelde een melkachtige nevel die zich hier en daar om de boten krulde en oploste toen hij opsteeg in het wazige roze zonlicht. In de verte was het moerasland veranderd in een sprookjeslandschap: wervelende witte flarden die zich om de contouren van de bomen kronkelden alvorens plaats te maken voor de zon. Ik opende het raam en ademde de koude lucht in. Van nu af aan zou alles beter gaan. Jo zou 's nachts doorslapen, Poppy zou geen nachtmerries meer krijgen, en de breuk in ons huwelijk, hoe die ook ontstaan was, zou helen. De enige voorwaarde was dat we het allebei wilden en ons ervoor zouden inzetten. We moesten eens samen eten en praten over alles behalve de verbouwing of onze financiën, of we konden een wandeling maken. Dan konden we daarna naar boven gaan, elkaar uitkleden, en als ons seksleven eindelijk weer nieuw leven ingeblazen had gekregen, zou alles weer bij het oude zijn. Hoe heette het ook weer? *Quality time.*

Ik draaide weg van het uitzicht en liep naar het kleine ronde raam aan de andere kant van de kamer dat in westelijke richting uitkeek, over de oprit naar de landweg. Ik dacht even tevoren dat ik het geluid van een auto op de weg hoorde. Nu ik mijn hand over het smerige glas veegde hoorde ik duidelijk dat er een portier werd dichtgeslagen. Met bonzend hart keek ik omlaag naar de oprit. Simons bus was weg, zag ik. In plaats daarvan stond er een politiewagen, waarvan de geüniformeerde bestuurder op dat moment om de plassen heen naar de voordeur liep.

22

'Goedemorgen!'

De politieagent schonk me een plichtmatige glimlach en hield zijn legitimatie zo in zijn hand dat ik hem kon zien. Ik wierp er een nietsziende blik op en keek in zijn gladde jeugdige gezicht. Zijn aanwezigheid, in uniform, hier op mijn stoep, met zijn schoenen met rubberzolen en zijn knuppel die professioneel aan zijn riem hing bezorgde me hartkloppingen van schrik.

'Bent u mevrouw Stenning?'

'Ja…'

Simon was dood. Hij had besloten om terug te rijden naar Londen en had een ongeluk op de spekgladde snelweg gekregen. Het was als een scène uit een soapserie waar ik tegenwoordig naar keek. Dit was het gedeelte waar de agent vroeg of hij binnen mocht komen. Als hij me vervolgens het slechte nieuws meedeelde, zou ik jammerend van verdriet tegen de muur zakken, mijn hand over mijn mond geklemd.

'Is uw man toevallig thuis?'

Mijn eerste reactie was opluchting, die als kleverig hete stroop door mijn aderen leek te vloeien en me duizelig maakte.

'Ik weet het niet,' zei ik afwezig. 'Zijn bus staat er niet. Ik zal eens kijken.'

Ik draaide me om en keek om me heen in de woonkamer. In een hoek van de bank lag een opgevouwen dekbed, maar Simons kleren waren nergens te bekennen. Ondanks zijn verhaal over het niet-bezorgde vloermateriaal, moest hij vroeg zijn opgestaan en naar Londen zijn teruggereden zonder ons zelfs maar een afscheidskus te geven. Terwijl ik de teleurstelling loodzwaar op me voelde drukken, haastte ik me door de woonkamer naar de gang, waarna ik een snelle blik in de keuken wierp. Na wat er gisteravond was gebeurd, was zijn plotselinge vertrek een klap in mijn gezicht.

'Hij is vertrokken,' zei ik toen ik bij de voordeur terug was. Boven hoorde ik Poppy over de corridor dribbelen. Over een paar minuten zou ze beneden komen. Als ze in de woonkamer was, zou ze de tv aanzetten en op de bank springen om te wachten tot ik het ontbijt had klaargemaakt. Het was onze ochtendroutine, net zo vast en voorspelbaar als maandag op zondag volgt.

'Hij zit in Londen, hij is bezig met een verbouwing.'

Ik keek onderzoekend naar het neutrale zakelijke gezicht van de politieagent. Nu mijn eerste paniek gezakt was, voelde ik een andere emotie in me opkomen: nieuwsgierigheid, vermengd met vaag wantrouwen. 'Is het dringend?'

Hij negeerde die vraag. 'Wanneer verwacht u hem terug?'

'Geen idee…'

'Heb u een nummer waarop we hem kunnen bereiken? Of het adres waar hij werkt?'

'Het adres weet ik niet. Ze zijn ergens een huis aan het verbouwen. Ik bedoel, ik hoef er nooit heen…' Mijn stem stierf weg en ik geneerde me voor mijn onwetendheid. 'U kunt hem altijd op zijn mobiele nummer bereiken.'

Hij knikte. 'Ja, dat zullen we later proberen. Mag ik trouwens even binnenkomen? Het duurt niet lang.'

'Natuurlijk.' Ik stapte opzij terwijl ik nerveus mijn ochtendjas strakker om me heen sloeg. Wat was er in hemelsnaam gaande?

'Mama!' riep Poppy uit de woonkamer. 'Met wie praat je daar?'

'Niemand!'

De agent stapte de rommelige hal binnen, waar modderige laarzen om ruimte streden met fietsen en wandelwagens.

'Hebt u enig idee wie deze mensen zijn?'

Hij had een foto uit zijn zak gehaald. Ik staarde ernaar en voelde mijn maag samentrekken. Het was niet de originele foto, maar een kopie op papier met een kartonnen achterkant, vergroot en geplastificeerd, alsof de politie verwachtte dat hij beduimeld zou worden door een horde getuigen. Te zien was een breed glimlachend stel op het dek van een boot. Achter hen schitterde de turkooizen zee. De man keek recht in de camera met zijn arm nonchalant om de schouders van de vrouw. Haar gezicht was niet echt scherp, maar het was duidelijk een schoonheid. Haar gezicht was naar haar geliefde gekeerd en haar ogen keken op naar de zijne. Het moest winderig weer zijn geweest want haar dikke zwarte krullen woeien over haar wangen en in haar lachende mondhoeken.

Het waren Simon en de vrouw wiens naaktportret ik in zijn keuken in Londen had gezien. Mijn echtgenoot in een vorig gelukkiger leven: minder gebogen en mager, met een gebruinde huid en zongebleekt haar. Een knappe man, die de knappe vrouw die hem adoreerde omarmde. Rosa. Het beeld gaf me een schok; alles waarvan ik had gehoopt dat mijn huwelijk het zou zijn, was in een schijnvertoning veranderd door het geluk dat van dit zelfverzekerde stel af straalde. Wat had zijn vreselijke moeder ook weer gezegd? *Je bent niet zo jong en knap als Rosa*. Ik duwde de foto terug in de handen van de agent en sloeg mijn armen defensief over elkaar.

'Dat is mijn echtgenoot. Hij ziet er daar veel jonger uit, dus moet die foto een tijd geleden zijn gemaakt. De vrouw is zijn ex.'

De agent bevochtigde zijn lippen in een kleine roze flits, als een hagedis. 'Zegt de naam Rosa Montague u iets?'

'Ja. Dat is zij.'

Ik keek hem recht aan en vermande me. Ik begon het kille verdovende gevoel te krijgen dat zich door je binnenste verspreidt bij het horen van onaangenaam nieuws. Pas later, wanneer de bijzonderheden tot je door zijn gedrongen, begint de echte pijn.

'We onderzoeken een geval van vermissing,' vervolgde hij minzaam. 'Mevrouw Montague wordt al sinds de week voor kerst vermist. We hebben deze foto bij haar bed gevonden. We wilden weten wie de man was.'

'Ze heeft in Londen samengewoond met mijn man,' mompelde ik. 'Ik ken haar achternaam niet en ik weet verder ook niets over haar. Toen ik hem leerde kennen was hun relatie voorbij.'

'En wanneer was dat?'

'Met Kerstmis een jaar geleden. Maar toen was het al een tijdje uit tussen hen.'

'Aha.' De agent haalde zijn opschrijfboekje te voorschijn en krabbelde er iets in. 'Dank u. Daar kunnen we iets mee.'

Hij had zich bijna weer omgedraaid naar de deur om het onderzoek te beëindigen. Dat Simons ex een foto van hem in haar slaap-

kamer had, betekende niets. Goed, ze was verdwenen. Dat betekende niet dat Simon daar iets mee te maken had. De politie onder-
vroeg gewoon iedereen die haar kende. Ik kon me ongestoord aan
Poppy's ontbijt wijden, Jo voeden en op tijd met ze naar school
gaan. Er was geen vuiltje aan de lucht. Maar de agent stond nog met
zijn schoen op de drempel.

'Nog één ding…'

'Ja?'

Ik ontspande mijn gebalde vuisten en deed mijn best normaal te
ademen. Ik wilde niet dat hij zag hoe nerveus ik was.

'We hebben de creditcards van uw man in het huis van Rosa
Montague gevonden,' zei hij nonchalant. 'Wist u dat hij ze kwijt
was?'

Ik werd vuurrood en bedekte mijn wangen met mijn handen om
mijn verwarring te verhullen. *Simon had gezegd dat hij zijn bankpassen bij Ollie in Londen had laten liggen!* Even was het of ik zou stikken,
alsof een felle kwaadaardige hand op mijn mond en neus drukte om
mijn adem te smoren. Ik haalde diep adem om mijn kalmte te bewaren.

'Hij was ze kwijt,' flapte ik eruit. Mijn hart bonsde zo hard dat ik
ervan overtuigd was dat hij het hoorde. 'Volgens mij heeft hij inmiddels andere.'

'Aha…'

Hij keek me nadenkend aan, misschien hopend op verdere ont-
hullingen. Was hij zich bewust van wat zijn vraag had aangericht?
Voor hem was het dagelijkse politieprocedure. Voor mij had hij net
zo goed met een gietijzeren kogel de zijkant van ons huis kunnen
verbrijzelen. Zelfs als ik meer had willen zeggen, zou ik niets hebben kunnen uitbrengen. Met een zelfvoldane glimlach stak de agent
zijn opschrijfboekje terug in zijn zak.

'Hier is een kaartje met het nummer van de onderzoekskamer,'
zei hij opgewekt. 'Ik zou het op prijs stellen als u uw man vraagt
contact op te nemen als hij terug is.'

'En zijn mobiele nummer dan?'

'Dat hebben we al. Dank u voor uw tijd.'

Met een strakke blik zag ik hoe hij zich omdraaide om naar buiten te lopen. Hadden ze echt onderzoekskamers voor iedereen die

vermist werd? En hoe hadden ze Simons mobiele nummer te pakken gekregen?

'Probeert u zich geen zorgen te maken, mevrouw Stenning,' zei hij met een plichtmatige glimlach. 'Het enige wat we in deze fase willen, is uw echtgenoot van ons onderzoek uitsluiten.'

Hij knikte naar me, liep over de oprit en opende het portier van zijn auto. Verstrooid sloot ik de voordeur. Ik hoorde de motor starten en het knerpende grind onder de banden. Heel even, voor ik mijn paniek in bedwang had en terugkeerde om me aan het ontbijt voor Poppy en Jo te wijden, zakte ik tegen de dichte deur aan. Al die tijd dat ik had gedacht dat Simon bij Ollie was, was hij bij haar geweest!

DEEL 3

23

De cottage stond midden in een dicht bos, met een scheve schoorsteen die tussen de bomen oprees als bij het huis van de heks in *Hans en Grietje*. Inwendig morrend zette hij de auto in zijn twee. Hij had niet zo'n afgelegen modderig pad verwacht en dacht vol afgrijzen aan de modder die tegen de glanzende carrosserie spatte en hoe de vering onder de kuilen te lijden had. Toen hij de auto door de laatste bocht manoeuvreerde, zakte zijn voorwiel in de diepste kuil tot nu toe, waardoor hij met zijn buik tegen het stuur knalde. In stilte vervloekte hij Clive Jenkins, de rechercheur die met zijn telefoontje zijn prettige ochtend met administratieve werkzaamheden had onderbroken, en Dave schakelde opnieuw. Zoals hij over de telefoon had gezegd, kon het maar beter de moeite waard zijn, meer niet.

Nadat hij tien minuten over het slingerende pad had gereden, was hij eindelijk bij de bodem van de vallei. Nu kon hij het hele huis zien: klein, met een houten voorgevel, omgeven door restanten onkruid van wat misschien ooit een pittoreske typisch Engelse cottagetuin had kunnen zijn. Er was echter niets meer van over. De lathyrus was van de kapotte rietstaken losgeschoten, het koolveld was overwoekerd door winde en het gras van wat ooit een mooi gazon was geweest, stond vol distels en plataanscheuten. Dave parkeerde in de berm en stapte uit.

Het huis zag eruit als een krot. Als hij zo'n cottage had, zou hij er een klein paleis van maken. Behalve die benauwende hoeveelheid bomen die te dicht op elkaar stonden was het precies het soort huis waar hij en Karen van droomden. Het zou niet moeilijk zijn om de bouwvallige schoorsteen te herstellen en de dakpannen opnieuw te leggen. Dan zou hij aan de tuin beginnen. Zijn vader had een volkstuin gehad, waardoor hij alles had geleerd over groenten wat hij moest weten. Ze zouden ook allerlei bloemen planten: vlijtige liesjes en geraniums, misschien een paar rozen, niet dat verwilderde gras dat zo hoog was dat je er hooi van kon maken. Harvey zou ervan genieten. Terwijl Dave tussen de plassen door laveerde stelde hij zich zijn zoon voor, zwervend door het bos met een stel vrienden, net zoals hijzelf in de jaren zeventig zijn zomervakanties in het landelijke Kent had doorgebracht. Dat was de goeie ouwe tijd, toen jongens de hele dag buiten waren, hutten bouwden of met hun fiets op pad gingen. Hij zette die fantasie snel uit zijn gedachten en liep langs het verrotte hek het pad op.

De voordeur was open en hij hoorde het geluid van stemmen uit het huis komen. Nadat hij met grote passen de smalle gang in was gelopen keek hij snel om zich heen, op zoek naar voor de hand liggende aanwijzingen. In tegenstelling tot de verwaarloosde buitenkant was de binnenkant van de cottage verrassend goed onderhouden. Hij zag een opgeruimde voorkamer vol porseleinen snuisterijen en gehavend, maar duidelijk eersteklas antiek meubilair. Het was ongetwijfeld het huis van een ouder iemand, waarschijnlijk een vrouw. De keuken was een overblijfsel uit de jaren zestig of zelfs nog ouder: versleten blauw linoleum, een ouderwets gasfornuis, en beschadigde formicakastjes in een stijl die hij tot zijn verbazing in Karens Ikea-catalogus had gezien onder de kop 're-tro'. Ondanks de overjarige uitstraling van de kamer en de vochtgeur was het er opmerkelijk schoon. Degene die er voor het laatst was geweest, had de vloer geveegd, de vaat uit de gootsteen opgeruimd en de vuilnisbakken buitengezet. Twee schone theedoeken lagen zelfs symmetrisch gedrapeerd op het werkoppervlak, met sierlijk teruggevouwen hoeken, zoals de lakens in het chique verblijf op de Malediven waar hij en Karen hun huwelijksreis hadden doorgebracht. Het was een opvallend detail.

'Dave!'

Toen hij zich omdraaide van de keukendeur zag hij Clive Jenkins, die vanaf de smalle trap naar hem toe liep. Ze schudden elkaar de hand. Ongeveer een jaar geleden hadden ze samen aan een vuurwapenzaak in Ramsgate gewerkt met zeer bevredigend resultaat: een drugsbende opgerold en vier veroordelingen. De herinnering veroorzaakte een prettige voldane gloed die in een brede glimlach voor zijn jongere collega overging.

'Wat hebben we hier?'

'Een jonge vrouw die vermist wordt.'

Dave tuitte zijn lippen en fronste op een manier die duidelijk maakte dat Jenkins maar beter niet zijn tijd kon verspillen.

'Zo te zien is ze pas op vakantie gegaan.'

Jenkins hief zijn hand om aan te geven dat Dave eerst even naar het hele verhaal moest luisteren en vervolgde: 'Zo simpel is het niet. De eigenaresse van het huis, mevrouw Montague, belde ons maandag. Ze is bezorgd om haar nicht die hier woont.'

'Juist…'

Blijkbaar heeft de nicht sinds Kerstmis niets van zich laten horen. De tante heeft haar gebeld, maar ze neemt niet op. Vorige week was de tante jarig en de nicht had beloofd haar in Londen op te zoeken, maar ze kwam niet. Tante wordt een dagje ouder en kan hier zelf niet naartoe komen, daarom belde ze ons. Ze maakt zich grote zorgen; het is niets voor haar nicht om haar verjaardag te vergeten, zegt ze, ze heeft geen idee wat er is gebeurd.'

'Dus jij bent hier gekomen en hebt wat rondgekeken…'

Dave sloeg zijn armen over elkaar. Hij dacht aan de modder op zijn auto en dat het hem meer dan een uur zou kosten om terug naar Herne Bay te rijden. Hij had Karen beloofd dat hij Harvey 's avonds van karateles zou ophalen, maar nu zou dat niet lukken. Het was precies wat hij had vermoed: een slag in de lucht.

'We troffen het huis afgesloten aan, zoals je kunt zien. Alles is schoon en opgeruimd, brieven op de mat dateren van december, er ligt geen rottend voedsel, en niets wijst op een overhaast vertrek. We hebben wat persoonlijke bezittingen doorzocht, inclusief de creditcards van een man, die we in een la vonden, maar eerlijk gezegd gaat het daar niet om. Net zoals je zei. De jongedame is gewoon weggegaan...'

'... en is vergeten het aan haar tante te melden.'

'Precies. Maar wacht even voor je me de wind van voren geeft. Vanochtend hebben we iets gevonden wat veel boeiender is...'

Met een gebaar naar de voorkamer voerde Jenkins Dave door de gang, waarna hij bukkend door het lage deurkozijn liep en opzij stapte om Dave binnen te laten.

'Kijk hier eens rond. Zie of het je opvalt.'

Dave keek om zich heen in de kleine kamer. Die was ingericht met de allure van de Engelse hogere klasse, een stijl, zo begreep hij meteen, die Karen met haar organza gordijnen, leren bank met siernagels en nepgeorgian schouw trachtte na te streven. Het geheel deed denken aan de voorkamer van een dominee, of van oudere dames met keffende hondjes die in gehuchten als Whitstable woonden. Het Perzische tapijt was versleten, maar duidelijk kostbaar, de porseleinen beeldjes konden zo uit een aflevering van *Tussen Kunst en Kitsch* komen. De schilderijen aan de muren in hun vergulde lijsten zagen eruit als originelen. En terwijl hij alles scherp in zich opnam voelde hij plotseling die tinteling over zijn ruggengraat, zoals altijd wanneer hem iets belangrijks opviel. Zijn mond, die een verveelde chagrijnige trek had, begon bij de hoeken te trillen.

'Het gordijn aan de linkerkant is gewassen,' zei hij langzaam. 'Maar het rechter niet. Dat is donkerder.'

'Juist. Maar er is nog meer.'

Dave keek naar de muur naast de gordijnen. Hij begon opgewonden te raken.

'Ja, ik zie het. De muur is aan deze kant overgeschilderd. De kleur is anders...'

'En als je van dichtbij kijkt...'

De mannen liepen samen door de kamer en keken naar de verflaag. Het was een haastklus; op een stuk van de muur was witte latex aangebracht en de oudere verf eromheen was doffer en donkerder.

'Iemand heeft hier wat huisvlijt gepleegd.'

Van zo dichtbij kon hij duidelijk een stuk met kleine bruine stippen onderscheiden die de verfkwast had overgeslagen. Verspreid langs de vensterbank en over de plint waren minstens dertig stippen duidelijk zichtbaar.

'Dat is kaasje voor het forensisch team.'

'We hebben nog meer vlekken in de wc beneden gevonden. En sommige stukken van het tapijt zijn door iemand schoongeschrobd.'

Dave keek omlaag in de richting van Jenkins' vinger en zag de lichtere gedeelten op het tapijt die waren schoongemaakt. Hij stapte opzij en gaf Jenkins een goedkeurend knikje.

'Heel interessant. Wat weten we over de vermiste vrouw?'

'Ze heet Rosa Montague. Woont hier ongeveer een jaar. Ongetrouwd, maar had een vriend die veel weg was. De tante heeft hem niet ontmoet, maar we hebben zijn gegevens via zijn creditcards. Ik heb de indruk dat de nicht een privé-inkomen heeft. We hebben ook een foto.'

'Heb je contact opgenomen met de vriend?'

'Daar gaan mijn mannen vandaag mee aan de slag.'

'Is er nog meer bekend over familie, of vrienden?'

Voor Jenkins kon antwoorden, klonk er een kreet uit de tuin. Toen Dave door de glas-in-loodramen van de kleine woonkamer keek zag hij een agent in uniform door de tuin rennen.

'Hierheen!' riep hij.

24

Wat voor gevoel is het als de grond onder je voeten wegzakt? Tot die vreselijke vijf minuten met de agent op mijn stoep geloofde ik nog dat die grond solide was. Ik moest weliswaar bobbels en kuilen ontwijken, en soms had ik last van vermoeide benen, maar ik had nooit getwijfeld aan het terrein. Nu bleek het landschap een illusie. Ik kon geen vaste voet krijgen en tuimelde razendsnel naar vreemd oneffen gebied dat ik niet herkende. Dat moment, toen de aarde begon te schokken en ik de breuken zag ontstaan, was bijna erger dan wat er nog ging komen. Plotseling was alles wat ik voor echt had aangezien verdwenen, bijna als een grap. Daarna voelde ik alleen geruis in mijn oren.

Dus Simon had nog steeds contact met zijn ex. Of liever, zijn ex-ex. Rosa. Ze had lang donker haar en een lichaam als van een model, en haar elegante handen lagen om zijn schouders alsof ze er hoorden, wat een bezitterigheid aangaf die ikzelf alleen maar aarzelend tentoon durfde te spreiden. En geen wonder. Vanaf het prille begin had Simon me bedrogen. Hij had beklemtoond dat de relatie voorbij was, maar ging nog steeds naar haar toe, en hun intimiteit was nog steeds zodanig dat zij zijn foto aan de muur had hangen. Terwijl ik piekerde over alle facetten van mijn huwelijk, viel Rosa's schaduw steeds voor mijn blikveld. Nat had gelijk gehad, verdomme. Als Simon niet bij mij in Brockwell was, was hij bij haar. Zij was de reden dat hij de benen had genomen toen ik hem vertelde dat ik zwanger was, en hij was naar haar gevlucht. Waarom was hij eigenlijk plotseling toch weer teruggekomen? Hadden ze soms ruzie gehad? De gedachte aan zijn handen op haar lichaam en de hare op dat van hem maakte me misselijk. Toen ik Jo in zijn buggy terug van school duwde moest ik me aan de handvatten vastklampen om niet om te vallen. Ik liep snel door terwijl de tranen over mijn gezicht stroomden. Het was alsof mijn leven was ingestort en het ergste wat ik me kon voorstellen uiteindelijk werkelijkheid was geworden.

Eenmaal thuis gaf ik me over aan mijn wanhoop, rolde me in foetushouding op de bank en lag te huilen terwijl Jo op zijn bijtring kauwde. Al die tijd dat ik me had ondergedompeld in mijn fantasie van ons knusse gezinsleven, had Simon nog intiem contact met Rosa onderhouden. Misschien was hij wel uit medelijden met me getrouwd. Of misschien was hij, na een paar weken bedenktijd, tot de conclusie gekomen dat hij eigenlijk best een kind wilde, en was ik louter een vehikel om hem vader te laten worden. Wat de redenen ook waren, hij hield niet genoeg van me om de beeldschone Rosa op te geven, bij wie hij nauwelijks een paar maanden geleden zijn creditcards had achtergelaten en van wie hij kennelijk nog steeds telefoontjes kreeg. Hij had gisteravond met háár gesproken op zijn mobiele telefoon, besefte ik nu. Misschien had ze gefluisterd hoe ze naar hem verlangde, en had hij zich stiekem in de slaapkamer afgetrokken. Daarom had hij later niet met mij willen vrijen.

Misschien was het uiteindelijk toch niet zo'n onbekend gebied. Toen ik me omhooghees van de bank om Jo een schone luier om te doen, besefte ik dat veel van de oriëntatiepunten heel bekend waren. Mannen waren klootzakken, vreemdgaan was de norm. Het was geen verrassing dat ik alleen was, gezien het feit dat ik niet tot liefde kon inspireren. Een paar maanden had ik rondgelopen in een wereld waarin ik niet thuishoorde, van gelukkige gezinnetjes, nachten in het Ritz en lelies achter mijn oren. Maar uiteindelijk paste ik niet in sprookjesland. Ik was te aanhankelijk, te onzeker van mezelf. Onvermijdelijk was ik door het dunne scherm getuimeld dat me tijdelijk van de realiteit had gescheiden: eenouderschap, een uitzakkend ouder wordend lichaam en een leven in de marge.

Rosa was natuurlijk totaal anders. Al broeiend probeerde ik me het huis van waaruit ze was verdwenen voor te stellen. Ze had natuurlijk een huisje in een goede buurt zoals Chelsea, of Notting Hill. Vrouwelijk en artistiek ingericht, met verse bloemen en helderwitte lakens, slechts bevlekt door hun vurige vrijpartijen. Voor ik mijn op hol geslagen fantasie in toom kon houden, stelde ik me hen samen in bed voor. Ze was hartstochtelijk en fel met hem, een welkom respijt voor mijn bedaagde bedprestaties. Toen ik me zijn bloedlip in december herinnerde voelde ik zo'n felle steek van jaloezie dat ik bang was dat mijn hart zou breken.

Of maakte ik er te veel een drama van? Naarmate de dag vorderde, overtuigde ik mezelf ervan dat het allemaal niet zo erg was. Misschien had Simon zakelijke besognes met Rosa die moesten worden geregeld. De papieren bijvoorbeeld, die ze van zijn moeder had meegenomen: die had hij natuurlijk moeten terughalen. Dáárom was hij naar haar huis gegaan. Het was eenmalig, niet de moeite waard om aan mij te vertellen. Ook al was ze weken later verdwenen en was Simons foto in haar slaapkamer gevonden, dat had niets met hem te maken. Zoals de agent had gezegd: ze wilden alleen Simon uitsluiten van verder onderzoek. Hij zou zeker een alibi hebben en daarmee zou de zaak zijn afgedaan. Simon had gezegd dat hij niet langer met haar omging. Waarom geloofde ik hem dan niet?

Maar net toen ik die versie van het gebeurde begon te geloven, herinnerde ik me die andere verschrikkelijke woorden van de agent: *in deze fase*.

Ik verzamelde moed en belde Simon op zijn mobiel. Inmiddels was het na twaalven en de veelbelovende optimistische stemming van de dag was verbleekt. Met de telefoon op mijn schoot keek ik door de ramen naar het bruine water dat traag voorbijstroomde. Het was bijna lente. De rivieroever was bezaaid met sneeuwklokjes en de vogels riepen naar elkaar met nieuwe hoopvolle klanken. Het nieuwe seizoen kon me niet vlug genoeg komen. Kon de zon maar wat feller schijnen en de aarde sneller draaien, dan zouden we die meedogenloze grijze kou achter ons laten en terugkeren naar de lange lichte zomerdagen toen Simon nog van me hield.

Met trillende vingers toetste ik het nummer in. Het was niet rationeel, maar ik geloofde dat zijn reactie allesbeslissend zou zijn. Hij nam vrijwel meteen op.

'Hoi!'

Ik kon niets uitbrengen. Ik had niet zo'n warme klank in zijn stem verwacht en mijn keel werd dik van de tranen. Op de achtergrond hoorde ik het onmiskenbare gebonk van hamers.

'Wat is er?'

'Ik… ik wist niet waar je heen was!'

'Sorry, schat. Ik wilde je bellen, maar we hebben het stervensdruk. Ollie sms'te me gisteravond dat de jongens van de vloer vaart achter de bestelling hadden gezet en het hout vanmorgen vroeg zouden afleveren. Als we in dit tempo doorwerken, dan…'

De rest hoorde ik niet.

'De politie is hier geweest!' jammerde ik. 'Ze willen je spreken!'

Er viel een lange stilte. Uiteindelijk zei Simon: 'Wacht even, ik loop naar buiten.' Om hem heen hoorde ik het lawaai van werklieden die vol enthousiasme bezig waren. Toen hij weer iets zei, klonk zijn stem gedempt, alsof hij zijn hand over zijn mond hield.

'Hoe bedoel je, dat de politie me wil spreken?'

'Vanmorgen was hier een agent. Ze hebben je creditcards gevonden.'

Ik drukte de hoorn hard tegen mijn oor, alsof ik hem wilde dwingen om met een voor de hand liggende verklaring te komen, een wonderlijke waarheid die hem zou vrijspreken. Maar toen de stilte aanhield, verdween mijn breekbare hoop als sneeuw voor de zon.

'Mijn creditcards?' echode hij uiteindelijk. Hij klonk angstig.

'Ja. Die hebben ze gevonden in het huis van je vriendin.'

Weer een lange stilte. Mijn hart nam een duikvlucht toen hij niet ontkende dat Rosa Montague zijn vriendin was. Toen zei hij: 'En waarom willen ze mij spreken?'

'Wat denk je zelf?'

'Ik heb absoluut geen idee.'

'Ze zeiden dat ze vermist wordt.'

Hij zweeg. Misschien dacht hij koortsachtig na over wat hij moest zeggen.

'Komen ze terug?' vroeg hij ten slotte.

'Dat weet ik niet. Ik heb een nummer gekregen dat je kunt bellen.'

Kon ik zijn gezicht maar zien, dan zou ik de waarheid weten.

'Je gaat nog steeds met haar om, hè?'

'Nietwaar!'

'Hoe kunnen jouw creditcards dan in haar huis liggen?'

'Ik moest naar haar toe om de koopakte terug te krijgen. Die had ik daar achtergelaten. Ze speelt een spelletje met me.'

'Maar dat is al eeuwen geleden!'

'Weet ik, maar ik moest wat dingen met haar afhandelen. Ik zweer je dat het niet is wat het lijkt, Mel.'

'O nee?'

Ik kneep mijn ogen dicht en knipperde meer tranen weg. Had hij enig idee hoe ik me voelde?

'Mel?'

'Ja?' In de keuken was Jo ineens begonnen te huilen.

'Je gelooft me toch wel?'

Ik keek door de gang, instinctief afgeleid door het gejammer dat steeds luider werd. 'Wat zei je?'

'Je gelooft me toch?'

Hij wilde nog meer zeggen, maar vanwege het luide gehuil op de achtergrond verstond ik het nauwelijks. Nu ik in elkaar gedoken op de bank zit terwijl mijn leven aan diggelen valt, besef ik dat ik het deels niet wilde horen. Het was duidelijk dat hij loog, maar toch was ik te bang om de waarheid te horen.

'Ik moet ophangen,' mompelde ik. 'We praten later wel.'

Ik hing op en haastte me naar Jo.

Later die middag had ik een afspraak met Trish, maar ik zei tegen haar dat ik me grieperig voelde. Een kwartier later stond ze op de stoep met haar handen in haar zij als een bazige moeder.

'Kom, geef mij die baby! Je gaat een paar uur naar bed voor Poppy thuiskomt.'

'Meen je dat?'

'Natuurlijk meen ik dat! Anders zou ik het toch niet aanbieden? Hoe dan ook, ik moet oefenen.'

'Je bent een engel...'

Zodra ze weg waren, begon ik de stapel papieren op de keukentafel te doorzoeken. Ik had ruim drie vrije uren om het huis te doorzoeken en nam boodschappenbonnen, aannemersoffertes en brieven van de bank door, niet zeker waar ik naar zocht. Boven doorzocht ik Simons kleren; telkens wanneer ik in de pluizige naden van zijn zakken tastte was ik bang dat ik een zwarte string of een verpakt condoom zou aantreffen.

Ik vond niets. Als hij me had bedrogen, zou ik toch zeker een spoor van zijn ontrouw vinden? Of was hij zo gewiekst? In zijn atelier zag ik een stapel papier in een hoek. Bovenop lag een catalogus voor schuiframen, daaronder een ontwerp voor de tuin die we hadden gehoopt aan te leggen. Mismoedig keek ik naar de vergeelde tekening, terugdenkend aan de warme avond in september toen Simon de schets had gemaakt. Hij was een beetje stoned geweest van de joint die hij had gerookt en we slenterden hand in hand rond over ons kleine stuk land, aanwijzend waar we een boomhut wilden en waar de groenten konden staan. Zou de tuin er ooit komen? Toen ik naar het vergeelde papier keek, leek het me onwaarschijnlijk.

Onder het ontwerp lag een kaart van Nat die ik met een vluchtige blik opzij had gelegd. Het was een collage van goudvissen die de kunstenares boven op een ouderwetse fiets had geplakt zodat de vinnen komisch over de stuurhendels flapten. Het opschrift luidde: EEN VROUW HEEFT NET ZO VEEL AAN EEN MAN ALS EEN VIS AAN EEN FIETS. Aan de binnenkant had Nat geschreven: *Hoe gaat het met de eeuwige liefde? Ik denk aan je. Hoop dat alles oké is!!!* Ze had 'oké' drie keer onderstreept, met elke pennenstreek de diepte van haar twijfel aangevend. Ik liet een holle lach horen en legde de kaart terzijde. Nat was nooit erg subtiel geweest. Uiteindelijk vond ik onder nog meer catalogi voor tuinmeubilair en een kaart met verfstalen een afschrift van Simons bank. Met bonkend hart trok ik hem uit de envelop.

Om te beginnen stond er al het gebruikelijke: Unwins voor een doos wijn 'als opwarmertje voor de winter', supermarktrekeningen; een juwelier in Londen waar, zo nam ik aan, mijn armband was gekocht. Toen, vanaf 15 december, herkende ik plotseling de crediteuren niet meer. Er was een afschrijving voor benzine van een garage in Hayward's Heath, na een lang interval gevolgd door een afschrijving van £ 80,– voor een kapper, Molton Brown's, in South Molton Street, gevolgd door £ 325,– voor een boutique in Bond Street op 29 december. Daarna volgde een lijst cashopnames, tot het afschrift eind januari plotseling eindigde. Ik staarde naar de cijfers die wazig werden voor mijn ogen en probeerde me te herinneren wanneer ik mijn tas in de supermarkt was verloren. In de eerste week van januari, dat wist ik zeker. Dat betekende dat toen ik worstelde om mijn boodschappen te betalen, iemand anders – Rosa Montague waarschijnlijk – het grootste deel van Simons geld al in de uitverkoop had uitgegeven. Was dat zijn kerstcadeau aan haar, als goedmakertje voor zijn afwezigheid? De gedachte dat mijn rivale Simons geld aan haar uiterlijk spendeerde, terwijl ik voor de spiegel zelf mijn haar had staan knippen en het afgelopen halfjaar in spijkerbroek en tweedehandstruien liep, maakte me zo woedend dat ik het afschrift tot een kleine prop kneep, die ik door de kamer smeet. Later zou ik hem oppakken, de kreukels gladstrijken en hem in mijn achterzak steken.

Die avond was Poppy ongewoon rustig. Toen ik de restanten van het avondeten opruimde, zat ze zuigend op haar duim met haar kleurpotloden te tekenen. Terwijl ik de afwas deed voelde ik dat ze naar me keek. Elke keer als ik een blik in haar richting wierp, waren haar grote blauwe ogen nadenkend op me gericht, alsof ze iets duidelijk probeerde te krijgen.

'Wat is er, mama?'

Ik keek op. Ik had mijn uiterste best gedaan om mijn emoties te verbergen. Voor ik haar bij Lily had opgehaald had ik mijn gezicht gewassen, mijn haar gefatsoeneerd en zelfs lippenstift op mijn gesprongen lippen gedaan. Toen ik bij het huis van haar vriendin op de bel drukte had ik een beleefd neutraal gezicht opgezet. Het was me zelfs gelukt om opgewekt te reageren op Sally's gebabbel over het schoolreisje naar Hever Castle de volgende week. Ja, ik had plaatsen vrij in de auto, verzekerde ik haar met een joviale lach. Ik kon niet wachten.

'Er is niets!' antwoordde ik vrolijk. 'Hoezo?'

'Je ziet er helemaal huilerig uit.'

Ik keek alsof ik perplex was. 'Nou, dat is niet zo. Het gaat heel goed met me.'

'Waarom zijn je ogen dan zo rood?'

'Gewoon, omdat ik moe ben.'

Ik liep naar haar toe, sloeg mijn armen om haar schouders en drukte een kus op haar geurige haar.

'Wat ben je aan het tekenen?'

'Een tekening van dat spook dat ik bij de trap zag.'

Ik keek naar het vel papier en voelde me eerst koud en toen heel warm worden. Terwijl ik afwaste, had Poppy een tekening van het pakhuis gemaakt. Ze had het heel hoog en smal gemaakt, met veel vierkante raampjes aan de voorkant. Aan de ene kant liep de rivier in een blauwe bocht, aan de andere kant stonden slordig neergekwakte roze bomen en bloemen. Voor het huis stonden drie staakmensjes hand in hand in aflopende lengte. Dat groepje trok echter niet mijn aandacht, maar wat ze bovenin had getekend. In het puntdak had ze de ramen van de dakkapel als een grote rechthoek getekend. In het midden staarde een paars gezicht naar buiten: een groot hoofd met ronde ogen, een neus en een grote O als mond.

'Wie is dat?'

'Dat is het spook.'

Ik wist niet wat ik moest zeggen. Ik schraapte mijn keel en deed mijn best mijn kalmte te bewaren.

'Wie zijn die mensen voor het huis?' vroeg ik ten slotte.

'Dat zijn jij en ik en Jo.'

'En Simon?'

Ze gleed van haar stoel, pakte mijn hand en trok me mee.

'Die woont hier niet meer.'

25

Toen Simon terugkwam, sliepen de kinderen al en was ik de garderobe beneden aan het schilderen. Die activiteit was verrassend therapeutisch. Met elke veeg van de roller bedekte ik een lelijk stuk geschuurde muur met levendig kanariegeel dat elke vorm van melancholie uitbande. Kon ik de gebeurtenissen van de afgelopen vierentwintig uur maar net zo makkelijk uitwissen. Ik bracht een klodder verf op het plafond aan, waardoor de verf op mijn haar spatte. Nu de waarheid langzaam uitlekte, dreigde die alles te vernietigen: vloeren die scheef trokken en pleisterwerk dat afbrokkelde. Uiteindelijk zou het hele gebouw in het moeras wegzakken, instortend onder het gewicht van Simons leugens.

Toen ik klaar was met het plafond ging ik verder met de aangrenzende muur. Mijn stemming werd steeds fatalistischer. Als Simon thuiskwam, zou ik hem aanhoren. Dan zou ik hoe dan ook weten of hij me had bedrogen. Toen ik de bus de oprijlaan op hoorde rijden, legde ik de roller terug in het bakje, veegde mijn handen af en trok mijn overall uit. Vervolgens liep ik naar de woonkamer en ging bij de donkere vensters op hem staan wachten.

De deur zwaaide open. Het was winderig geworden en de houten deurknop sloeg hard tegen de muur van de hal. Simon liet zijn tas naast Jo's buggy vallen en beende naar binnen. In tegenstelling tot de vorige avond, toen hij zich nauwelijks bewust leek te zijn van mijn aanwezigheid, waren zijn ogen strak op mijn gezicht gericht. Hij sloeg zijn armen om me heen en trok me hard tegen zich aan. Ik bleef roerloos in zijn omhelzing staan met mijn handen langs mijn zij. Er was zo veel veranderd sinds de vorige avond, nu kon ik het bijna niet verdragen dat hij me aanraakte. Ten slotte gaf hij het op, liet me los, stapte achteruit en keek me met een intense blik aan. Het kwam ingestudeerd op me over. Ik wendde mijn blik af en keek naar de vloer.

'Ik weet wat je denkt,' zei hij uiteindelijk. Hij zag er uitgeput uit, met een uitgezakt gezicht en diepe groeven in zijn voorhoofd. Als ik hem op straat voorbij was gelopen, zou ik hem in de vijftig hebben geschat.

'O ja?'

'De politie heeft je die foto laten zien... daar hebben ze me vanmiddag over gebeld. Blijkbaar heb jij gezegd dat je die mensen herkende.'

Ik knikte, nog steeds zonder hem aan te kijken. 'Waarom zou ik liegen?'

'Luister nou, Mel,' vervolgde hij smekend terwijl hij mijn arm beetpakte. 'Ik kan me voorstellen waar dit op lijkt, maar je moet geloven wat ik altijd heb gezegd. Het is uit tussen mij en Rosa.'

Kwaad trok ik mijn pols los uit zijn greep. 'O, werkelijk? Waarom ga je dan steeds naar haar toe?'

Woedend keek ik hem aan. Zijn gezicht stond zo grimmig dat al mijn bange vermoedens bevestigd leken, en ik werd overspoeld door hete paniek. Trish had gelijk gehad: hij was vreemdgegaan, en nu hij geconfronteerd werd met bewijs van zijn ontrouw deed hij niet eens moeite om het te ontkennen. De manier waarop hij me aankeek, met omlaag hangende mondhoeken en vochtige ogen, maakte dat mijn knieën knikten. Het was alsof de wind na weken stilte plotseling was opgestoken en ons nu woest naar het eind van onze reis blies.

'Wat deed je bij haar thuis?' fluisterde ik.

Keek hij me maar aan. Hij probeerde te glimlachen, maar zijn ogen flitsten door de kamer en richtten zich uiteindelijk op de tafel. Hij deed een stap opzij en liet zijn vingers bestudeerd nonchalant over het geboende oppervlak glijden.

'Zoals ik zei: om iets zakelijks af te handelen. Ik had gehoopt haar niet meer te hoeven zien, maar ze heeft Ollie ons nummer ontfutseld. Daarna bleef ze me lastigvallen met een aantal dingen, daarom moest ik erheen. Echt, Mel, maak je toch niet zo druk en vertrouw me...'

'Het klinkt allemaal nogal vreemd, vind ik.'

'Dat komt omdat zíj vreemd is. Eerlijk gezegd ben ik doodziek van haar spelletjes.'

'Waarom heb je me niet verteld dat je naar haar toe ging?'

'Omdat ik je er niet mee wilde belasten...'

Dat was een slap excuus. Ik sloeg mijn armen over elkaar en zuchtte geërgerd.

'Waarom niet, verdomme?'

'Omdat het zo ingewikkeld was...'

'Allemachtig, hou eens op met me af te schepen! Hoezo te ingewikkeld?'

Hij schudde zijn hoofd en werd bleek van woede. Ik zag weer het schilderij voor me van de vrouw met de baby. De dreiging en agressie die ervan uitgingen maakten me letterlijk misselijk.

'Het maakt niet úít, verdomme!'

Op zijn jukbeenderen waren rode vlekken verschenen. Ik zweeg, geschokt door zijn uitbarsting. 'Luister,' zei hij wat vriendelijker. 'Als ik had kunnen vertrekken en Rosa nooit meer had gezien, zou ik dolblij zijn geweest. Maar het was allemaal een vreselijke puinhoop. Het enige wat echt belangrijk is is dat ik van jóú hou. Echt waar, Mel...'

Hij loog. Ik trok het bankafschrift uit de zak van mijn spijkerbroek en stak het hem toe.

'Als je haar zo graag kwijt wilde, waarom liet je haar dan je creditcards gebruiken?'

Langzaam vouwde hij het afschrift open. Even deed hij alsof hij de lijst opnames bekeek, maar de snelheid waarmee hij dat deed gaf aan dat hij al wist wat er stond. Ik keek ongeduldig toe en voelde het bloed naar mijn wangen stijgen van woede.

'Ik weet niet waar je het over hebt,' mompelde hij.

Toen was de maat vol. Met een woedend gebrul stortte ik me op hem en beukte met mijn vuisten op zijn borst en schopte met mijn in pantoffels gehulde voeten ondoeltreffend tegen zijn schenen.

'Je liegt, klootzak! Je had me beloofd dat je dat nooit maar dan ook nooit zou doen!'

Hij was veel sterker dan ik. Hij pakte mijn armen beet en klemde ze achter mijn rug, waardoor ik wankelde en achterover op de stoffige vloer zakte. Plotseling was hij boven op me, spreidde mijn benen met zijn knie en drukte zijn mond hard op de mijne. Toen mijn hoofd tegen het hout sloeg, waren zijn vingers in mijn haar en bedolven zijn lippen mijn gezicht onder de kussen.

'Waarom wil je me niet geloven?' fluisterde hij. 'Alsjeblieft…'

Ik sloot mijn ogen en zoende hem terug. Heel even, terwijl mijn lichaam onder hem begon te smelten, viel alles weg. Dít was waar het om ging, de stuwende kracht, niets anders deed ertoe. Toen wurmde ik mijn verdraaide arm los en bracht mijn vingers naar zijn gezicht. Boven me was zijn lichaam, verstijfd, vervuld van een woede die ik niet begreep. Hij pakte mijn hand en begon hem te kneden, kneep mijn vingers bijna fijn in de zijne.

'Ik hou van je!' gromde hij. 'Je moet me vertrouwen, Mel, alsjeblieft…'

Mijn vingers zweefden boven zijn gebogen hoofd. Met één kleine beweging kon ik misschien alles veranderen. Ik kon zijn haar strelen, hem toefluisteren dat ik hem vergaf, of zijn gezicht naar me toe trekken om hem met mijn kussen van alle blaam te zuiveren. Maar terwijl ik op de stoffige vloer lag en luisterde naar het gekraak van de oude balken en het ritmische geklik van de bootmasten in de werf, was dat niet langer mogelijk. Hij begon aan mijn kleren te morrelen, trok ze omlaag en spreidde zijn handen over mijn huid alsof er niets was gebeurd. Hoe vaak had hij me zo niet aangeraakt? Hij stak zijn vingers in mijn broek terwijl zijn mond over mijn hals gleed. Een paar weken geleden nog zou dat me tot leven hebben gewekt en alles hebben bevestigd wat ik wilde geloven. Nu, onder hem liggend, werd ik overmand door afkeer. Het was duidelijk dat hij me bedroog. En blijkbaar werd van mij verwacht dat ik braaf ging liggen en de rol van het goedgelovige vrouwtje speelde.

'Ga van me af, hufter!'

Fel duwde ik hem weg, rolde op mijn zij en hield mijn handen afwerend voor me.

'Schat, doe alsjeblieft niet zo…'

'Ik ben niet in de stemming.' Ik trok mijn trui omlaag en ging zitten. Op de verdieping boven ons hoorde ik zacht gehuil.

'Laten we er dan over praten…'

'Jo huilt,' zei ik terwijl ik opstond. 'Hij moet eten.'

Ik rende naar boven, opgelucht dat ik kon ontsnappen.

Had ik de richting waar we op aankoersten moeten voorzien? Als ik een ander type vrouw was geweest, minder emotioneel afhankelijk misschien, met een fermere grip op de realiteit, zou ik mijn spullen dan al gepakt hebben, mijn kinderen achter in de auto hebben vastgegespt en vertrokken zijn? Terwijl ik over die laatste afschuwelijke dagen pieker zoek ik naar aanwijzingen, maar alles is vertroebeld door mijn tegenstrijdige emoties. De avond dat Simon terugkwam uit Londen en me op de grond duwde, wilde ik nog steeds van hem houden. Hij was de vader van mijn kind, de man van wie ik geloofde dat hij mijn leven had veranderd. Was dat echt zo dwaas?

Trish heeft me een geroosterde boterham gebracht. Ze heeft het bord op de leuning van de bank gezet en me een meelevend kneepje in mijn schouder gegeven alvorens op haar tenen terug te lopen naar de keuken. Ik ben haar dankbaar om haar fijngevoeligheid. Ik wil niet met haar praten, met niemand trouwens. Ik wil stil in mijn eentje zitten en me concentreren. Er zit me iets dwars, er gonst iets in mijn achterhoofd dat niet wil verstommen. Er zijn zo veel andere geluiden om me heen dat ik het niet goed kan horen; steeds als ik me probeer te concentreren zie ik Poppy, neergekwakt op de voorbank van de Volvo terwijl Simon het noodlot tegemoet raast, of de uitdrukking op haar gezicht toen ze de katoenen gordijnen wegtrok en me daar vond, verstopt met Jo. Maar als ik mezelf dwing me te concentreren en me elk detail van de afgelopen paar dagen te herinneren, besef ik dat wat ik hoor een bel in de verte is, die rinkelt in een vergeten hoek. Eerst was het geluid zo zwak en was ik zo in paniek dat ik het bijna niet hoorde. Maar met elk uur dat Poppy weg is, wordt het luider: het rinkelen van een alarm op een plek die ik nog steeds niet kan benoemen, ergens waaraan we nog niet hebben gedacht, ergens totaal onverwacht.

26

Dave nam een laatste slok koffie uit zijn plastic beker, drukte het ding vervolgens fijn tussen zijn handen en mikte het in de prullenbak bij de deur. Bingo! Hij had de prullenbak de hele ochtend als schietschijf gebruikt en dit was zijn eerste voltreffer. De vloer was bezaaid met zijn vele verfrommelde missers: memo's aangaande antidiscriminatietraining; een maandelijkse nieuwsbrief van de Londense politie, een onleesbaar document over de bevindingen van een onderzoekscommissie naar aanleiding van nieuwe overheidsrichtlijnen betreffende flexibele werktijden.

Hij had een goed gevoel over Simon Stenning, een heel goed gevoel. Hij was, zoals hij zijn inspecteur de dag tevoren had laten weten, 'een belangrijk aanknopingspunt'. Zijn vingerafdrukken waren overal in Rosa Montagues huis te vinden, en de muur boven haar bed was bedekt met foto's van het smoelwerk van die kerel. Als klapstuk hadden ze zijn creditcards in de keukenla gevonden. Daves vermoeden was dat Rosa Stennings gemainteneerde minnares was, een vrouwtje voor erbij, waar zijn huidige vrouw niets van af wist. Rosa was vrijwel zeker dood, en in gevallen waarin vrouwen plotseling verdwenen, waren ze vaak door hun vriend vermoord. Ze was beslist niet van plan geweest om op reis te gaan. Haar kleren hingen in haar kast en haar paspoort en een stapel persoonlijke documenten lagen nog steeds in het chique bureautje van haar tante. Van meer belang was dat haar bloedspetters om de vensterbank verspreid zaten. Degene die het had schoongemaakt had waarschijnlijk het idee gehad dat het grondig was gebeurd. De persoon in kwestie had zelfs gedeeltelijk over de vlekken heen geverfd. Er waren echter in totaal vijftien plekjes overgeslagen op zowel de vensterbank als het tapijt, nauwelijks zichtbaar met het blote oog. Uit Rosa's medische gegevens is gebleken dat het haar bloed was.

Maar dat was niet het enige waar Dave triomfantelijk over was; ze hadden ook iets in haar tuin gevonden. Dat was een van die godsgeschenken, een ontdekking waardoor je bijna weer op zondag naar de kerk zou gaan, een van de mooiste doorbraken in zijn carrière. Een week eerder had de zaak-Jacqui Jenning hopeloos geleken, maar nu waren ze weer volop in de running. Voldaan keek hij om zich heen in de bedrijvige onderzoekskamer. De foto's van de plaats delict, die in veertien lange maanden ezelsoren hadden gekregen op het bord, deprimeerden hem niet langer; er heersten nieuwe vitaliteit en enthousiasme, een energie waardoor hij rechtop ging zitten, naar zijn collega's glimlachte in plaats van nors keek, en zijn sigaretten iets minder miste. Hij was zelfs naar de sportschool gegaan. Deze zaak zouden ze kraken, en wanneer het zo ver was, vertelde zijn onderbuikgevoel hem met bruisend optimisme, zou het een klapper worden.

'Clive! Ga zitten.'

Hij haalde zijn voeten van het bureau en gebaarde naar de stoel tegenover zich. Clive Jenkins ging op de rand zitten en knikte hem goedgehumeurd toe. Wat was het toch een geluksvogel, dacht Dave vol afgunst toen hij zijn blik over het slanke postuur van zijn collega liet glijden. Een paar jaar geleden hadden ze samen gesquasht en Clive had hem in de pan gehakt.

'Klaar voor ons tochtje?'

'Ik ben er helemaal klaar voor. Wil je echt mee?'

'Ja, het lijkt me boeiend om eens te kijken naar wat we hebben. Ze wonen in een oud pakhuis, hè?'

'Blijkbaar een bouwval.'

'We gaan erheen en we houden het simpel. Kijken hoe hij reageert.'

'Kom mee, dan.'

Clive stond al en keek op zijn horloge.

'Geen woord over Jacqui, oké?'

'Uiteraard!'
In hun jas schietend liepen ze door de drukke kamer.

De ochtend nadat Simon was thuisgekomen, kwam de politie terug. Ik had Poppy naar school gebracht en zag hun auto zodra ik het landweggetje insloeg. Het was een onopvallende blauwe sedan, te glimmend om van een van Simons werkmaten te kunnen zijn, en door de afwezigheid van kinderstoeltjes en PAS OP, KIND ACHTERIN-stickers duidelijk ook niet van een andere moeder. Toen ik Jo's buggy de oprit op zwenkte, zag ik dat Simon opendeed voor twee mannen. De leren jas van de een en het donkerbruine gewatteerde jack van de ander, boven kakibroeken, vertelden me alles wat ik moest weten: het waren rechercheurs die terug waren gekomen om Simon te ondervragen. Ze liepen snel naar binnen en de deur sloeg achter hen dicht.

In de nacht was het gaan stormen. Nu gierde de wind over de werf, de zeilen van de deinende boten flapperden razend. Het water in de rivier vertoonde rimpelingen door plotselinge windvlagen. Voor me doemde het pakhuis op tegen de grauwe stormachtige lucht. Ik rilde en trok mijn jas dichter om me heen. Ik was wakker geworden met een doffe pijn diep in mijn maag. Nu ik me over de werf haastte, werd de pijn scherper; hij boorde zich in mijn ingewanden en maakte me week van angst.

Ik liep het huis binnen via de keukendeur, die ik zacht achter me dichttrok. Ik tilde Jo uit de buggy en sloop door de gang met hem dicht tegen mijn borst gedrukt om zijn gemurmel te dempen. Door de verbindingsdeur hoorde ik de mannen praten.

'En als ik weiger?' zei Simon. 'Jullie kunnen me niet dwingen.'

Door de hoge paniekerige klank in zijn stem kneep mijn keel zich samen. Ik slikte een brok weg en luisterde ingespannen wat het antwoord was. Een van de rechercheurs moest aan de andere kant van de kamer staan, want door het geraas van de wind om het gebouw verstond ik maar nauwelijks wat hij zei. Toen hoorde ik heel duidelijk de stem van, zoals ik nu weet, David Gosforth: 'De keus is aan jou, Simon. We kunnen het hier doen, prettig en ontspannen zonder heibel, of we nemen je mee naar het bureau.' Hij had een sterk accent, waardoor je kon horen dat hij uit de streek kwam, de schraperige zware stem van een man die zich op zijn gemak voelt in zijn machtspositie.

Simon gaf antwoord, maar ik kon het niet verstaan. Nu hoorde ik stommelende voetstappen op de houten vloer en het geluid van meubilair dat verschoven wordt. Ik vatte moed en duwde de deur open.

Verward keek ik om me heen. Simon lag wijdbeens op de bank, die iets achteruit was geschoven, misschien door de kracht waarmee hij erop terecht was gekomen. Naast hem zat de man in het gewatteerde jack. In zijn in plastic handschoen gehulde hand hield hij een wattenstaafje, dat hij in Simons geopende mond duwde. Terwijl hij daarmee bezig was, liep de man in de leren jas opzij naar de salontafel en keek naar de foto van Poppy met in haar armen de pasgeboren Jo, die ik liefdevol had ingelijst en daar neergezet. Toen hij me hoorde binnenkomen draaide Gosforth zich om en glimlachte gemaakt hartelijk.

'Melanie?' Hij strekte zijn enorme hand uit. Heel even liet ik zijn vingers de mijne aanraken, waarna ik mijn hand meteen terugtrok. Hij was een grote uitgezakte man met te kleine gelaatstrekken, samengeperst in het midden van zijn bleke gezicht, alsof ze daar door de druk van opeengehoopt vet beland waren. Aan zijn ruwe ietwat roodgevlekte wangen te zien, had hij zich pas geschoren en de punt van zijn scherpe neus glinsterde van het vocht. Zijn ogen waren roodomrand, alsof hij zwaar verkouden was.

'Hoofdrechercheur David Gosforth, Kent, recherche... en dit is de kleine...?'

'Jo.' Ik drukte zijn warme hoofd nog steviger tegen mijn borst omdat ik niet wilde dat die weerzinwekkende man met zijn drupneus mijn zoon zou besmetten. 'Wat doet u hier?'

'Uw echtgenoot is zo vriendelijk geweest ons toe te staan DNA van hem af te nemen.'

Er was duidelijk niets vriendelijks aan. Rechercheur Gewatteerd Jack was klaar en plaatste het wattenstaafje in een plastic zak. Simon bleef zitten en staarde somber naar de vloer.

'Waarom?'

Gosforth grijnsde breed. Hij speelde een spel, dacht ik, geschokt door de brutale manier waarop hij de kamer in zich opnam. Wat voor aanwijzingen verwachtte hij in de rommel aan te treffen? En waarom bleef Simon daar maar zitten, zonder iets te zeggen?

'Uw echtgenoot is, zoals we dat noemen, "ons behulpzaam bij ons onderzoek",' zei hij, duidelijk genietend van het effect dat hij op me had. 'We hebben het net over Rosa Montague gehad, die jonge vrouw die vermist wordt.'

'Hoezo? Zoals hij u verteld heeft, is hij niet meer met haar samen. Hij is met mij getrouwd.'

Tot mijn verbijstering grinnikte Gosforth vals. 'O, dat geloof ik graag,' zei hij.

Aan de andere kant van de kamer staarde Simon nog steeds naar de vloer.

'We houden contact, Simon,' zei Gosforth. Met een knipoog naar mij liep hij door de kamer naar de voordeur, met zijn lakei in zijn kielzog. Hij droeg mooie nieuwe brogues, zag ik, net zo conventioneel en ongeïnspireerd als zijn gestreken katoenen broek.

'Doe geen moeite, we komen er wel uit!' riep hij over zijn schouder. Toen we de deur hoorden dichtslaan, zakte Simon voorover en liet zijn hoofd in zijn handen vallen. Ik bleef even naar hem staan kijken terwijl ik Jo zacht op en neer wiegde.

'Wil je me misschien vertellen wat er aan de hand is?'

Toen hij opkeek, was zijn gezicht zo levenloos dat het leek alsof hij er een plastic masker over had getrokken. Hij drukte zijn neus tegen zijn gevouwen handen, alsof hij bad. Even leek het alsof hij op het punt stond iets te zeggen. Toen stond hij plotseling op.

'Het spijt me, schat, ik…'

Zijn stem brak, zijn rode ogen werden glazig van het vocht. Als hij zo nog een seconde was blijven staan was ik naar hem toe gegaan en zou ik mijn armen om hem heen hebben geslagen, en dan zou alles misschien veranderd zijn. Maar hij wilde waarschijnlijk niet dat ik hem zag huilen, want hij draaide zich haastig om.

'Ik ga naar boven,' zei hij. 'Ik wil even alleen zijn.'

27

Vijf minuten later had ik Jo in zijn babystoeltje gegespt en was ik naar het eind van het landweggetje gereden, waar de auto uit het zicht van het pakhuis was. Toen ik geparkeerd had toetste ik met trillende vingers het nummer van Alicia Stenning in op mijn mobiele telefoon. De telefoon leek wel een eeuwigheid over te gaan zonder dat er werd opgenomen. Ik stelde me het lege huis voor, met de holle donkere weergalmende hal en versleten tapijten. Nerveus omklemde ik de telefoon en hoopte dat Jo niet zou gaan huilen. Plotseling hoorde ik een klik en Alicia's stem kwam aan de lijn.

'Hallo?' Ze klonk ouder en brozer dan ik me herinnerde. Ik stelde me voor dat ze bij de haltafel stond in haar tweed rijjasje met roos op haar schouders. Ik was zo gespannen dat het me moeite kostte te spreken.

'Alicia?'

'Ja?'

'Met Mel… Simons vrouw.'

Een lange stilte. Een vreselijk ogenblik dacht ik dat we waren vergeten haar over de bruiloft te vertellen. Toen herinnerde ik me het briefje dat ze had gestuurd, in kriebelig schuinschrift op een ouderwetse kaart met bovenaan haar adres erin gedrukt: *Aan Simon en zijn nieuwe vrouw, van Alicia.* Als er een cadeau bij had gehoord, hadden we dat nooit gevonden.

'Ja?' zei ze opnieuw. 'Wat is er?'

'Ik wil graag bij je langskomen… Ik bedoel, als dat uitkomt.'

De lijn kraakte. Ik legde mijn hand op Jo's warme buikje en wiegde hem zachtjes tot zijn gezicht een en al glimlach was.

'Simon zit in de nesten,' zei ik met wat meer nadruk. 'Ik kan het niet over de telefoon uitleggen.'

'Ik weet het niet. Ik…' Haar stem beefde van onzekerheid.

'Toe…'

'Wanneer wil je komen?'

'Nu? Als dat kan, tenminste.'

'Goed dan,' zei ze ten slotte. 'Maar sleep me in hemelsnaam niet mee in Simons zoveelste penarie.'

Een uur later stopte ik voor haar huis. Ze had waarschijnlijk naar mijn auto uitgekeken, want toen ik hem op de handrem zette, ging de afgesleten voordeur open en liep ze over de grindoprit, waar ze zwijgend bleef staan kijken toen ik Jo uit zijn stoeltje pakte. Deze ochtend was ze gekleed in een lange broek met een zwarte coltrui, waarin haar figuur verrassend jeugdig uitkwam. Haar lange witte haar hing los en zwiepte door de wind fel om haar gezicht. Met haar rechte neus en hoge jukbeenderen was ze een onconventionele schoonheid. Terwijl ik naar haar keek, waren haar ogen echter niet op mij, maar met een bijna hunkerende blik op Jo gericht. Dit was de eerste keer dat ze haar kleinzoon zag, besefte ik vol wroeging. Wat voor conflicten er ook tussen haar en Simon geweest waren, dat was onvergeeflijk. Samen liepen we over de oprit, zwoegend tegen de wind.

'Dit is Jo,' zei ik terwijl ik hem omhooghield. 'Het spijt me dat het zo lang geduurd heeft voor je hem te zien kreeg.'

Ze keek naar hem en haar gezicht verzachtte, maar meteen daarop fronste ze.

'Hemel, kind, kom mee uit die kou,' commandeerde ze. 'Dat arme jochie krijgt nog longontsteking als je zo met hem zwaait.'

We liepen de kille hal in, waar ze Jo uit mijn armen plukte en hem omhooghield en bestudeerde alsof hij een raspup was.

'Sprekend zijn vader,' zei ze, malend met haar kaken zoals ik me herinnerde uit de lente. 'Waar blijft de tijd…'

'Hij kan nogal eens lastig zijn,' mompelde ik.

'Nou, dat is dan nog een overeenkomst!'

We liepen door de hal naar de zitkamer, waar ze Jo met zijn kleine lijfje vaardig tussen twee grote fluwelen kussens plantte, naast hem ging zitten en zijn kleine vingers in haar hand nam. Van die afstand keek hij naar mij en zijn onderlip begon te trillen.

'Hij is nogal eenkennig momenteel…' zei ik.

'O, onzin! Daar doen we niet aan, wel, jongeman? Toch niet met je oma naast je? Kijk eens, je mag met deze sleutels spelen.'

Ze pakte de autosleutels die ik op de kaarttafel naast de bank had neergelegd en legde ze op zijn schoot. Ik hield mijn adem in. Even keek Jo ernaar zonder iets te doen. Toen graaiden zijn onhandige vingertjes omlaag en bracht hij ze tevreden naar zijn kwijlende mond. Ik slaakte een zucht van opluchting.

'En, waarom ben je gekomen?' zei Alicia tegen mij. 'Ik neem aan dat dit niet alleen een gezelligheidsbezoekje is.'

Het verwijt dat in haar stem doorklonk maakte dat ik bloosde. 'Nee, het spijt me dat ik zo onverwacht langskom. Ik wilde echt al eerder komen, maar na de bevalling en zo...' Ze keek me achterdochtig aan. 'En Simon is veel weg, zie je, om te werken aan een verbouwing...'

'Dus hij probeert niet meer de grote kunstenaar uit te hangen?'

'We hebben het geld nodig.'

Ze trok haar wenkbrauwen op en keek met iets van woede naar het lege haardrooster. De verbitterde blik in haar ogen schokte me. Wat was er gebeurd dat moeder en zoon zo van elkaar vervreemd waren geraakt? Ik staarde naar mijn rode knokkels en wenste dat we vrienden zouden kunnen zijn.

'Het gaat hierom,' zei ik zacht. 'Ik bedoel, de reden dat ik hier ben...' Mijn hart begon te bonzen. Het was alsof ik zou stikken in mijn woorden. 'Ik wilde informatie over Rosa,' flapte ik eruit.

Tot mijn verbazing vertrok haar gezicht, alsof de naam haar pijn deed. Even leek ze besloten te hebben niet te antwoorden. Ze bleef stijf bij de haard zitten met haar geaderde handen stevig op haar knieën geplant terwijl haar ogen een vage blik kregen. Toen verscheen er een nare glimlach op haar gezicht. Ze sloeg haar ogen op en keek me dreigend aan.

'Wat wil je weten?'

Ik moest maar eens spijkers met koppen slaan. Ik vermande me en keek dapper in haar waterig blauwe ogen. 'De documenten die ze uit je huis heeft meegenomen, die dag dat we hier waren... Waar hadden die betrekking op?'

'Het was de eigendomsakte van haar appartement.'

'Van háár appartement?'

214

'Voor zover ik weet, ja.'

'Waarom had jij die dan?'

'Ik bewaarde die voor haar,' zei ze met een frons. 'Ze was bang dat Simon de akte zou meenemen, arm kind.'

Ik slikte. Mijn wangen gloeiden. 'Dus het appartement was niet van hem?'

Er viel een langdurige onaangename stilte. 'Ik kan niet alles tot in detail uitleggen,' zei ze ten slotte. 'Ze hadden vaak ruzie, helaas, en dan kwam Rosa bij mij om raad vragen. Ze vertelde me dat het appartement van haar was, dus kun je aannemen dat dat ook zo was. Aangezien Simon mij nooit iets vertelt, heb ik natuurlijk alleen haar kant van het verhaal gehoord.'

Ik probeerde een uitdrukking van onverschillige belangstelling op mijn gezicht te krijgen, maar het werd een scheve grijns. Het was alsof ik langzaam verschrompelde. 'Juist.'

'Haar familie was heel welgesteld. Volgens haar was dat altijd haar grote aantrekkingskracht voor Simon.' Ze zweeg en keek me perplex aan. Wat zag ze? Een goedkope troela, niet te vergelijken met haar dierbare Rosa?

'Ik kan me dat niet van hem voorstellen,' mompelde ik.

Ze negeerde mijn opmerking. 'Ik was heel blij toen hij haar aan me voorstelde, zie je. Ze was zo aardig. Ze had de gave om je het gevoel te geven dat je belangrijk was. Ze stuurde me kleine cadeautjes, dingen die ze in winkels had gezien waarvan ze dacht dat ik ze leuk zou vinden. Niemand heeft ooit eerder zoiets voor me gedaan, dus ik was natuurlijk heel ingenomen met haar. Maar net toen ik er allemaal aan gewend raakte, begon Simon zich te misdragen en haar slecht te behandelen en plotseling belde ze me met de mededeling dat het uit was tussen hen.' Ze schudde haar hoofd. 'Soms ben ik echt de wanhoop nabij.'

'Wat was er dan gebeurd?' Mijn stem klonk zo zwak dat ik even dacht dat ze me niet had verstaan. Ze keek in mijn richting en liet haar blik minachtend over me heen glijden, alsof ze zich net van mijn aanwezigheid bewust was geworden. Vergeleken bij Rosa's schitterende verenpracht was ik zo gewoon en grauw als een mus uit de voorsteden. Ze begon te grinniken en haar mondhoeken gingen omlaag in een soort meesmuilende grijns.

'Nou, ze is natuurlijk bij hem weggegaan. Waarom zou zo'n bijzondere jonge vrouw zich zo laten behandelen?'

Ik keek haar als gebiologeerd aan. Ik geloof dat ik knikte, of zelfs beleefd probeerde te glimlachen, alsof we het over tuinieren of cake bakken hadden, maar mijn hersens draaiden op volle toeren. *Rosa was bij Simon weggegaan!* Al die tijd had ik in de veronderstelling verkeerd dat hij een eind aan de relatie had gemaakt, niet andersom. Maar nu Alicia zich naar me toe boog en haar magere vingers om mijn knie klemden, besefte ik dat dit alles veranderde.

'Hoe behandelde hij haar dan?'

'Hij sloeg haar, helaas. Hij was blijkbaar heel jaloers. Ze hadden voortdurend ruzie. Die arme Rosa kwam altijd hier als het te erg werd. Ze had iemand nodig die het voor haar opnam.' Ze zweeg en keek me nadenkend aan. 'Je moet oppassen met hem. Hij kan heel grillig zijn.'

'Ik... weet niet...'

Ze grinnikte en haar klauwachtige handen klemden zich vaster om mijn knieën. Probeerde ze aardig voor me te zijn? Ik knipperde met mijn ogen en bedacht hoe kwaad Simon altijd werd om mijn vragen, hoe zijn stemming ineens kon omslaan, als opkomende bewolking.

'Wat voor problemen heeft hij trouwens?' vroeg ze ineens, terwijl ze haar hand van mijn knie wegtrok. 'Is zijn geld weer op?'

'Het is niet belangrijk,' zei ik, opstaand. Ik had overwogen haar te vertellen over Rosa's verdwijning, maar nu vond ik dat onmogelijk. Nu ik zo dicht bij de waarheid was gekomen moest ik me terugtrekken voor ik me eraan schroeide. Ik plukte Jo uit zijn nest van kussens en drukte mijn gezicht even tegen zijn buik, waarbij ik de zurige geur van zijn bekwijlde truitje opsnoof. Ik moest weg uit dat huis voor Alicia me zag huilen.

'Alicia, het spijt me, maar ik moet gaan. Ik zie net hoe laat het is.'

Ik zwaaide Jo op mijn heup en deed alsof ik mijn jas zocht.

'Maar je bent er net!'

Alicia was ook opgestaan. Ze legde haar hand op mijn arm en hield me tegen vlak bij de stoel waarin ik de luiertas had geslingerd.

'Wat is er aan de hand?'

'Dat weet ik niet...'

'Wat weet je niet? Waarom mag ik je niet helpen?'

Ik greep Jo's mollige beentjes stevig vast en wilde langs haar lopen, maar ze bleef voor me staan en keek me met een bezorgd gezicht aan. Wat zou er gebeuren als ik haar de waarheid vertelde? Even overwoog ik haar alles te vertellen: Rosa's mysterieuze verdwijning, dat de politie een paar keer was geweest, dat Simon zijn creditcards had 'verloren'. Zou ik ook mijn knagende angst dat mijn korte huwelijk gedoemd was te mislukken met haar delen?

'Nou?'

Afwachtend sloeg ze haar armen over elkaar. Ik liep naar het grote erkerraam en keek naar de zwiepende bomen. Een tak van een verwilderde plataan tikte ongeduldig tegen het glas, alsof hij probeerde binnen te komen.

'We zitten gewoon wat krap,' zei ik geforceerd opgewekt. 'En ik wilde weten wat voor documenten Rosa had meegenomen. Ik geloof dat we nogal een ingewikkelde hypotheekconstructie hebben, en dat proberen we recht te trekken, verder niets.'

'Wat was er ingewikkeld aan? Zoals ik al zei: het appartement was van Rosa.'

Het kostte me de grootste moeite om een stijf glimlachje te produceren. 'O, ik weet het niet. Misschien hebben Simon en ik elkaar niet goed begrepen. Hij is steeds in Londen, daarom regel ik de administratie.'

Ik pakte mijn tas en zette koers naar de deur met mijn armen stijf om mijn middel. Het was zo duidelijk een leugen dat Alicia niet de moeite nam om te antwoorden.

'Het spijt me, ik moet echt weg,' ratelde ik. 'Ik moet Poppy vroeg van school halen. Er zijn overal wegwerkzaamheden dus ik kan maar beter vertrekken voor de files...'

Ze volgde me zwijgend naar de hal en ik trok de voordeur open. Buiten hoorden we het ritselen van dorre bladeren in de wind. Terwijl de storm me tegemoet blies, dwarrelden de dode bladeren om mijn voeten. Alicia greep me bij de arm.

'Je kunt zo vertrekken,' zei ze. 'Maar eerst wil ik je iets laten zien.'

Met haar vingers om mijn elleboog geklemd voerde ze me mee via de zijkant van het huis langs oude garages en verwaarloosde

217

kruidenperkjes naar de achterkant. De tuin was enorm, veel groter dan je vanuit de ramen in de voorkamer kon zien. Ons schrap zettend tegen de rukwinden stonden we op een bemost gazon met zicht op de sierlijke buxushaag, die in een halve cirkel om het gazon liep, de rozentuinen en, aan de voet van de helling, de siervijver. De tuin werd door hoge dennen gescheiden van de geploegde velden erachter. 'Kijk, zie je dat?' Alicia gebaarde naar een stuk bos ten oosten van de grasvelden. Ik volgde haar vinger en richtte mijn blik op een enorme eik die in de harde wind majestueus stond te deinen. In de takken zag ik de restanten van wat ooit een boomhut moest zijn geweest; het vervallen karkas schudde zo hevig heen en weer dat ik niet verbaasd zou zijn geweest als het daar ter plekke was ingestort.

'Die hut heeft Simon met zijn vader gebouwd toen hij elf was,' zei ze. 'Hij heeft hem grotendeels zelf gemaakt. Hij was altijd heel goed met zijn handen.'

'Hij is in elk geval lang blijven zitten…' zei ik zacht. Met Jo tegen mijn borst gedrukt keek ik naar de hut terwijl ik probeerde te bedenken hoe ik zo snel mogelijk kon ontsnappen. Het laatste wat ik op dit moment wilde was een rondleiding in Alicia's tuin.

'Hij bracht er al zijn tijd door,' vervolgde ze zonder aandacht aan mijn onrust te schenken. 'In de zomer legde hij er een kampeerbed neer en sliep hij daar. Dan zag ik hem nauwelijks. Hij wilde nooit met andere jongens spelen. Hij wilde alleen dingen in elkaar zetten en tekenen. Zijn vader was ook kunstenaar, zie je…'

'Dat wist ik niet.'

Ze lachte verbitterd. 'Ach, hij zal het je wel niet verteld hebben, hè? Hij wil het eigenlijk nooit over die arme Leo hebben.'

Ik wist niet wat ik moest zeggen. Zoals met zo veel facetten van zijn leven, leidde elke voorzichtige vraag in de richting van Simons familie tot eenlettergrepig gemompel waarbij zijn gezicht zo gesloten werd als een veiligheidsluik. Ik keek naar de boom en probeerde me hem voor te stellen als elfjarige. Hij zou halflang haar gehad hebben zoals veel kinderen in de jaren zeventig, en zijn jongenshanden zaten waarschijnlijk continu onder de verf of inkt. Net als nu zou hij een dromer zijn geweest, uitvindingen en apparaten bedenkend boven in zijn boom. Als hij me toen had gekend, ik een jaar of vijf, zes, zou hij me vriendelijk op de ladder naar zijn geheime huis hebben geholpen, wijzend naar eekhoorns en vogels met al hun verschillende namen.

'Niet dat hij er ooit aan verdiende, natuurlijk,' zei Alicia. 'En hij dronk. Als we mijn familie niet hadden gehad, zouden we op straat zijn beland.'

'Dat was vast een moeilijke tijd.'

Ze keek me met een opgetrokken wenkbrauw aan. Het was een tamme reactie, maar haar onverwachte ontboezemingen zetten me op het verkeerde been, want ik had geen referentiekader, niemand met wie ik haar kon verglijken. Met hun kleinburgerlijke mentaliteit, hun 'wat gij niet wilt dat u geschiedt'-motto, waarbij je onaangenaamheden verdroeg met afkeurend op elkaar geklemde lippen en elke conversatie zo neutraal mogelijk hield, waren mijn adoptieouders net zomin te vergelijken met Alicia als een supermarktwijntje met een stoffige oude en mogelijk zure kwaliteitswijn.

'Uiteindelijk heeft die stommeling zich verhangen,' vervolgde ze met een stalen gezicht.

Geschokt keek ik haar aan, maar ze vertrok geen spier. *Simons vader had zelfmoord gepleegd!* 'In het bos daarginds,' zei ze op neutrale toon. 'Simon heeft hem gevonden.'

Ik hapte naar adem en sloeg mijn hand voor mijn mond van schrik. 'O, mijn god!'

Alicia reageerde niet, maar huiverde licht en trok haar jasje wat dichter om zich heen. Ik tuurde door de dicht opeenstaande bomen en stelde me het gezwollen zwaaiende lichaam voor. De gedachte aan wat Simon moest hebben doorstaan en hoe weinig hij over zichzelf had prijsgegeven, bezorgde me een brok in de keel.

'Hoe oud was hij toen?'

'Een jaar of twaalf, dertien.'

Haar tong werkte zich langs haar tanden. Ze fronste diep, alsof ze wilde voorkomen dat er emoties naar buiten glipten. 'Hij heeft het me nooit vergeven. Hij zei dat het mijn schuld was.'

'Wat verschrikkelijk!'

Onwillekeurig had ik haar arm beetgepakt. Ze keek naar mijn hand en raakte even mijn vingers met de hare aan. 'Ja, eigenlijk wel,' zei ze zacht. 'Ik moet zeggen dat we slecht zijn omgegaan met de hele situatie. Tegenwoordig zijn er allemaal therapieën en professionele hulpverlening; dat vindt iedereen vanzelfsprekend. Maar toen moest je gewoon verder met je leven. Dus Simon werd vlak na de begrafenis gewoon naar school gestuurd en verder werd er niet veel meer over gesproken. Pas toen hij ouder werd, kwamen de problemen.'

Ik knikte, nog steeds met mijn hand op haar arm. 'Ik weet zeker dat het niet jouw schuld was…'

Heel even was er een breekbaar intiem moment tussen ons geweest. Bij die onhandige opmerking van mij stapte ze echter achteruit en graaide ze naar de haarstrengen die om haar gezicht bliezen. 'Natuurlijk is het wel mijn schuld, verdomme.'

Ze draaide zich om en beende terug over het gras naar de oprit. Ik verschoof Jo op mijn heup en liep mismoedig achter haar aan. Kennelijk had ik haar kwaad gemaakt. Ze had me willen uitleggen hoe haar zoon in elkaar stak, maar mijn reactie was onnadenkend bot geweest. En ondanks het laagje intimiteit dat een huwelijk en gezamenlijk ouderschap met zich meebrachten, begon ik erachter te komen hoe weinig ik over hem wist. Toen ik haar op de oprit had ingehaald, stond ze naar de zwiepende bomen te kijken, met haar handen achter haar rug gevouwen, als een schildwacht.

'Ik zal maar eens gaan,' zei ik zacht. 'Bedankt voor…'

Ze schudde afwerend haar hoofd. 'Ik ben een slechte moeder geweest, Melanie,' zei ze. 'Ik zie dat het moederschap jou natuurlijk afgaat, maar ik heb eigenlijk nooit enig idee gehad wat ik met kinderen aan moest. Toen Simon een tiener was, heb ik hem min of meer aan zijn lot overgelaten. Ik was gewoon niet in staat om hem te tonen dat ik van hem hield. Kon ik alles nog maar opnieuw doen.'

Er was een dieprode blos op haar wangen verschenen. Kwaad schudde ze haar hoofd. 'Je bent een goed mens, dat zie ik. Probeer zo veel mogelijk van hem te houden.'

Ik knikte langzaam. 'Ik doe mijn best.' Mijn stem was gevaarlijk onvast. Ik had verholen vijandigheid van haar verwacht, of de kille beleefdheid van de Engelse upperclass, niet deze overweldigende intieme ontboezemingen. Ik stond met mijn mond vol tanden.

Ze stak haar hand uit en legde hem op Jo's zachte wang. 'Wil je één ding voor me doen?'

'Natuurlijk.'

'Wil je vaker met dit kleintje langskomen?'

'Graag.'

Ik boog me naar haar toe en drukte een kus op haar broze wang. Op een vreemde manier leken we op elkaar, dacht ik, toen ik me losmaakte en naar haar verweerde gezicht keek. Een moment klemden haar vingers zich om de mijne.

'Hij was zo'n lief kind,' fluisterde ze.

Ik gaf haar nog een kus, onbeholpen, maar niet zonder gevoel. Toen liep ik met Jo naar mijn auto.

'Tot ziens!' riep ik boven de wind uit. Alicia keek me op de oprit na, maar reageerde niet. Toen ik het portier opende, sloeg een windvlaag het uit mijn vingers, waardoor het met een klap tegen de auto sloeg. Terwijl ik ermee worstelde stroomden de tranen over mijn wangen door de koude wind. Toen ik Jo in zijn babystoeltje had gegespt en eindelijk de portieren dicht had kunnen trekken, was ze verdwenen.

28

Ik reed snel naar huis, uitwijkend voor afgebroken takken en spetterend door de grijze plassen die op de landwegen waren ontstaan. Wat Alicia me had verteld maakte me duidelijk waarom Simon zo humeurig was en niet over zijn verleden wilde praten. Toch bleef ik daar niet bij stilstaan en keerden mijn gedachten genadeloos weer terug naar Rosa. Misschien raakte ik wel geobsedeerd, want steeds als mijn hoofd even helder was, vulde haar beeld meteen weer de lege ruimte. Ik bleef maar malen over wat Alicia had gezegd. Als ze gelijk had en Rosa het had uitgemaakt met Simon, dan was het hele scenario waarop ik onze relatie had gebouwd zo nep als de edelstenen in Poppy's plastic tiara. De oude twijfels die ik sinds Jo's geboorte op afstand had gehouden, kwamen in alle hevigheid terug. Nu ik vernomen had hoe jaloers Simon was en hoe wanhopig hij Rosa had willen vasthouden, kwam onze eigen relatie zo scherp als gebroken glas in focus. Hij had mij niet verkozen boven Rosa, maar als reactie op een verloren liefde. Zij had hem uit háár appartement gezet, niet andersom; daarom had hij haar portret van de muur getrokken. Misschien was hij alleen maar iets met mij begonnen omdat hij ergens moest wonen. En toen hij in de lente naar me terugkwam en me ten huwelijk vroeg, was dat omdat ze hem opnieuw de deur had gewezen. Hij had haar een kreng genoemd, maar het was duidelijk dat hij nog steeds met haar omging: hij had zijn creditcards in haar huis achtergelaten en had niets gedaan om te voorkomen dat zij ze gebruikte. Ze had zelfs een foto van hem bij haar bed.

Ik schakelde in de hoogste versnelling en scheurde somber over een stuk open weg die door hectaren boomgaarden liep, waar de fruitboomstronken met de wind meewiegden. De auto schoot als een knikker over de weg. Dus Simon was ooit een lieve jongen geweest, maar nu 'kan hij heel grillig zijn'; ik moest 'oppassen'. Dus

Rosa had het met Simon uitgemaakt. Dus ze werd vermist. Dat betekende toch niet dat Simon daar iets mee te maken had? Zijn moeder had gezegd dat hij gewelddadig was, maar hij had mij toch nooit iets gedaan? Toen ik terugdacht aan de manier waarop hij me tegen de grond had gewerkt, sloeg de kou me om het hart. De politie had DNA van hem afgenomen. Wat voor vlekken hadden ze in Rosa's huis gevonden waarmee ze een match zochten?

Ik kon al die gedachten niet langer verdragen. Daarom zette ik de radio aan, zocht naar een lokale zender en probeerde me te concentreren op de rustgevende stem van de presentator. Komend weekend was er een stoomtreintentoonstelling, neuzelde hij. Er was een belprogramma gepland naar aanleiding van de beschikbaarheid van plaatselijke verzorgingshuizen voor bejaarden. Stijf van ongeduld drukte ik op de knop.

De volgende zender draaide rap, veel te lawaaierig en agressief voor mijn zenuwen. Toen ik een andere zender zocht, ving ik het staartje van het lokale nieuws op. We naderden de buitenwijken van de stad; toen ik vlak bij de stoplichten was schakelde ik naar de derde versnelling.

'We krijgen net een politiebericht binnen,' kondigde de nieuwslezeres opgewekt aan, alsof ze het over een komende rommelmarkt had. 'De politie van Kent heeft bevestigd dat er een wapen is gevonden, naar alle waarschijnlijkheid het wapen waarmee Jacqui Jenning is vermoord, in de tuin van een plaatselijke inwoonster, Rosa Montague, die wordt vermist.'

Ik botste bijna tegen de auto voor me. Met een kreet van schrik ramde ik mijn voet op de rem en miste op een haar na de achterlichten. Mijn hart bonsde in mijn keel.

'De politie neemt de verdwijning van de vrouw die sinds Kerstmis niet meer is gezien zeer serieus,' vervolgde de nieuwslezeres. 'Tijdens politieonderzoek in haar huis in de buurt van Canterbury zijn bloedvlekken in het pand gevonden, dat blijkbaar al sinds eind december onbewoond is. Vandaag kwam er een onverwachte wending in het onderzoek toen een beitel die in haar tuin is gevonden het wapen lijkt te zijn waarmee Jacqui Jenning, die zestien maanden geleden dood in haar appartement in Margate werd aangetroffen, is vermoord...'

De lichten sprongen op groen. Ik klemde mijn handen als verlamd om het stuur en staarde voor me uit terwijl de verkeerslichten heen en weer schudden in de rukwinden. De nieuwslezeres ging over op files op de M25, maar ik luisterde al niet meer. *Er was een beitel gevonden.* Het voertuig achter me toeterde, maar mijn auto bleef staan. Het enige wat tot me doordrong waren die woorden die zich in mijn hoofd tot een onontwarbaar kluwen hadden gevormd tot ik er niets meer van begreep. *Het wapen lijkt te zijn waarmee Jacqui Jenning is vermoord.* Op het trottoir ging het dagelijkse leven gewoon door. Een vrouw achter een buggy; een groep lawaaierige jongens die met elkaar stoeiden; chipszakken, frietzakken, de *Sun* van gisteren, alles dwarrelde over de weg, tegen de zijkant van een brievenbus, of tegen de benen van voorbijgangers. Ondanks al zijn blabla over waarheid en vertrouwen had Simon tegen me gelogen. Hij ging nog steeds met Rosa om. En nu was er een beitel in haar tuin gevonden die, naar men aannam, het wapen was waarmee een andere onfortuinlijke vrouw was vermoord.

'Rijd door, stom wijf!'

Met een ruk schoot ik naar voren, klappertandend door de schok. Wat voor verwondingen richtte een beitel aan? Diepe wonden waarbij het zachte vlees uiteen was gereten? Uitgestoken ogen? Doorboorde, doorkliefde schedels, als kastanjes aan een spies? Even werd de weg voor me wazig. Was Simon tot zoiets in staat? Ik vermande me, keek door de voorruit en deed mijn uiterste best die beelden uit mijn hoofd te bannen.

'Rustig nou maar,' fluisterde ik alsof ik een klein kind kalmeerde. 'Laat je niet zo gaan.'

De beitel had niets met Simon te maken. Er was geen hard bewijs tegen hem. Het moest iemand anders zijn, een gevaarlijke gek die Rosa misschien ergens had opgeduikeld. Of een seriemoordenaar die alleenstaande vrouwen stalkte, iets waarover je in de krant las. Verschrikkelijk, maar niets met mij van doen. De beitel kon gewoon niet van mijn man zijn. Dat was onmogelijk.

Ik naderde het begin van de landweg. Terwijl de auto spetterend door de plassen hobbelde, zag ik de bootmasten op het klotsende water deinen. Ik passeerde het huis van Trish, toen de garages en ten slotte de kleine popperige cottage van Bob en Janice. Ik zwaaide overdreven uitbundig naar Janice, die in de deuropening stond, maar ze zwaaide niet terug.

Voor het pakhuis stond Simons bus op de oprit. Ik parkeerde de Fiat, liet me voorzichtig van de bestuurdersstoel in de modder glijden om Jo niet wakker te maken, die achterin tevreden in zijn stoeltje zat te dutten. Met een blik naar boven om er zeker van te zijn dat ik niet vanuit een raam werd gadegeslagen liep ik op mijn tenen naar de achterkant van de bus. De wind gierde over de werf en de masten klikten luid, maar de kakofonie drong nauwelijks tot me door, want alles werd gedempt door het bonzen van mijn hart. Vurig hopend dat ze niet op slot waren, trok ik aan de deuren. Wonder boven wonder zwaaiden ze open, zwiepend aan hun scharnieren. Ik zwaaide mijn been omhoog en klom naar binnen.

Net als met bijna al Simons spullen was het ook hier een bende in de bus. Ik wroette langs stapels stoflakens, een trapladder, bekers met theeaanslag en afgedankte muziektijdschriften. Simon kon elk ogenblik naar buiten komen en dan zou ik moeten uitleggen wat ik in zijn bus deed. Toen ik nog verder achterin doorzocht zag ik plotseling waar ik naar op zoek was. Ik trok de gereedschapskist in het licht en maakte hem open.

Alles was aanwezig: eerst sprong de la met spijkers, bouten en moeren open, die een tweede la met nagels en schroeven bedekte. De volgende la zat vol schroevendraaiers in allerlei maten met een speciaal vakje gevuld met booronderdelen. Ik had Simon ze talloze keren zien gebruiken maar had nooit echt goed naar de schroevendraaiers gekeken. Nu pakte ik de vertrouwde gereedschappen met hun afgesleten gele handgrepen en woog ze in mijn hand. Dit waren onschuldige huiselijke benodigdheden, om doe-het-zelfmeubilair in elkaar te zetten, niet om vrouwen mee te vermoorden. Het idee dat de gereedschapskist gruwelijke geheimen bevatte werd steeds belachelijker. Ik schoof de la terug en concentreerde mijn aandacht op de onderste laag van de kist, waar Simon divers los gereedschap bewaarde. Ik was al bijna vergeten wat ik zocht. De gehavende staat van de verschillende hamers en nijptangen was steeds geruststellender. Vol verfspatten en beschadigd door jaren kluswerk lagen ze geduldig te wachten op de volgende opdracht. Hier was geen bloedig wapen te vinden.

Maar toen ik bij de onderkant van de kist was verkilde ik. Tussen een verzameling kleine moersleutels met gele handgrepen lag een nieuwe beitel met een glimmend rode handgreep. Duizelig trok ik hem ertussenuit. Het prijskaartje zat er nog aan, godallemachtig.

'Wat ben jij aan het doen?'

Geschrokken draaide ik me om en zag dat Simon achter me stond.

'Hé, hallo!' Mijn stem klonk hoog en hysterisch, als een kirrende vogel. Ik liet de beitel terug in de gereedschapskist vallen en sprong onhandig uit de bus, waarbij ik mijn knie hard aan de rand stootte.

'Ik moet Jo wakker maken. Hij slaapt al uren!' riep ik. Maar toen ik naar mijn auto wilde hollen, hield Simon me tegen door zijn hand op mijn arm te leggen.

'Wat deed je in de bus?'

'Ik zocht een schroevendraaier... mijn zijspiegel is losgeraakt...'

Het was een flagrante leugen. Hij keek me aan alsof hij door mist heen keek. Zijn grauwe gezicht was ingevallen en zijn ogen waren bloeddoorlopen. Hij had zich gesneden bij het scheren, zag ik, en het bloed gestelpt met een stukje wc-papier, dat nu als een wit vlaggetje aan zijn kin plakte. Met opgetrokken wenkbrauwen liep hij naar de bus en duwde de achterdeuren zacht dicht.

'Waar ben je geweest?'

'Gewoon, een eindje gereden.'

Ik opende mijn portier, gespte Jo los en tilde hem naar buiten. Toen ik me omdraaide, stond Simon nog op dezelfde plek naar me te kijken. En toen mijn ogen de zijne ontmoetten, wendde hij zijn blik af en beet op zijn lip. Aan de manier waarop hij vervolgens het grind bestudeerde, zag ik dat hij wist dat ik loog. Hij wist het ook van de beitel, daar was ik van overtuigd.

'Geef hem even aan mij,' zei hij. 'Het is zo lang geleden dat ik hem geknuffeld heb.'

Ik drukte Jo tegen me aan. 'Hij stinkt,' mompelde ik. 'Ik moet hem verschonen.'

'Dat doe ik wel. Ga jij Poppy maar halen.'

'Nee, dat hoeft niet. Ik heb nog tijd genoeg.'

Ik liep langs hem heen en snelde naar binnen.

De rest van de dag brachten we zonder elkaar door. Toen ik met Poppy naar tekenfilms keek, haar pasta te eten gaf en haar naar bed bracht, hoorde ik hem boven boren, een hoog gierend gesnerp, waar ik hoofdpijn van kreeg. Toen het geluid eindelijk stopte en zijn voetstappen op de trap omlaag bonkten, zorgde ik ervoor dat ik zo met de kinderen bezig was dat ik niet hoefde op te kijken of iets hoefde te zeggen. Ik zag zijn magere gestalte pas over de begane grond benen toen hij voorbij was, met gebogen hoofd en afgewende blik. Hij kwam twee keer beneden, een keer om een biertje uit de koelkast te pakken en de tweede keer voor zijn mobiele telefoon. We wisselden zelfs geen blik.

'Mama, wat is er met Simon?'

'Niets, liefje. Hij heeft het heel druk.'

'Waarom komt hij niet meer met me zingen?'

'Ik weet zeker dat hij dat later weer zal doen, als die hele verbouwing af is.'

'Mag ik vanavond in jouw bed?'

Ik zweeg even en keek naar Poppy's verlangende gezicht. Als ze dicht tegen me aan lag, zou Simon me niet kunnen aanraken. En als ik sliep voor hij bovenkwam, konden we de onvermijdelijke confrontatie die ik uit alle macht probeerde te ontlopen uitstellen.

'Goed dan. Ik ben trouwens zo moe dat ik denk dat ik nu ook naar bed ga.'

'*Yes!*'

Triomfantelijk sloeg ze met haar vuist in de lucht omdat ze net een zeldzame onverwachte overwinning had behaald. Nadat ik Jo in zijn slaapzak had ingestopt en het cassettebandje met slaapliedjes had aangeklikt, poetste ik snel mijn tanden en glipte naast haar in bed.

'Mama?'

'Ja?'

'Dat spook komt niet meer in huis…'

'Gelukkig!'

Ik sloot haar in mijn armen en drukte een kus op haar zijdezachte haar. Ze werd al zo groot, haar lange magere benen botsten tegen de mijne en haar hand paste niet meer zo precies in die van mij. Ik had haar de afgelopen paar maanden verwaarloosd, dacht ik verdrietig. Met een zucht legde ze haar hoofd op het kussen.

'Ik hou van je, mama.'

'Ik ook van jou.'

Haar ogen vielen dicht. Binnen enkele seconden was haar ademhaling diep en regelmatig. Ik lag naast haar te luisteren naar de wind die om het huis raasde en keek naar haar mooie gezicht. Waarschijnlijk was ik in shock, want mijn brein weigerde zijn werk te doen, bleef steken bij bepaalde details en gleed dan weer in een andere richting, als smeltende sneeuw. Ik dacht terug aan Alicia in de deuropening van haar huis en wat voor vreselijks ze tegen me had gezegd. *Waarom zou zo'n bijzondere jonge vrouw zich zo laten behandelen?* Hij had haar geslagen, was ziekelijk jaloers geweest, zei ze. *Hij kan heel grillig zijn.* En nu werd Simons naam genoemd in verband met een vrouw wier naam ik zelfs nog nooit had gehoord. Hoe wisten de lijkschouwers dat ze door die beitel was vermoord? Waren er kenmerkende verwondingen aan haar schedel, of hadden ze het uit DNA-materiaal opgemaakt of uit ander forensisch bewijs? Toen Poppy zuchtte en zich omdraaide, dacht ik weer aan het voorval op de oprit. Simon wíst waar ik naar zocht in zijn bus. En daar lag hij, heel onschuldig tussen zijn gereedschap met gele handgrepen: een nieuwe rode beitel met het prijskaartje er nog op geplakt. Telkens weer maalden die beelden door mijn hoofd. Het was alsof ik me in een verblindende sneeuwstorm bevond en geen idee had welke kant ik op moest.

Ik weet niet hoe lang ik naast Poppy in het donker lag te staren. Tegen de tijd dat ik Simons voetstappen de deur hoorde naderen, was ik bezig onze ontsnapping te plannen. We zouden naar Pat gaan, had ik besloten. Zelfs al moest ik maandenlang leven met haar afkeurend getuite lippen en verwijtende blikken, ik kon het niet opbrengen nog één nacht door te brengen in hetzelfde huis met deze vreemde van wie ik hartkloppingen kreeg, niet van spontaan verlangen, maar van angst. Zijn moeder had gezegd dat ik moest proberen van hem te houden, maar na alles wat ik nu wist, leek dat geen optie meer.

Hij was al in de slaapkamer, liep om het bed heen en tilde het dekbed op. Ik hield mijn adem in toen hij in bed stapte. Hij zou toch hopelijk wel denken dat ik sliep?

'Mel?'

Als verstijfd lag ik onder het dekbed, alsof ik hem kon dwingen te zwijgen.

'Ben je wakker?'

Ik draaide me om en trok het kussen over mijn hoofd alsof ik uitgeput was. 'Mm-mm...'

'Ik heb niets te maken met de vermissing van Rosa Montague, dat weet je toch, hè?' Zijn stem klonk ijl en haperend, alsof de tranen hem hoog zaten. 'Mel?'

Ik antwoordde niet.

De volgende ochtend werden we voor dag en dauw wakker. De wind was gaan liggen, waardoor de lucht er bleek en levenloos uitzag, alsof hij uitgeput was van de inspanningen van de vorige dag. Ik opende mijn ogen en keek door de gordijnen naar de lucht. Beneden bonsde er iemand op de deur.

We wisten allebei wie dat was. Simon sprong uit bed en schoot in zijn kleren. Zijn gezicht was grauw en toen hij onhandig zijn overhemd dichtknoopte, trilden zijn vingers. Poppy rolde zich nog eens behaaglijk om en trok het dekbed strak om zich heen.

'Wie is dat, mama?'

'Niemand. Ga maar weer slapen.'

Ik haastte me achter Simon aan en stond boven aan de trap toen hij de deur opendeed. Toen de politie het woord tot hem richtte, keek hij met een paniekerige blik achterom naar mij. De vorige avond had ik alleen maar haat en angst voor hem gevoeld, maar nu liep mijn hart over van medelijden. Ik slikte de brok uit mijn keel weg en beantwoordde zijn blik met een stijf glimlachje.

Op de benedenverdieping kwamen de twee mannen binnen; Dave Gosforth, met zijn leren jasje en brogues, en de jongere man, deze keer in spijkerbroek. Ik hoorde niet wat ze zeiden, maar hun gezichten stonden ernstig. Hun houding stond me ook niet aan: te stijf en gespannen voor een tweede routinebezoek. Ik snelde de trap af en was net op tijd naast Simon om Gosforth te horen zeggen: 'Je hoeft niets te zeggen, maar wat je zegt kan als bewijs worden gebruikt.'

'Jullie arresteren hem!'

Gosforth keek me met een droevig knikje aan. 'Helaas wel, Melanie. We hebben ook een huiszoekingsbevel voor dit pand, dus misschien wil je vandaag ergens anders naartoe.'

'Maar hij heeft niets gedaan!'

Ik kon me niet langer inhouden. Het loden gewicht in mijn borst wilde eruit en ik greep wild naar Simons armen; mijn knieën begaven het bijna.

'Je hebt die vrouw toch niet vermoord?'

Hij beet op zijn lip en keek me niet aan.

'Wat heb je in godsnaam gedaan?'

Hij schudde zijn hoofd alleen maar. Gosforth pakte hem bij de elleboog en voerde hem mee naar de deur. Toen ik de vingers van de andere man op mijn arm voelde schudde ik me kwaad los.

'Probeer kalm te blijven, Mel,' zei hij vriendelijk.

'Dat maak ik zelf wel uit, verdomme!'

Ik zakte tegen de muur en zag vol afgrijzen hoe Simon uit het pakhuis werd weggevoerd en achter in Gosforths blauwe sedan werd gezet. Er stond een politiebus naast geparkeerd, zag ik nu tot mijn schrik. Toen Gosforth achteruit om de zakken puin reed, kwam er een tweede groep agenten in uniform naar me toe. Een van hen had een bundel papieren in zijn handen. Hij stelde zich voor, legde beleefd uit dat ze een huiszoekingsbevel hadden en Simons bus in beslag moesten nemen, maar ik hoorde het nauwelijks. Het enige waar mijn aandacht naar uitging was Simon, die achter in de onopvallende auto over het landweggetje verdween. Niet één keer had hij naar me omgekeken. In plaats daarvan staarde hij met een strak gezicht voor zich uit, alsof hij dit al die tijd al had verwacht.

29

Simon was gearresteerd op verdenking van moord op Jacqui Jenning en kidnapping van Rosa Montague. De politie had een doorbraak in de zaak gehad, maar het onderzoeksteam weigerde me te vertellen waarom het ging. Ze marcheerden naar binnen en verspreidden zich zonder me aan te kijken door het gebouw. De huiszoeking zou de hele dag duren, werd me verteld. Ze zouden het op prijs stellen als ik ook een verklaring kon afleggen. Als verdoofd keek ik toe terwijl de inhoud van mijn keukenladen overhoop werd gehaald en het bestek werd verwijderd. Hoe kon ons huis, met kindertekeningen aan de muren en kamers bezaaid met speelgoed, het toneel van een misdaadonderzoek zijn geworden? In de woonkamer trokken ze vloerplanken los en stompten ze tegen de holle plekken waar de keuken nog moest worden geïnstalleerd. Ze moesten volledige toegang hebben tot alle bijgebouwen en opslagruimtes, zeiden ze. Kon ik meteen terugkomen nadat ik Poppy naar school had gebracht? Ze waren van plan me mee te nemen naar een 'politiesuite', waar ze de verklaring zouden opnemen.

Met een misselijk gevoel werkte ik Poppy en Jo naar buiten. Op de oprit werd Simons bus op een vrachtwagen geladen. Ik haastte me over de landweg met in mijn hoofd het beeld van zijn gereedschapskist met de splinternieuwe beitel. Toen we langs Bob en Janice liepen, die nieuwsgierig vanuit hun voortuin naar de commotie op de werf tuurden, keek ik opzettelijk de andere kant op.

Poppy rende zonder een woord de school in. Toen we gehaast over de landweg liepen, had ik haar verteld dat er een mevrouw werd vermist en dat de politie haar probeerde te vinden. Ze knikte ernstig met grote ogen.

'Die politiemannen zullen die mevrouw niet vinden,' zei ze plotseling aan het eind van het landweggetje.

'Hoe bedoel je, liefje?'

'Nou, ze is in de hemel. Simon heeft haar in een engel veranderd.'

Met een ruk draaide ik me naar haar toe en gaapte haar aan.

'Wát zeg je?'

'Hij had een schilderij van haar gemaakt. Ze droeg een witte kanten jurk en ze had vleugels. Ik zag dat hij haar verbrandde.'

'Waar heb je het in hemelsnaam over?'

Ze huppelde vrolijk naast me met ogen die ondeugend glansden.

'Hij zei dat hij haar niet meer wilde zien.'

'Poppy!' Ik greep haar pols beet en trok haar terug zodat ze gedwongen was me aan te kijken. Ik stond op het punt te ontploffen. 'Ben je me aan het plagen, jongedame?'

'Nee!'

Maar haar ogen schitterden. Ze wendde haar gezicht af en sloeg haar hand voor haar mond.

'Wat bedoel je dan, dat hij haar heeft verbrand?'

'Hij heeft het schilderij van haar verbrand.'

'Wanneer dan? Over welk schilderij heb je het?'

Ik schreeuwde nu. Aan de andere kant van de weg keek een vrouw met twee kleine jongens afkeurend.

'Dat zeg ik niet, mama!' siste Poppy. 'Knijp me niet zo, je doet me pijn!'

Ze wurmde haar arm los en keek me woedend aan. 'Ik háát je!'

De rest van de weg naar school legden we zwijgend af.

Nadat ik Poppy had weggebracht, sjokte ik door de straten langs rijen bakstenen huizen van rond de eeuwwisseling, met hun keurige ligusterheggen en Ikea-meubels. Binnen waren vrouwen druk in de weer met het opruimen van het ontbijt of hun peuters aan te kleden voor een wandelingetje naar de schommels. Andere huizen waren leeg omdat hun bewoners opeengeperst in de trein zaten, of al in hun hoge kantoren aan het werk waren. Ooit had ik gedaan alsof ik boven zulke eenvoudige levens stond. Ik wilde reizen en opwinding, anders zijn. Maar nu ik in die bijna identieke woonkamers keek hunkerde ik naar wat hun eigenaars hadden. Een solide, standvastig huwelijk met een paar kinderen om van te houden. Een goed onderhouden tuin, planmatige verbeteringen, om de zoveel tijd een zonvakantie. Was dat niet waar de meeste mensen naar streefden? Een prettig normaal leven, niet besmeurd door leugens? Dat had ik geprobeerd te bereiken. Daarom was ik met Simon getrouwd en was ik naar Kent verhuisd. Maar nu wist ik dat het nooit zover zou komen. Want in plaats van naar mijn zogenaamde 'thuis' terug te keren voor een ochtend met huiselijke taken of voorbereidingen voor een bezoekje aan het park, zou ik de ochtend doorbrengen met ondervraagd te worden door de politie over de vermissing van de minnares van mijn man. Intussen werd het gebouw waarin ik verondersteld werd de vreugden van het huwelijksleven te ontdekken overhoopgehaald door de politie die naar haar lichaam zocht.

Met gebogen hoofd begon ik over het trottoir te rennen, terwijl Jo's buggy over de stoeptegels hobbelde. De hele weg naar school had ik me ingehouden, maar nu gaf ik me over aan een gierende huilbui, zonder me druk te maken om de bevreemde blikken die me werden toegeworpen. Hoe kon de man van wie ik zo intens veel had gehouden, de vader van mijn dierbare baby, onder verdenking staan van moord? Het was surrealistisch, alsof je een kaartje had gekocht voor een romantische komedie en langzaamaan besefte dat je naar een horrorfilm zat te kijken.

Toen ik terug was bij het pakhuis, stond er een auto op me te wachten. Ik stond op de oprit en zag vol ontsteltenis dat Simons kleren in plastic zakken in de politiebus werden geladen. De computer was ook weg, zag ik toen ik door de woonkamer strompelde op zoek naar Jo's luiertas. In het luttele halfuur dat ik weg was, was mijn bezit gereduceerd tot de som van een aantal losse onderdelen die een heel andere betekenis hadden gekregen: een nieuw gelegde vloer, waaronder een lijk verstopt zou kunnen liggen; een klerenkast, waar een wapen verborgen kon zijn; mijn oude lakens, waarin mijn echtgenoot het lijk van zijn vriendin gewikkeld zou kunnen hebben. Kleren, onthullende vlekken, computers die als ramen zicht konden geven op onze geheimen. Plank voor plank was de politie bezig ons leven uiteen te rijten.

Ik werd naar Sittingbourne gebracht, waar ik in een stille doodlopende straat naar een huis dat op een pand voor rouwkamers leek werd meegenomen. Het was een speciale suite waar ze de wat ge-

voeliger liggende verhoren afhandelden, zo vertelde de politie-
agente in burger, die achter uit het huis kwam, me vriendelijk. Ze
konden geen moeder die borstvoeding gaf met haar baby naar het
politiebureau slepen, wel? Het gesprek zou worden opgenomen,
deelde ze me mede; de kamer waarin ik werd binnengebracht had,
naast andere technische snufjes, een videocamera. De inrichting
deed me aan Pat denken: pastelkleuren, beige gordijnen, gestreept
behang, een zalmkleurige bank. Op de vloer stond een grote plastic
kist vol tweedehandsspeelgoed. Als er op de salontafel beduimelde
tijdschriften hadden gelegen in plaats van een grote plastic asbak,
had het de wachtkamer van een arts geweest kunnen zijn. Ik kreeg
een kop donkerbruine thee, maar kreeg geen slok door mijn keel. Ik
gaf Jo de borst tot hij in slaap viel, terwijl ik probeerde niet in tranen uit te barsten om zijn onschuld. Toen werd de video aangezet
en begon de ondervraging.

Ik zat in de gemakkelijke stoel tegenover mijn ondervraagster, te
angstig om te registreren wat er gebeurde. Bij elke nieuwe vraag
was het alsof er elektrische stroom door mijn aderen pompte. Had
mijn echtgenoot ooit over zijn relatie met Rosa Montague gesproken, vroeg de agente met een beleefde glimlach. Wist ik dat hij haar
in december had gezien? Misschien was er een reden waarom hij
haar voor Kerstmis in haar cottage had bezocht? Zou ik die misschien kunnen noemen? Ze waren vooral geïnteresseerd in zijn
handel en wandel gedurende december. Kon ik daar iets over zeggen? Of was hij misschien afwezig geweest zonder uitleg? Ik keek
haar aan en kon niet helder denken. Pas later zouden de juiste antwoorden me te binnen schieten, zoals na een examen. Ik moest op
de kalender kijken, mompelde ik; ik wist het niet echt meer, allemaal. Of Simon ooit mijn auto had geleend, vroeg de vrouw ineens.
Kon ik verklaren waarom hij blijkbaar de passagiersstoel van zijn
bus had schoongeschrobd? Bij die informatie greep ik Jo stevig vast
omdat ik het gevoel kreeg dat ik viel. Bij mijn weten maakte Simon
nooit wat dan ook schoon, en zeker niet de binnenkant van zijn
bus.

Dan was er nog de verbouwing. Wat deden we eigenlijk met het
pakhuis? Haperend begon ik onze plannen uit te leggen, me al te
zeer bewust van haar sceptische gezichtsuitdrukking. Wat deed Si-

mon op zolder? Klopte het dat er een nieuwe vloer in de woonkamer was gelegd? Werkte Simon alleen of met iemand anders? Waar waren nog meer nieuwe vloeren gelegd? En hoe zat het met muren en andere details? Kon ik precies vertellen welke werkzaamheden er sinds december waren verricht? Ik staarde naar de reproductie aan de muur achter het hoofd van de vrouw, een Monet, die waarschijnlijk was bedoeld ter ontspanning van de ondervraagden. Ik had het gevoel of mijn hersenen overvoerd raakten, alsof er elk moment een stop kon springen. Er was geen werk van betekenis gedaan sinds Jo's geboorte in november, antwoordde ik met doffe stem. Simon was bezig de balken op zolder te schuren en met schilderen. De vloer van de woonkamer was in september gelegd. Er was alleen gegraven door de werklieden, voor de afvoer; ik kon me niet herinneren wanneer dat was geweest.

Het verhoor ging uren door en concentreerde zich telkens op dezelfde onderwerpen: op Simons activiteiten en op het pakhuis, alsof een kat op rooftocht op het punt stond toe te slaan. Ten slotte kwam er een eind aan de beproeving. Als ik even kon wachten, zouden ze een verklaring opstellen die ik kon lezen en ondertekenen, werd me medegedeeld. Daarna kon ik gaan. Het was middag.

30

De politiewagen zette me af bij het begin van de landweg. Ze zouden minstens tot een uur of zeven die avond bezig zijn met de huiszoeking, vertelde de agente me. Het zou prettig zijn als ik de dag bij een bekende kon doorbrengen. Prettig of niet, het was zonder meer uitgesloten dat ik naar huis zou teruggaan zolang de politie nog binnen was. Ik duwde Trish' tuinhek open en bonkte op haar deur. Toen ze opendeed, viel ik praktisch in haar armen.

'Goddank, je bent thuis!'

'Jezus, Mel. Wat is er in vredesnaam aan de hand? Het wemelt van de politie bij je!'

'Kan ik met je praten?'

Ze nam Jo van me over en bracht me naar haar gezellige keuken. Daar, met haar geboende leien tegels en terracottamuren, kon ik nauwelijks geloven dat een eindje verderop forensisch experts alles in het pakhuis ondersteboven haalden. Ik zakte op een stoel bij haar fornuis en wreef met de rug van mijn hand over mijn gezicht terwijl zij de waterkoker aanklikte. Het was de eerste keer dat ik bij haar thuis was; ze was aan het schilderen geweest, daarom was het vanwege de verflucht een gewoonte geworden om elkaar in het pakhuis te zien. Ik keek de keuken rond en nam de omgeving in me op. De warme fleurige ruimte had meteen een kalmerend effect op me. Voor het raam had ze een lap Indiase stof gehangen waarop kleine spiegeltjes en belletjes geborduurd waren; op de witgeschilderde tafel lag een kunstig arrangement van steentjes en wrakhout. Aan de muur had ze een ouderwetse spoorwegklok gehangen; eronder glom een ouderwetse gootsteenbak. Jammer genoeg konden we niet in de zonnige woonkamer zitten, had ze gezegd toen ze me binnenliet, want ze was net begonnen daar te schilderen.

'Hier is prima,' mompelde ik toen ze me een beker overhandigde. 'Wat ben je creatief.'

Ze haalde haar schouders op; zoals gewoonlijk had ze weinig geduld voor gebabbel.

'O, Trish,' barstte ik los. 'Het is allemaal zo'n puinhoop!'

'Vertel op.'

Ze hurkte naast me en streek over mijn wang. Ik keek haar aan, wilde niets liever dan alles vertellen, maar wist niet waar ik moest beginnen.

'Simon is gearresteerd. Ze denken dat hij die vrouw heeft vermoord...'

'Jezus!'

Ik zag de schok op haar gezicht, maar niet de sensatiebeluste nieuwsgierigheid waar ik bang voor was geweest. Ze nam mijn hand in de hare en sloeg een arm om mijn schouders.

'Wat vreselijk!'

Ik leunde even tegen haar aan, niet in staat verder te gaan. Toen vertelde ik haar alles in horten en stoten. Mijn verhaal was als een quilt van vodden, gevuld met rafelige gaten en rare brokstukken die niet pasten, maar ze bleef mijn hand vasthouden en knikken alsof ze het allemaal volkomen begreep. Ik had Simon vertrouwd, zei ik snikkend; ik had echt geloofd dat hij van me hield. Of liever, ik wilde zo wanhopig graag niet alleen zijn dat ik halsstarrig mijn ogen had gesloten voor elke aanwijzing die op het tegendeel wees, verleid als ik was doordat hij zo hartstochtelijk volhield dat we samen opnieuw konden beginnen. Vanaf het prille begin had hij echter tegen me gelogen. Hij had over Rosa gelogen, over het appartement, en over zijn creditcards. En nu gluurden de buren vanuit hun bovenramen naar ons huis en kamde de politie onze bezittingen uit en werd Simon ondervraagd door de recherche in verband met de moord op een vrouw en de ontvoering van een andere.

'Niet echt een doorsnee-huwelijkscrisis, hè?' eindigde ik mijn relaas somber.

Ik keek naar Trish' bleke gezicht, haar wenkbrauwen opgetrokken in kleine boogjes van verbazing.

'Niet echt, nee.'

Ik deed mijn best te glimlachen, maar mijn gezicht trilde alweer. 'Wat ben ik toch waardeloos! Ik zou gewoon de kinderen op moeten pakken en bij hem weg moeten gaan, maar ergens wil ik nog steeds geloven dat hij niets met die moord te maken heeft. Ik bedoel, stel dat hij het niet gedaan heeft?'

Trish keek me ernstig aan, met haar knokkels tegen haar mond gedrukt.

'Het ene moment moet ik aan die beitel denken en wat die met die arme vrouw in Margate moet hebben gedaan, en dan ben ik doodsbang van hem. En dan herinner ik me weer hoe hij was en hoeveel ik van hem hield en dan kan ik niet geloven dat dit ons overkomt...'

'Maar dat is wel het geval...'

'Moet je nagaan, in de lente zei hij tegen me dat Rosa een klit was waar hij niet vanaf kon komen.'

Trish' gezicht vertrok.

'Gaat het wel?'

'Ja hoor, alleen weer zo'n valse wee.' Ze legde haar hand op haar buik en wachtte tot de contractie voorbij was. 'Sorry schat, ik luister nog steeds.'

'Weet je, ik geloofde hem echt,' vervolgde ik. 'Het klonk geloofwaardig. Hij had een verschrikkelijke relatie gehad, zei hij, maar hij had er een punt achter gezet. En nu is het alsof alles op zijn kop is gezet, omdat zijn moeder zegt dat Rosa het heeft uitgemaakt en dat hij er kapot van was. Waarom zegt hij dan steeds tegen mij dat hij haar aanblik niet eens kan verdragen?'

'Misschien uit woede omdat zij hem heeft gedumpt. Sommige mensen kunnen er niet tegen om afgewezen te worden.'

'Dat ze er iemand om vermoorden, bedoel je?'

Jo begon te jengelen in zijn buggy. Ik stond op, gespte hem los en ging weer zitten met hem op mijn schoot. 'Ik geloofde alles wat hij zei!' jammerde ik. 'Hij leek er zo op gebrand om een nieuw leven te beginnen. En hij zei dat ik de enige vrouw was van wie hij ooit had gehouden! Hij zei dat het met die Rosa alleen maar om seks draaide. Maar nu blijkt dus dat hij nog steeds met haar omging...'

Trish keek me meelevend aan. Ze stond op om de bekers weg te zetten. 'Ik vind dat je bij hem weg moet,' zei ze zonder meer.

'Ik gelóófde hem.'

'Natuurlijk deed je dat. We geloven altijd wat we willen horen.'

'Ik wil niet bij hem weg...' Ik begon weer te huilen. Trish liep snel naar me toe en gaf me nog een knuffel.

238

'Maar je hebt geen keus. Je moet aan de kinderen denken. Stel dat je hen in gevaar brengt?'

'Simon zou de kinderen nooit iets aandoen!'

Haar gezicht zei me hoe ze daarover dacht.

De rest van de middag bleef ik bij Trish en ik ging alleen even weg om Poppy van school te halen. We gingen pas na zessen terug naar huis. Toen we over de werf liepen, zag ik dat de politie verschillende zakken met inhoud in hun auto laadde. Andere mannen trokken hun witte overalls en rubberhandschoenen uit, lachend en pratend met het ontspannen air van werklui wier dag erop zit. Met een stalen gezicht duwde ik de buggy over de oprit, vervuld van een irrationele afkeer van hun hypocriete zelfgenoegzaamheid. Ze namen de computer mee, deelde een agent met vooruitstekende tanden me mede, plus onze mobiele telefoons en al Simons kleren en schoenen. Ik kreeg een formulier aangereikt dat ik moest ondertekenen, waarmee ik die artikelen vrijgaf voor onderzoek, waarna ze vertrokken.

Binnen was het of alles uiteengerukt was en op de verkeerde plaats stond. Ik drentelde over de begane grond, raapte dingen op en legde ze weer neer, alsof ik niet meer wist waar ze voor dienden. Het was niet eens zo dat de politie een chaos had gecreëerd. De vrolijke bende van ons leven was in nette stapels gerangschikt en leek gewoon niet langer bij ons te horen. Toen Poppy in bad zat te spetteren en Jo op zijn speelkleed lag te trappelen, dwaalde ik met een verdoofd gevoel door het huis. Ik had het hier helemaal gehad, concludeerde ik, terwijl ik beneden tegen de losse vloerplanken schopte. Hoe we ook ons best hadden gedaan ons dit huis eigen te maken, het gebouw zou altijd een industrieel pakhuis blijven: koud, tochtig en vochtig. Toen ik de trap op bonkte om Poppy een badlaken te brengen herinnerde ik me de eerste keer dat ik hier kwam, de onheilspellende gevoelens die ik toen had gekregen. Ik had notitie moeten nemen van die spreeuwen die uit de dakspanten waren opgevlogen. Het gebouw was kwaadaardig, vol spoken. Het was onze ondergang geworden.

Ik pakte onze koffers. Morgen was het zaterdag en ik wilde zo vroeg mogelijk naar Pat vertrekken. Toen de telefoon ging, nam ik niet op, omdat ik ervan overtuigd was dat het Simon was.

31

Zo. Ze hadden het moordwapen, besmeurd met sporen van Jacqui Jennings DNA. Kleine gedeeltes van de muren van Rosa Montagues cottage waren bezaaid met haar bloedspatten. En, het meest veelbelovend van alles: ze hadden een bijzonder interessante DNA-overeenkomst met de spermavlek die op de lakens van Jacqui Jenning was gevonden. Vooral het resultaat van die test gaf voldoening; geen wonder dat Stenning zo moeilijk had gedaan over het afnemen van zijn wangslijm. Ze hadden nog niet voldoende bewijs voor een veroordeling, maar Dave had zeer goede hoop dat ze hem tegen het eind van de week in staat van beschuldiging konden stellen van dubbele moord. Overigens hadden ze tot dusver alleen indirect bewijsmateriaal. Zelfs als hij degene was die vijftien maanden geleden de Starlite-nachtclub met Jacqui had verlaten, bewees dat nog niet dat hij haar had vermoord. Bovendien was er tijdens de huiszoeking van zijn pand helaas geen lichaam boven water gekomen. Hoe dan ook, ze hadden de bus. Over een dag of wat zouden ze de resultaten van de DNA-test krijgen van die interessante plekken op de passagiersstoel. Dave was ervan overtuigd dat er een rechtstreekse overeenkomst was met die van Rosa Montague.

Er was verder nog hoop dat hij eenvoudig zou zwichten en bekennen. Ze zouden hem zo veel onder druk zetten als wettelijk geoorloofd was, hadden ze besloten, en hem zich in allerlei bochten laten wringen. Tot nu toe zei hij niets en hield staande dat hij volkomen onschuldig was, met zijn armen over elkaar geslagen en een hooghartig gezicht, maar Dave was er redelijk zeker van dat hij na een uur of twaalf verhoor zou beginnen te bezwijken. Types als hij werden vaak snotterig: van die bekakte lui, die niet gewend waren aan de harde aanpak. Als ze beseften dat ze zich er niet uit konden praten, kwamen de tranen, net als bij kleine jongetjes.

Smakkend werkte hij het laatste stuk pizza naar binnen, veegde zijn mond af met de rug van zijn hand en stond op. Voor de zoveelste keer at hij zijn avondeten onderweg. Hij wist niet wanneer hij weer thuis zou zijn; als de doorbraak van een zaak zo dichtbij was, duwde hij graag net zo lang door tot ze resultaat hadden. Ze waren van plan Stenning nog ruim een uur te verhoren. Dan zouden ze hem een korte rustpauze toestaan en opnieuw beginnen. Het zou waarschijnlijk de hele nacht gaan duren.

Ik sliep onrustig en schrok zowat elk uur wakker uit nare dromen waarin mannen het huis binnendrongen of me door zompige modder achternazaten. Naast me in bed schopte en woelde Poppy terwijl haar broertje met regelmatige tussenpozen mekkerde om gevoed te worden. Tegen het ochtendgloren viel ik eindelijk in een diepe slaap, en toen ik weer wakker schrok zag ik dat het bijna tien uur was. Ik ging zitten en keek verdwaasd om me heen. Poppy en Jo hadden de hele nacht naast me in bed gelegen, maar nu waren ze verdwenen.

Ik schoot in mijn kleren en liep door de corridor. Wat ik op de verdieping onder me zag benam me de adem. Simon zat ontspannen op de bank, met de ene arm om Poppy en de andere om Jo, die op zijn knie zat. Jo kraaide van het lachen en gooide zijn armpjes extatisch in de lucht toen Simon zijn buikje kietelde. Poppy keek stralend toe.

'Nou ik!' riep ze. 'Nu ben ik aan de beurt!'

Ik voelde het bloed uit mijn gezicht wegtrekken en liep langzaam naar beneden. Het tafereel leek op zo veel andere waarin ik Simon met de kinderen had zien spelen: een normaal beeld van een gelukkig gezinnetje. Nu maakte het deel uit van een andere wereld, alsof de geesten van lang overleden familieleden ineens bij je aanschuiven.

'Goeiemorgen,' zei Simon, die zich met een glimlach naar me omdraaide toen ik onder aan de trap was. 'Ze hebben al ontbeten. Ik wilde je niet wakker maken.'

Ik slikte. Hij zag er bedroevend mager uit, de mouwen van zijn trui slobberden om zijn knokige polsen en zijn gezicht had een bezorgde uitdrukking. Zijn linkeroog trilde een beetje, alsof hij nerveuzer was dan hij wilde toegeven. Hij zag er niet langer uit als iemand van wie ik kon houden. Langzaam liep ik naar hem toe. Er was zo veel veranderd dat ik geen woorden kon vinden.

'Mama! Simon zegt dat we zodra hij die kamers boven af heeft naar Spanje gaan!'

Poppy sprong van de bank en gleed over de vloer tussen mijn benen door. Ik bukte me en gaf haar een aai over de bol. Ik kon mijn ogen niet van Simon afhouden.

'Dus ze hebben je laten gaan,' mompelde ik ten slotte.

'Ze hebben me losgelaten zonder aanklacht. Ze hebben geen daadwerkelijk bewijs.' Hij poogde te glimlachen, waardoor zijn gezicht vreemd vertrok.

'Hoe ben je thuisgekomen?'

Hij knipperde met zijn ogen. 'Ik heb Ollie gevraagd of hij wilde komen. Hij heeft me een van zijn roestbakken geleend. Ik heb hem onderweg bij het station afgezet.'

'Dat is aardig van hem.'

'We zijn al heel lang vrienden.'

We zwegen en wendden allebei tegelijk onze blik van elkaar af. We waren net mensen tijdens een blind date die elkaar niet lagen en tevergeefs een gesprek op gang probeerden te houden.

'Heb je Jo een schone luier omgedaan?'

'Ja.'

'En heeft hij de fles gehad?'

'Ook dat.'

'Dus nu is alles weer helemaal koek en ei, zeker?'

'Zolang we positief blijven denken.'

Zijn oog begon hevig te trekken. Jo stak zijn mollige armen uit naar zijn vader en duwde zijn vingertjes in zijn mond.

'Pas op, jochie, anders bijt ik! Grr!'

Jo schaterde het uit. Simon zette hem voorzichtig op het kleed en liep met uitgestrekte handen naar me toe.

'Maar eerst moeten wij praten.'

Ik zette een video aan voor Poppy en we liepen achter elkaar naar de provisorische keuken, waar ik zwijgend koffiezette. Toen die klaar was, gaf ik Simon zijn beker en ging aan tafel zitten, waar ik naar mijn bleke handen staarde. Ik wist dat als ik opkeek en zijn gezicht zag, mijn voornemen van de vorige dag als sneeuw voor de zon zou verdwijnen.

'Ik heb het niet gedaan, Mel,' zei hij zacht. 'Dat zweer ik.'

Ik bestudeerde mijn ringen. Al zou ik gewild hebben, ik had niets kunnen uitbrengen.

'Maar ik moet je wel een paar dingen vertellen.' Hij haalde diep adem, alsof hij zich wilde vermannen. Ik keek op naar zijn bleke gezicht.

'Ik heb bij Jacqui Jenning geslapen, de nacht voor ze vermoord werd,' zei hij zacht. 'De politie heeft mijn DNA gevonden in de vlekken op haar lakens. Daarom hebben ze me gisteren opgepakt. Ik was de laatste die haar levend heeft gezien, dus is het niet vreemd dat ze me wilden spreken. Maar ik heb haar niet vermoord, verdomme; dat moet je geloven. En het is ook niet mijn gewoonte om vrouwen in goedkope nachtclubs te versieren. Het was een stomme streek, maar ik had het net met Rosa uitgemaakt en ik was stomdronken en ontzettend kwaad.'

Hij zweeg en klemde zijn vingers om zijn beker. Ze trilden zo dat de koffie over de rand klotste. 'Ik heb geen idee wat er met Rosa is gebeurd,' besloot hij. Iets in zijn stem klopte niet, het klonk te nadrukkelijk en definitief, alsof het een leugen was die hij vele malen had herhaald. Toen ik het klaarspeelde om te antwoorden, klonk mijn stem schor. 'Waar is ze dan gebleven?'

'Dat weet ik niet. De laatste keer dat ik haar zag was voor Kerstmis. Zoals ik je vertelde moest ik naar haar toe om het een en ander te regelen. Daarna heb ik totaal geen idee wat er met haar is gebeurd. Wat mij betrof wilde ik haar nooit meer zien.'

Ik tuurde naar mijn koffie. De melk was gaan schiften en steeg in vettige bobbels naar de oppervlakte. Ik kon alleen maar denken dat hij loog. Hij was duidelijk naar Rosa teruggegaan voor de seks. Na zo lang opgescheept te zijn geweest met mijn neurose, hunkerde hij naar een ander lichaam, jong en gestroomlijnd, een aantrekkelijke afwisseling van mijn postnatale uitgezakte lijf.

'En wat moest je dan allemaal met haar regelen?' vroeg ik kil. 'Je hebt me eigenlijk nooit uitgelegd waar het om ging.'

'O, god...' Hij ging half staan en weer zitten en streek met zijn handen door zijn vettige haar. 'Het is niet echt belangrijk, schat. Het is allemaal verleden tijd.'

'Ging je nog met haar naar bed?'

'Nee!'

'Waar ging het dan in vredesnaam om?'

Hij kneep zijn ogen dicht en masseerde ze met zijn duimen. Misschien moest hij zijn tranen bedwingen, want toen hij zijn ogen weer opende, waren ze rood en opgezet.

'Ze chanteerde me,' zei hij ernstig. 'Ollie was zo stom om haar ons nummer te geven en ze begon te bellen en te dreigen dat ze hier zou komen en het me nog moeilijker ging maken. Ik kon er niet meer tegen. Ik voelde me ontzetten belaagd. Dus zwichtte ik en ging naar haar toe. Ze beloofde me dat ze me alleen nog één laatste keer wilde zien, dan zou ze me loslaten.'

Ik sloeg mijn armen over elkaar. Het was alsof ik een kind was en hij, de volwassene, me afwimpelde met sprookjes. 'Waarmee chanteerde ze je?'

'O, godallemachtig, schat. Daar wil ik het allemaal niet over hebben.'

'Vertel me gewoon de waarheid!'

'Oké dan, als je dat per se wilt.'

Hij schoof zijn stoel achteruit en keek me aan. Ik voelde dat mijn spieren zich spanden, voor de klap waarvan ik wist dat die ging komen.

'Ik ben in mei met haar naar bed geweest,' zei hij. 'Ik was in de war omdat je zwanger was, daarom ging ik naar haar in die periode dat ik bij je weg was. Het was het stomste wat ik kon doen en ik heb er ongelooflijk veel spijt van. Ik had je toen de waarheid moeten vertellen, maar ik was doodsbang je te verliezen. Het spijt me echt vreselijk, oké?'

Ik keek naar zijn uitgeputte gezicht. In zekere zin waren mijn onzekere vermoedens erger geweest dan het feit op zich, en nu voelde ik me eigenaardig kalm. Het was precies waarvoor mijn vriendinnen me hadden gewaarschuwd. Ondanks zijn holle beloftes had deze vreemde met wie ik getrouwd was me van het begin af aan bedrogen.

'Dus die avond toen je me ten huwelijk vroeg en je me bezwoer dat je Rosa niet had gezien, loog je,' zei ik met vlakke stem.

'Ik kon het niet verdragen dat ik je kwijt zou kunnen raken. Alsjeblieft schat, zeg dat je me vergeeft.'

Ik schudde geïrriteerd mijn hoofd. Was het maar zo eenvoudig. Misschien had hij tranen verwacht, of een scène. Maar nu mijn angst, voor een deel althans, bevestigd was, voelde ik alleen nog maar de kille zekerheid dat ik niet langer van hem hield. 'Waarom loog je over je appartement?' vervolgde ik.

Hij fronste zijn wenkbrauwen. 'Hoe bedoel je?'

'Je moeder zei dat het appartement van Rosa was, niet van jou.'

Zijn gezicht veranderde ineens. 'Wat heeft mijn moeder er in godsnaam mee te maken?'

'Ik ben bij haar geweest. Dat vertelde ze me.'

Hij keek me verbaasd aan. Zijn ogen hadden zich vernauwd en zijn wangen leken nog verder ingevallen.

'Wát heb je gedaan?'

'Ik ben gisteren naar haar toe gegaan. Ze zei tegen me dat het appartement van Rosa was, en niet van jou.'

'Ze líegt.'

Zonder waarschuwing sloeg hij hard op de tafel, waardoor mijn koffie over Poppy's schooltas klotste. Geschrokken keek ik naar de dampende plas en durfde nauwelijks adem te halen.

'Waarom zou ik jou geloven in plaats van haar?' fluisterde ik. 'Tot nu toe vertel jij me alleen maar een hele hoop leugens.'

Hij pakte mijn hand beet en kneep er hard in.

'Ik lieg niet tegen je! Mijn moeder weet helemaal niets! Rosa heeft haar om haar vinger gewonden! Ze manipuleert haar, Mel, zoals ze iedereen manipuleert. Ze doet alles om me vast te houden!'

'Je bent verliefd op haar gebleven,' fluisterde ik. 'Je kon het niet verdragen dat ze bij je wegging, daarom ging je terug naar haar huis, en…'

'Verliefd op haar? Jezus! Als je eens wist!'

'Als ik wat eens wist?'

'Hoe ik haar haat! Eerlijk, Mel, ik kan haar niet uitstaan! We waren "zó verlie-hiefd",' hij hield zijn vingers gekromd als aanhalings-tekens omhoog, in een groteske parodie op de uitdrukking. 'Het duurde een maand of drie en sindsdien probeer ik aan haar te ont-snappen. Ze is maniakaal en obsessief. Het lijkt wel of ze me wil ver-stikken, hoe ze in mijn appartement is getrokken, zich mijn spullen toe-eigende, zelfs mijn moeder erin betrok, verdomme!'

Ik maalde niet meer om zijn leugens. Op dat moment wist ik al-leen nog zeker dat ons huwelijk voorbij was. Ik wierp een blik op zijn gekwelde gezicht, trok snel mijn hand weg en ging staan. Ik kon zijn gezelschap geen minuut langer verdragen. Maar toen ik langs hem heen wilde lopen, pakte hij mijn pols beet.

'Mel, alsjeblieft! Je moet me vertrouwen! Rosa's verdwijning heeft niets met mij te maken!'

Hij omklemde mijn pols zo hard dat het pijn deed. Ik trok me met een ruk los. Ik kon niet meer redelijk nadenken en mijn enige houvast was de zekerheid dat hij me had bedrogen.

'Je wilt dat ik je vertrouw, maar je bent nooit eerlijk tegen me ge-weest, niet één keer!' zei ik met schrille stem. 'Meteen vanaf het be-gin heb je over Rosa gelogen, en je loog ook over je appartement. Ook al zou je de waarheid willen vertellen, dan nog geloof ik niet dat je zou weten waar je moest beginnen. De hele tijd dat we samen waren, heb je me nooit iets verteld wat werkelijk belangrijk was, al-leen maar onzin over Spanje en dit klotepakhuis, dat nooit maar dan ook nooit af zal zijn!'

Hij opende zijn mond, maar sloot hem weer. Zijn gezicht had weer die harde gesloten uitdrukking die me zo bekend was gewor-den. Omdat het me niet langer kon schelen hoe hij reageerde, raas-de ik door. 'Ik ben doodziek van je leugens!' brieste ik. 'Hoe kunnen we aan een goed huwelijk werken als je altijd alles voor je houdt?'

'Ik heb geprobeerd dingen tegen je te zeggen... Ik vind het moeilijk...'

'Waarover dan? Je wilt niet eens bespreken wanneer de keuken wordt geïnstalleerd! En waarom heb je me niet verteld dat je vader zelfmoord heeft gepleegd? Dacht je soms dat dat me niet zou inte-resseren of zo?'

Met zijn armen over elkaar staarde hij met een nietszeggende blik voor zich uit. 'Dat is niet bepaald een plezierig onderwerp,' mompelde hij.

'Geen plezierig onderwerp? Jezus! Wat ben ik ongelooflijk stom geweest om...'

We wisten allebei wat ik had willen zeggen. Toen ik langs hem naar de deur wilde lopen, sprong hij overeind en ging voor me staan om me de weg te versperren. Zijn gezicht was een masker van zijn oude zelf, met bloeddoorlopen ogen en wit weggetrokken lippen.

'Waar ga je naartoe?'

'Jo heeft me nodig.'

'Niet waar! Waarom kijk je me niet aan?'

Langzaam draaide ik me naar hem toe. Heel even, een dramatisch moment, ontmoetten onze ogen elkaar. Hij kon zijn tranen met moeite bedwingen, zag ik, zijn rode ogen hadden een glazige blik. Zijn mondhoeken hingen omlaag, alsof hij uit alle macht een kreet van ellende moest onderdrukken; zijn ooglid trilde nog steeds. Hij had iets van een waanzinnige: iemand voor wie je overstak om hem niet voorbij te hoeven lopen. Toch had ik ooit van hem gehouden. Door hem had ik de illusie gekoesterd dat alles zou veranderen en ons leven getransformeerd zou worden tot een zonovergoten idylle van eeuwigdurend geluk. Terwijl ik naar hem keek wist ik dat die illusies eindelijk in rook waren opgegaan, zoals de laatste flarden mist in de ochtendzon uiteenstuiven. Hij zou me nooit van mezelf kunnen redden, want hij was een vreemde wiens verhalen ik niet langer geloofde.

'Je houdt niet meer van me, hè?' Zijn stem klonk zacht, maar zijn gezicht was vertrokken door allerlei heftige emoties. Zijn armen hingen stijf, met gebalde vuisten, langs zijn lichaam. Ik deinsde terug en stapte achteruit, waardoor ik tegen het fornuis botste.

'Ik weet helemaal niet meer wat ik voel...'

'Mel, alsjeblieft, zeg dat niet... Jij en de kinderen zijn alles voor me!'

Hij torende boven me uit en legde zijn hand op mijn schouder alsof hij me op de vloer wilde duwen. Dreigend keek ik hem aan; mijn handen waren klam. Ik moest weg zien te komen. Zodra ik kon, moest ik de kinderen met onze tassen in de auto zien te krijgen en met een rotvaart de landweg af scheuren, weg van het pakhuis en weg van hem. Het was precies waar Trish me voor gewaarschuwd had: hij was gevaarlijk. En nu ik zo angstig tegen het fornuis leunde wist ik dat hij niet mocht weten dat ik van plan was weg te gaan.

'Ik hou wel van je,' fluisterde ik. 'Echt.'

De spieren in zijn gezicht ontspanden zich. Hij slaakte een zucht en streek met zijn vingers over mijn ijskoude wang. 'Ik zou het niet kunnen verdragen als je niet van me hield,' zei hij zacht. 'Jij bent de enige die ik nog heb.'

Met een geforceerde glimlach liep ik voorzichtig weg van zijn gespannen lichaam. 'Ik ben een beetje van slag,' mompelde ik. 'En ik moet naar de wc. Ik ben zo terug. Neem anders een lekker heet bad. Dan kunnen we daarna verder praten.'

Hij knikte en liet me eindelijk los. 'Ja, dat is een goed idee.'

Met twee treden tegelijk rende ik de trap op en vloog de slaapkamer in. Ik pakte mijn half ingepakte rugzak van de grond en slingerde hem onder het bed. Plotseling hoorde ik Simons voetstappen op de trap. Ik verstijfde en keek om me heen of er aanwijzingen waren voor mijn voorgenomen ontsnapping. De badkamerdeur ging dicht. Na enkele ogenblikken begonnen de leidingen te gorgelen. Gejaagd liep ik door de kamer en graaide de spullen bij elkaar die ik nog moest inpakken: ondergoed en een stel schone kleren voor mij en een handvol babykleertjes voor Jo. Aangemoedigd door het geluid van stromend water in de badkamer propte ik de kleren in de rugzak en ritste hem haastig dicht. Mijn mobiele telefoon en portemonnee zaten in mijn tas in de woonkamer. De jassen van de kinderen lagen in de hal. Ik dwong mezelf een kalme indruk te maken, liep de slaapkamer uit en duwde de badkamerdeur open.

Simon lag met gesloten ogen ondergedompeld in het dampende water. Hij werd kaal, zag ik, toen ik naar zijn hoofd keek. Het kleine stukje schedel dat ik door zijn uitgedunde haar heen zag bezorgde me ineens een steek van medelijden.

'Alles kits, schat?'

Zijn ogen schoten open. 'Eh, ja...'

'Zo te zien hou je het zo nog wel een tijdje vol.'

Met zijn neus dichtgeknepen gleed hij kopje-onder in het schuimende water en kwam even later briesend boven, als een waterbuffel uit een meer. Het water stroomde van zijn harige lichaam en zijn doorweekte pony hing voor zijn ogen. Hij streek het haar uit zijn gezicht en schudde het water van zich af.

'Ik blijf nog even zitten…' zei hij vaag.

Ik knikte, slenterde quasi-nonchalant de badkamer uit en trok de deur achter me dicht. Toen rende ik terug naar de slaapkamer, waar ik de rugzak onder het bed uit trok en op mijn rug hees, waarna ik als een razende de trap af holde.

In de woonkamer zat Poppy nog steeds naar haar video te kijken. Naast haar was Jo ingedut.

'Snel!' siste ik. 'Pak je jas!'

Haar ogen werden groot van verbazing.

'Waar gaan we naartoe?'

'Weg!'

Ik pakte mijn tas van de grond en tilde Jo op. 'Kom op, Pop! We hebben haast!'

'Maar ik wil niet weg…'

'We moeten!'

Ik hees haar omhoog en beende door de kamer om de tv uit te zetten zonder op haar protestgejammer te letten. Toen snelde ik naar de voordeur, terwijl ik in mijn tas naar de autosleutels graaide. 'Pak je jas, liefje! En die van Jo!'

'Nee!'

Ik stond op springen. 'Alsjeblíéft, Poppy!'

Waarschijnlijk had ze de wanhoop in mijn stem opgevangen, want ze drentelde traag door de woonkamer naar de hal.

'Schiet op, schat! Kom nou mee, alsjeblieft…'

Met mijn ene hand drukte ik Jo tegen me aan en met de andere hield ik de rugzak in balans terwijl ik de voordeur met mijn elleboog openduwde. Boven hoorde ik het bad leeglopen. Over enkele ogenblikken zou Simon weer te voorschijn komen.

'Kom mee!' riep ik schril. 'Allemaal de auto in!'

Maar terwijl ik dat zei wist ik dat het hopeloos was. Wanhopig bleef ik op de drempel staan terwijl mijn woorden wegstierven in de ijle winterlucht. Lukraak neergezet bij het hek stond de gehavende Volvo die Simon van Ollie had geleend, pal voor mijn Fiat. Zelfs toen Poppy langs me heen rende en over de bevroren modder naar het portier aan de passagierskant huppelde, wist ik dat ik Simon onder geen beding zou kunnen vragen om Ollie's auto te verplaatsen. Ik had niet de moed om overtuigend te liegen; mijn trillende stem zou me meteen verraden.

'Poppy!' riep ik. 'Ren naar de keuken en pak Simons autosleutels uit zijn jas!'

Ze draaide zich met een ruk om en wilde terug naar binnen rennen, maar op dat moment hoorde ik de trap kraken. Ik wurmde me los uit de riemen van de rugzak, liet hem op de grond vallen en schopte hem onder een berg jassen.

'Laat maar, Poppy!' riep ik. 'Het gaat even niet door!'

Toen ik me omdraaide zag ik Simons benen op de trap omlaag komen. Hij bleef even staan, waarschijnlijk om te kijken waar we waren.

'Mel!' riep hij. 'Waar ben je?'

'Hier! We wilden net een wandeling maken!'

Hij was inmiddels bij ons. Ik voelde zijn hand zwaar op mijn schouder neerkomen en hij trok me naar zich toe, zodat ik achterover in zijn armen viel. Hij sloeg zijn handen om mijn middel, zodat ik geen kant meer op kon, en boorde zijn gezicht in Jo's kruin.

'Hallo, zoon van me,' bromde hij. 'Wat ben je toch een prachtventje!'

'We vroegen ons af of het zou gaan sneeuwen,' verzon ik. 'De oprit is behoorlijk bevroren.'

'Ja, het is rotweer. Je zou wel gek zijn om te gaan wandelen.'

Met zijn vingers greep hij de rand van de deur beet en sloeg hem dicht.

32

Dat was het. Er valt niets meer te vertellen. Huiverend kijk ik op en zie de donkere verlaten kamer. De politie is vertrokken, waardoor het huis van hun overijverige aanwezigheid is bevrijd. Het geruis van radio's en de stampende voetstappen op de trappen lijken nu wel een droom waarvan ik me de details niet langer herinner. Een poosje geleden was Trish hier nog, dat weet ik nog wel. Ze is waarschijnlijk naar de keuken gegaan met Sandra, want aan het eind van de gang hoor ik vrouwenstemmen. Aan de buitenkant van de ramen zitten een paar vastgevroren sneeuwvlokken. Als ik ga staan en mijn gezicht tegen het ijskoude glas druk zie ik dat het sneeuwt.

Ik voel me wonderlijk kalm. Om me heen is alles teruggeweken. Er zijn geen klotsende golven meer, geen getijden die me uit koers trekken, noch wrakhout dat losjes meedeint in de branding. Ik heb alleen mezelf nog en wat ik me herinner. En nu ik mijn vlakke hand op de ruit leg weet ik dat alleen ik Poppy terug kan halen. Ik moet me gewoon concentreren.

Na een tijdje ging Simon weer naar boven en daarvandaan hoorden we het ritmische dreunen van gehamer. De enige andere afleiding was de telefoon, die maar één keer ging. Het was Alicia, die helemaal van streek was.

'Ik heb net het nieuws gehoord,' zei ze. 'Over die arme Rosa…'

'Ja…'

'De politie denkt toch niet dat Simon er iets mee te maken heeft, hè?'

Ik omklemde de hoorn met klamme handen. Ik wilde niet liegen, maar het leek me onnodig wreed om Alicia de waarheid te vertellen.

'Ze hebben hem ondervraagd… Ik weet niet wat ze verder van plan zijn.'

Aan de andere kant van de lijn hoorde ik haar zwaar ademhalen. Het was nooit haar bedoeling geweest om onaardig tegen me te zijn, begreep ik nu. Ze was gewoon een eenzame vrouw, niet gewend aan vriendschap, en hoewel ze me op het hart had gedrukt om van haar zoon te houden, stond ik op het punt om bij hem weg te gaan.

'Zoiets zou hij toch niet doen, hè, Melanie?'

'Ik weet het niet…'

'O, god…'

Ze barstte in tranen uit. Ik drukte de telefoon tegen mijn oor en luisterde naar haar gesnik. 'Je kunt zelf met hem praten,' zei ik vol medeleven. 'Hij is hier, thuis…'

'Dat doe ik liever niet. Hij zou alleen maar kwaad op me worden.' Ik sprak haar niet tegen. 'Wil je me alsjeblieft op de hoogte houden?'

'Natuurlijk.'

Ze hing op. Met een loden gevoel legde ik de hoorn op de haak. Boven was het lawaai nog gaande, furieus gehamer dat tot mijn diepste kern leek door te dringen en in mijn hoofd weergalmde, alsof het uit mijn binnenste kwam en niet van boven. Ik heb geen idee waar Simon mee bezig was; hij had me alleen verteld dat hij nog wat werk te doen had in de bergkamers aan de corridor. Ik probeerde het lawaai te negeren en in plaats daarvan net te doen of het een normale dag was: ik zou de lunch bereiden voor de kinderen, Jo's luier verschonen en verstoppertje spelen met Poppy. Nu besef ik dat ik de Volvo had moeten verplaatsen zodra Simon naar de zolder was gegaan. Als ik dat had gedaan, waren we nu bij Pat geweest en zou ik Poppy veilig bij me hebben. Maar ik was bang dat Simon door het raam zou kijken als hij de motor hoorde en dan zou zien waar ik mee bezig was. Stom genoeg wachtte ik tot hij eindelijk naar beneden kwam toen we verstoppertje speelden en ik hem weg hoorde rijden. Toen was het te laat, natuurlijk.

Er is geen tijd voor spijt; met mezelf de schuld geven zal ik mijn dochter niet terugkrijgen. Mijn gedachtegang is als volgt: het is niet van belang of Simon Rosa en die andere vrouw heeft vermoord. Waar het om gaat is of hij Poppy wel of niet iets aan zou kunnen doen. Als ik wegdraai van het raam en langzaam naar de trap schuifel, ben ik er zeker van dat hij dat nooit zou doen. Bovendien is er nog iets wat me al dwarszit sinds de politie vanmiddag is gearriveerd, een alarmerende gedachte in mijn achterhoofd. Even aarzel ik en probeer me erop te concentreren, maar net als eerder blijft het iets ongrijpbaars.

Ik loop de trap op terwijl mijn hersenen op volle toeren werken. Simon was boven aan het timmeren. Op een bepaald moment, net voor of aan het begin van ons verstoppertje, hield het geluid op. Ik verstopte me en daarna was het Popppy's beurt. Ik telde tot twintig terwijl ik Jo de borst gaf. Poppy rende weg en even later hoorde ik een deur open- en dichtgaan. Ik was ervan uitgegaan dat Simon in de kamer boven bezig was, omdat hij had gezegd dat hij daar ging werken, maar was het mogelijk dat ik de meest voor de hand liggende verklaring over het hoofd had gezien? Was het mogelijk dat hij niet in de corridor maar op zolder bezig was geweest? Stel dat Poppy stiekem de ladder op was gegaan terwijl hij aan het werk was en zich in een hoekje had verstopt, waarna ze per ongeluk door hem was opgesloten? Ondanks al zijn mooie woorden over liefde en vertrouwen was hij ervandoor gegaan. Zou Poppy intussen opgesloten zitten op zolder, waar de oude beschimmelde victoriaanse muren haar geroep niet doorlieten?

Boven aan de trap haast ik me via de corridor naar de steile metalen ladder. In hun haast om de Volvo te traceren heeft de politie hier nog niet eens gezocht: de deur is nog steeds afgesloten met het hangslot. Met bonzend hart klauter ik de ladder op. Als ik bovenaan ben, draai ik met trillende vingers het slot in de juiste richting tot het openspringt. Ik trek het slot van de deur en loop naar binnen.

'Poppy? Ben je hier?'

De stilte geeft me de kriebels. Ik loop verder en huiver van de kou. De kamer is in duisternis gehuld. Ik voel dat mijn zenuwen zich spannen, alsof ik een aanval van achteren verwacht.

'Poppy?'

Nu mijn ogen aan het donker gewend zijn, kan ik mijn omgeving beter zien: Simons werkbank tegen de muur, zijn cd-speler op de grond, en uitgespreid vanaf de muur aan de andere kant een hoek waar de houten planken in strakke lijnen zijn aangebracht. Dat moet de vloer zijn die hij aan het leggen was. Ik probeer hem voor me te zien, hoe hij met een geconcentreerd gezicht de planken recht legt en de lengtematen neemt. Dat vervult me met twijfel. Zou je zulke bedrijvigheid echt verwachten van een man die onlangs twee moorden heeft gepleegd? Door de ramen van de dakkapel zie ik de wolken uiteendrijven, waardoor de vollemaan te voorschijn komt. Ik stap verder naar voren. Er hangt een vreemde lucht in de kamer.

In de spookachtige gloed die nu de zolder verlicht kan ik bijna alles zien. Voorzichtig om de onafgemaakte vloer heen stappend loop ik naar het midden van de kamer en kijk om me heen. Hier is de geur sterker: zaagsel, de zware muffe stank van rot, en iets anders waarvan de haartjes op mijn onderarmen rechtop gaan staan. Het is zo sterk dat ik het bijna kan proeven: een metalige zware geur die me aan mijn menstruatie doet denken. Mijn ogen gaan naar de kleine ruimte van de windas en ik verstijf. Iets, een stapel oude lappen van het schilderen misschien, lijkt in de kleine ruimte te zijn gepropt van waaruit de goederen ooit uit de schuiten beneden werden gehesen. Als om de opening aan het zicht te onttrekken is er een plaat triplex voor geschoven. En daarvandaan komt de geur. Met knikkende knieën loop ik ernaartoe. Op de aangrenzende muren zitten vreemde spatten, zie ik nu, en op de vloerplanken zie ik donker glinsterend spul. Terwijl ik Poppy's naam fluister word ik bevangen door sidderende angst.

Ik pak de plank, smijt hem ruw weg en zie een verkreukeld stoflaken in de nis gepropt. Er ligt iets onder; een verontrustend lijvige vorm die zich over de hele lengte van de bergruimte uitstrekt. Op sommige plekken is de stof bruin doordrenkt. Ik ga er op mijn hurken naast zitten en trek aan de bevlekte stof. De stank is zo sterk dat ik bijna kokhals. Ik trek nog harder aan het laken en moet hoesten van de stofwalm.

Mijn eerste emotie is opluchting. Gek genoeg moet ik bijna lachen. Deze enorme pop die in de verrotte houten bergruimte ligt is niet mijn dochter. Hij is te groot en heeft niet haar kleren aan. In plaats daarvan is het een of andere grap: een vogelverschrikker in Simons oude kloffie met de benen in een onwaarschijnlijke hoek gedraaid en de dikke pruik bedekt met klodders rode verf. Ik steek mijn hand uit en draai het ijskoude hoofd naar me toe.

Een paar seconden blijf ik roerloos zitten. Als verlamd kijk ik naar het gezicht. Waarom ligt Simon hier terwijl iedereen denkt dat hij Poppy heeft meegenomen? Zijn krijtwitte gezicht staart me aan en uit zijn neus loopt een straal zwart bloed. De bovenkant van zijn hoofd lijkt ingedeukt; op de kale plek die ik vanmorgen in de badkamer zag zit nu een kleverige massa bloederig haar en een soort smurrie waardoor ik achteruitdeins, met mijn vingers gespreid over mijn mond.

Maak ik dat jammerende geluid? Ik moet een stuk van de stoflakens weg zijn geschoven, want ik merk dat ik aan de andere kant van de zolder tegen de muur ineengedoken zit. Om de een of andere reden heb ik een pluk haar in mijn ijzige vingers. Mijn lichaam schokt door hevige sidderingen. Het is alsof ik in een ijsklomp zit.

Er komen andere mensen bij. Ik hoor hun voetstappen over de vloer rennen. Iemand hapt naar adem en gilt Simons naam. Dan zwaait het licht van de zaklamp die heen en weer flitst over mijn gezicht.

'Breng haar naar beneden,' beveelt een vrouwenstem.

Er is te veel lawaai en commotie. Ik kan het niet allemaal bevatten. Ik duw de handen die zich naar me uitsteken ruw weg. Ik blijf gewoon stilletjes in mijn ijsklomp zitten en houd mijn mond. Om het sidderen tegen te gaan sla ik mijn armen om mijn knieën en rol mezelf zo klein mogelijk op. Ik heb het zo koud dat ik verdoofd ben. Mijn tenen en vingers tintelen en mijn benen voel ik niet. Zou het zo zijn als je bevriest? Van buiten hoor ik het geloei van sirenes en het dichtslaan van autoportieren. Blauwe lichten flitsen door de donkere lucht en verdonkeren de maan.

De kamer vult zich met politie. Mensen struinen rond met camera's en witte pakken alsof het een gekostumeerd feest is. Dave Gosforth is er ook weer. Ik zag hem naar binnen hollen, zijn bleke gezicht is vertrokken van chagrijn. Hij had natuurlijk gedacht dat de zaak was opgelost. Had ik hem niet gezegd dat hij de verkeerde te pakken had? Aan de andere kant van de kamer zijn de rubberhandschoenen in de weer. Ik zie hoe vreemden mijn man betasten, foto's maken en monsters nemen, als vliegen om zijn lijk krioelen. Iemand heeft een lamp opgesteld; de felle lichtstraal schijnt in mijn gezicht en verblindt me.

Als ze hadden vergeten dat ik hier was weten ze het nu weer. Een vrouw die ik vaag herken loopt naar het hoekje waar ik zit en trekt me overeind.

'Kom mee, Mel. We moeten je naar beneden brengen.'

Ik word ondersteund als we de trap af lopen, mijn levenloze benen slepen achter me aan. Op de onderste trede struikel ik en stoot ik mijn scheenbeen, maar ik voel weinig van de pijn. Simon is dood, zijn schedel is ingeslagen. Iemand drapeert dekens om mijn schouders, ik weet niet wie. Het enige waaraan ik kan denken is Simons gezicht dat wezenloos terugstaarde. Als ik ineengedoken aan tafel zit, waar iemand mij op een stoel heeft gezet, herhaalt zich één enkele zin in mijn hoofd, telkens opnieuw, als een klaagzang. *Wie heeft Poppy meegenomen?*

DEEL 4

33

Ik moet plassen. Ik heb er al uren geen aandacht aan geschonken, maar de aandrang wordt steeds sterker. Met onvaste benen sta ik op. Ik moet door de keuken en de gang naar de wc beneden lopen, maar het lijkt wel een onmogelijke opgaaf: een eindeloze ruimte waarin ik de weg moet vinden. Ik kijk somber om me heen en verzamel de energie om in beweging te komen. Is dit ooit mijn huis geweest? Terwijl ik steunend met mijn handen tegen de ruwe sintelblokken langs de tafel schuifel, is het als een decor van een toneelstuk dat ik heb uitgezeten, maar niet heb begrepen; nu zonder acteurs en betekenis.

'Laat me je helpen, Mel.'

Dat is de vrouw die me op de trap omlaag heeft ondersteund. Als ik naar haar vermoeide gezicht kijk, herinner ik me dat ze Sandra heet en een familiecontactpersoon is, wat dat ook moge betekenen. Al die tijd dat ik in de keuken ineengezakt op een stoel zat, was ze bij me. Ik geloof dat ze mijn hand heeft vastgehouden.

'Ik moet naar de wc,' mompel ik.

Ze volgt me door de gang naar de wc. Als ik klaar ben, staat ze voor de deur te wachten. In plaats van terug naar de keuken te gaan loop ik naar de woonkamer, en ze sjokt met een zorgzame blik achter me aan. Heeft ze niet in de gaten dat ik alleen wil zijn?

'Waarom loop je steeds met me mee?'

'Ik heb de opdracht om voorlopig bij je te blijven.'

Ik kijk haar aan om te zien wat ze bedoelt.

'Bedoel je dat ik verdáchte ben?'

Dat idee is zo absurd dat ik losbarst in hol gelach. Sandra kijkt me met een verontschuldigende blik aan. 'Zo zou ik het niet willen zeggen...'

Mijn benen kunnen me niet langer dragen. Ik grijp haar arm beet en zak door mijn knieën. 'Ik heb hem niet vermoord!' roep ik. 'Waarom zou ik hem vermoorden?'

'Niemand beweert dat je dat hebt gedaan, Mel.' Ze bukt zich, haakt haar handen onder mijn oksels en trekt me overeind. 'Kom mee, dan gaan we even op de bank zitten.'

Even later voegt Dave Gosforth zich bij ons. Hij is te breed voor onze doorgezakte bank en blijft angstvallig op de rand zitten met zijn dikke vingers als rauwe worstjes over zijn knieën gespreid. Net als Sandra heeft zijn gezicht een bezorgde, bijna tedere uitdrukking, alsof ik een gewond dier ben dat hij aan de kant van de weg heeft gevonden.

'We moeten je wat vragen stellen, Mel,' zegt hij. 'Is dat goed?'

'Ja hoor.'

Hij slaat zijn armen over elkaar en laat ze dan weer omlaag vallen. Als verdoofd kijk ik naar zijn gezicht. Simon is dood en Poppy is gekidnapt. Het is alsof er een stuk uit mijn lichaam is gereten. Afgezien daarvan dringt er weinig tot me door. Sandra houdt nog altijd mijn slappe hand vast en kijkt me smekend aan.

'Kun je ons nog één keer vertellen wat er vanmiddag precies is gebeurd?'

'Het was zoals ik al zei. Poppy ging naar boven om zich te verstoppen. Ik was beneden met Jo, aan het aftellen. Ik dacht dat Simon boven was. Dat hij een stuk vloer legde, of iets dergelijks; het was een vreselijk kabaal. Toen hoorde ik een deur achter me dichtgaan. Even later hoorde ik een auto op de oprit...'

Mijn stem hapert, als voorbode van de pijn die me nog te wachten staat. Ik slik een brok weg en speel het klaar om door te praten. 'Ik hoorde iemand in de auto stappen en wegrijden...'

'Maar je hebt Simon niet daadwerkelijk gezien?'

'Nee.'

'En heb je niets anders gehoord?'

'Nee, maar het is hier zo groot. Ik bedoel, misschien is er iemand naar buiten gegaan via de keuken aan de achterkant. En Jo wilde gevoed worden. Ik was vooral met hem bezig...'

'Hoe laat was het op dat moment?'

'Een uur of kwart over vier. Ik weet het niet precies.'

Ik wend mijn blik af. Het is verbazingwekkend dat mijn lippen nog steeds woorden kunnen vormen, maar ik klink net als iedere andere vrouw die vertelt hoe haar middag is verlopen.

'Had je de achterdeur op slot, denk je, of was hij open?'

'Hij is altijd op slot. We wonen midden op een werf, je weet nooit wie er rondloopt…'

'En de voordeur?'

'Die heeft een Chubb-slot. Zonder sleutel kom je niet binnen.'

Gosforth schuift iets naar me toe. 'Is er iemand anders die toegang tot jullie huis heeft? Buren misschien? Of vrienden?'

'Bob en Janice Perkins hebben een sleutel, voor het geval we onszelf buitensluiten.'

'Die wonen…?'

'In Appledown Cottage. Een klein eindje verderop.' Ik draai me haastig naar Sandra. Ik herinner me plotseling iets 'Ik ben mijn tas kwijtgeraakt! Daar zaten mijn sleutels in!'

'Wanneer was dat?' Gosforth buigt zich naar me toe. Als hij de dikke blonde labrador zou zijn waarop hij lijkt, zou hij zijn oren spitsen.

'In januari. In de supermarkt. Hij hing aan de handvatten van de buggy.'

'Heb je de sloten laten vervangen?' vraagt Sandra.

'Nee… Ik heb wel mijn creditcards en bankpassen laten blokkeren, maar daar heb ik niet aan gedacht.'

Ik zie Sandra's licht verwijtende blik. Indertijd had ik aangenomen dat de tas in de supermarktgangen of op het parkeerterrein was gevallen, niet dat iemand hem had gestolen. En hoewel ik hem nooit had teruggekregen was ik zo afgeleid door Jo's darmkrampjes dat ik het snel weer vergat.

'Heb je er aangifte van gedaan dat je hem kwijt was?'

'Nee.'

'Maar in de tas zat vast je adres, hè, Mel?'

Nu ze het zegt, besef ik hoe stom ik ben geweest.

'Ik weet het niet…' Ik schud mijn hoofd. 'Ik heb er niet echt over nagedacht. Ik dacht dat degene die mijn tas had meegenomen het geld eruit had gehaald en hem dan had weggegooid, of zoiets…'

Gosforth en Sandra wisselen een blik. Even blijft het stil, alsof ze het over een andere boeg willen gooien, maar ik onderbreek hen.

'Waar is Jo?' vraag ik gemelijk.

'Niets aan de hand, Mel.' Sandra geeft mijn arm een moederlijk klopje. 'Trish heeft hem even mee naar huis genomen. Ze wilde hem een fles geven. Ik weet zeker dat het prima met hem gaat.'

Met open mond staar ik haar aan. Hoe kan het prima met hem gaan als zijn vaders verstijfde lichaam met ingeslagen schedel in de bergruimte ligt gepropt? Een schokkend moment zie ik weer het stoflaken voor me, met de bruinrode vlekken en die groteske bobbelige vorm. Ik was er over de vloerplanken naartoe gerend, niet wetend wat me te wachten stond...

Aan mijn andere kant kucht Gosforth zacht.

'We moeten doorgaan op die sleutels,' zegt hij. 'Intussen kun je me misschien vertellen of er iemand is die misschien wrok koesterde jegens je man. Had hij soms vijanden?'

Instinctief schud ik mijn hoofd, maar mijn hart springt op. Hoe heette die man die belde ook weer? Biz of Baz of zoiets. Zijn stem had een onaangename insinuerende klank gehad. *Zeg maar tegen hem dat ik er een beetje genoeg van krijg.* Die zin was wekenlang in mijn hoofd blijven zitten, als iets smerigs aan de rand van een wc-pot.

'Er belde een man... ene Boz? Hij bezorgde me de rillingen.'

Er valt een geladen stilte. 'Hoezo bezorgde hij je de rillingen?' vraagt Gosforth met een stalen gezicht.

'Hij moest Simon hebben, en toen ik zei dat hij er niet was, werd hij heel brutaal. Hij zei dat ik tegen Simon moest zeggen dat hij er genoeg van begon te krijgen.'

'Aha.'

De manier waarop Gosforth knikt zegt me dat die informatie hem niet verbaast. Hij heeft kennelijk vaker van die Boz gehoord.

'En een paar dagen later stond er een zilverkleurige bestelbus...' Ik huiver bij de herinnering aan 's mans bijna glunderende gezicht toen hij mij en Poppy in de gaten kreeg, en hoe hij razendsnel achteruit was gereden en door de mist was opgeslokt.

'Ga verder.'

'Ik weet niet of het ermee te maken heeft. Op een dag stond die bus vlak achter mijn auto toen we van Poppy's school terugkwamen. Toen we erlangs liepen, reed de bestuurder weg. Maar hij grijnsde heel eng naar ons...'

'Weet je nog hoe hij eruitzag?'

'Kaal en dik. Hij had een slecht gebit.'

'We zullen een compositietekening laten maken. Misschien is het van belang.'

Er valt een lange stilte, waarin ze kennelijk wachten of ik me nog iets herinner.

'Oké, Mel,' zegt Gosforth voorzichtig. 'Ik zal je een transcriptie laten zien van wat sms-teksten in de in-box van Simons mobiele telefoon. We vroegen ons af of jij er misschien enige duidelijkheid over kunt geven.'

Hij zoekt in de map die hij op de salontafel heeft gelegd en haalt er een vel papier uit dat hij mij overhandigt. Een tijdje staar ik naar de woordenbrij. Geleidelijk worden de woorden scherper, maar...

30/11/04 AFSPRAAK IN BULL, 21.00. MOET JE ZIEN.
5/12/04 WAAR BEN JE. ANTW. ALS JE TERUG BENT.
02/01/05 911645123. B.
28/01/05 JE BENT R GEWEEST.

'Ik begrijp er niets van,' zeg ik zacht. 'Wat betekent dat nummer?'

'We denken dat het een bankrekening is. Het is mogelijk dat Simon iemand geld schuldig was en dat die berichten daarover gaan.'

Als ik niet antwoord, vervolgt hij: 'Jullie zitten financieel flink in de nesten, hè?'

'O ja?'

Mijn stem klinkt kinderlijk zielig. De verschrikkelijke waarheid is dat ik niets weet van onze financiën; sinds we hiernaartoe verhuisd zijn, heeft Simon de administratie en de hypotheek op zich genomen. In nog geen jaar ben ik een afhankelijke vrouw geworden wier man het niet nodig vond zijn zakelijke beslommeringen met haar te bespreken.

'Nou, om te beginnen is de hypotheek op dit pand al twee maanden niet betaald.'

'Maar Simon werkte in Londen... Hij verdiende vierhonderd pond per week!'

Gosforth en Sandra bekijken me met de gezichtsuitdrukking van toeschouwers bij een kettingbotsing op de snelweg. 'Toch moet ik je helaas mededelen dat hij jullie hypotheek niet betaalde, Mel,' zegt Gosforth met zijn irritante gesnuif.

Ik word gek van hun medelijdende blikken. Ik kijk nog eens naar de sms-berichten. JE BENT R GEWEEST: typisch het soort dreigement van een tienjarige pestkop, opgeblazen cliché en kinderlijke grootspraak. Zou Simon geld hebben geleend van een crimineel die dat soort berichten verstuurt? Sinds Kerstmis hebben we steeds in de schulden gezeten en hij heeft nooit precies uitgelegd hoe of waardoor dat kwam. Ik was ervan uitgegaan dat de opbrengst van de verkoop van zijn appartement in Zuid-Londen als aanbetaling voor het pakhuis had gediend, maar als, zoals Alicia zei, het appartement van Rosa was en hij het nooit daadwerkelijk had verkocht, dan had hij op een andere manier aan het geld moeten zien te komen. Plotseling zie ik zijn gezicht voor me, toen hij op onze huwelijksnacht aangeschoten de irissen uit mijn haar plukte. Ze waren verlept en morsten geel stuifmeel over zijn vingers. Hij boog zich naar me toe en kuste me op het puntje van mijn neus, alsof ik een klein meisje was. Nadat we getrouwd waren, dacht ik dat alles zou veranderen en mijn leven opnieuw zou beginnen. Maar nu zie ik in dat zelfs onze huwelijksnacht was gebaseerd op de breuklijnen die ons uit elkaar hebben gerukt. Wat had Simon gezegd toen we de kamer reserveerden? *Ik heb wat extra geld, iets met Ollie geritseld. Het mag best wat kosten.*

'Weet je wat Simon op 15 januari in Calais deed?' vraagt Gosforth ineens.

'Nee…' Ik druk mijn vingers tegen mijn oogleden en doe mijn best me te concentreren. Simon ging meteen na nieuwjaarsdag naar Londen en ik zag hem tot half februari alleen op zondag. 'Ik dacht dat hij die week in Londen was, bij een verbouwing…'

'Daar is hij misschien een deel van de tijd geweest, maar niet die hele periode. We kunnen zijn gangen natrekken aan de hand van de gesprekken die hij met zijn mobiele telefoon voerde. De zesde van deze maand was hij weer in Frankrijk. Enig idee waarvoor?'

Ik schud verbijsterd mijn hoofd om hoeveel de politie heeft achterhaald en hoe weinig ik weet.

'Heb je wel eens van de pub The Bull gehoord?'

'Nee.'

'En die Boz heb je nooit ontmoet? Heb je maar één keer met hem gesproken?'

'Ja, volgens mij wel. Simon zei dat hij een tegelzetter was…'
Maar hij loog.

'En afgezien van die zilverkleurige bus heb je nooit iemand anders in de buurt zien rondhangen? Ik weet dat het moeilijk is na wat er vanavond is gebeurd, Mel, maar probeer je alsjeblieft zo veel mogelijk te herinneren. Zelfs het kleinste detail kan belangrijk zijn.'

Ik probeer te doen wat hij zegt, maar kan er de vinger maar niet achter krijgen; mijn gedachten glippen telkens weer naar een moeras van beelden. Simon in bad, met een klodder shampoo op zijn voorhoofd; Simon op zijn rug in het klamme gras, vorige lente, terwijl de koeien toekeken; zijn achterhoofd in de auto toen Gosforth met hem wegreed. Hij smeekte me te zeggen dat ik van hem hield, maar ik kon hem niet naar waarheid antwoorden. Nu is hij dood, zijn lichaam ligt te verstijven en zijn ogen zijn leeg. Toch voel ik niets, alleen verdoofde afstandelijkheid.

'Zou je nog iemand weten die belangstelling voor Poppy had?'

Haar naam brengt me met een schok terug in het heden. Poppy! Ik ga staan en wil iets doen. Iemand heeft Poppy ontvoerd!

'Ik moet haar vinden…'

Sandra's hand ligt meteen weer op mijn arm en met zachte dwang drukt ze me terug op de bank. 'Daar help je niemand mee, Mel. Het voornaamste is nu dat je je concentreert op de vragen. Het is uiterst belangrijk dat je je zo veel mogelijk probeert te herinneren. Poppy is nog steeds in een auto gezien waarvan we vrijwel zeker weten dat het die van Simon is, weet je nog?'

'Wil je soms beweren dat het die Boz is? Dat hij Simon heeft vermoord en Poppy heeft ontvoerd omdat Simon hem geld schuldig was?'

'We beweren niets. We weten niet wat er is gebeurd. Daar proberen we achter te komen.'

'Maar waarom zou hij die Jacqui hebben vermoord?'

Sandra's lippen verstrakken. 'Zoals Dave al zei, Mel: we kunnen niets met zekerheid zeggen. Wat er vandaag gebeurd is heeft misschien helemaal niets met Jacqui Jennings te maken.'

'Bedoel je dat jullie nog steeds denken dat Simon haar heeft vermoord?'

Ze geeft geen antwoord, maar werpt een blik naar Gosforth, die irritant hard lucht door zijn tanden naar binnen zuigt.

'Het is essentieel,' zegt hij langzaam, 'is dat jij ons alles vertelt waarvan je denkt dat het belangrijk kan zijn.'

Ik staar hem aan, te verstijfd om iets uit te kunnen brengen. Ik heb me net Poppy's spook herinnerd.

34

Ik schiet van de bank omhoog en duik als een angstig konijn weg van Sandra en Gosforth. Poppy had gezegd dat er een spook door de corridor sloop! En later zag ze het in Simons atelier, maar in plaats van naar haar te luisteren gaf ik haar een uitbrander omdat ik dacht dat ze loog. Nu ik me herinner hoe ongeduldig ik die avond het pakhuis doorzocht en woedend terugrende omdat Jo op de grond lag te jammeren, kan ik mijn hoofd wel tegen de muur beuken om mezelf te straffen, tot ik niets meer voel. Ik heb nooit ook maar één keer naar Poppy geluisterd of haar kant gekozen. Zelfs toen ze midden in de nacht schreeuwde dat ze een insluiper had gezien, geloofde ik haar niet. Terwijl ik wankelend naar de keuken loop, herinner ik me weer tot in detail haar nachtelijke angsten. Elke nacht om twee uur werd ik uit mijn slaap gerukt door haar gegil en schoot ik met bonzend hart overeind. Ze had het dikke spook bij de trap gezien, riep ze. Het was in haar hoofd gekropen en ze kon het er niet uit krijgen. Dat, plus het feit dat ze overdag steeds lastiger werd, had ik uit gemak ondergebracht onder de noemer 'jaloezie vanwege Jo' en ik had niet de moeite genomen verder te vragen. Maar stel dat de gestalte die ze gezien had echt was?

Ik maak een duik naar de keukentafel en begin als een razende door de rotzooi te graaien, waardoor de stapels rekeningen en oude kranten op de grond glijden. Als ik Poppy's tekening heb gevonden klem ik hem met trillende vingers tegen me aan terwijl de tranen over mijn wangen stromen. Ons huis: een hoog gebouw, bruin gekleurd, met een puntdak en heel veel kleine vierkante ramen. Tussen de roze madeliefjes staat een stakerige Poppy, met haar zeestervingers uitgestrekt naar haar breed glimlachende stakerige moeder. Naast hen is een kleine bobbel: het babybroertje. De stiefvader staat er niet bij. En daar, boven in het gebouw, met grote starende ogen, is Poppy's spook. Zou dit Boz geweest kunnen zijn, of een van zijn handlangers, die ze door het huis had zien sluipen?

'Mel?'

Sandra staat naast me, zo dichtbij dat ik haar moederlijke warme uitstraling kan voelen.

'Kijk!' roep ik. 'Dit heeft Poppy een paar dagen geleden getekend... Ze zei dat er een spook in huis was. Ze zag het steeds midden in de nacht en op een avond zei ze dat het in de kamer was die Simon als atelier gebruikte...'

Met een frons pakt ze de tekening van me aan.

'Ik heb toch verteld dat ze nachtmerries had...'

'Maar zelf heb je niets gezien?'

'Ik geloofde haar niet echt... Ik bedoel, ik heb het huis doorzocht, maar er was niemand.' Ik zwijg als ik terugdenk aan mijn ongeduldige zoektocht door het gebouw en de ontdekking van Simons laatste schilderij. Er kon niemand anders in huis zijn, was mijn conclusie geweest, omdat er geen spoor van braak was. Geen moment kwam het bij me op dat de insluiper een sleutel gehad kon hebben.

'Ik dacht dat ze het verzon, om aandacht te trekken...'

Ik adem te snel; ik kan nauwelijks uit mijn woorden komen. Ik wil dat Sandra haar mollige arm om me heen slaat en dat er geen spook is, geen Boz, niemand die Simon kwaad wilde doen. Maar ze blijft stil naast me staan en kijkt met zorgelijk getuite lippen naar de tekening. Heeft ze enig idee van de allesverwoestende paniek waardoor ik overvallen word?

'Misschien is die Boz teruggekomen om Simon te vermoorden en stuitte hij op Poppy,' fluister ik. Als ik achteroverwankel, loopt een agent in uniform stil de keuken in met een bundeltje gelinieerd papier in zijn handen. Hij kijkt alleen naar Sandra en ontwijkt respectvol mijn blik.

'We hebben dit net gevonden,' zegt hij zacht terwijl hij haar de papieren overhandigt.

Het is een stapel brieven, geschreven in krullerig handschrift dat slordig over de lijnen heen kriebelt: het handschrift van een kind of een ongeletterde volwassene. Sandra legt Poppy's tekening voorzichtig terug op de tafel en leest met een ondoorgrondelijk gezicht de brieven. Ik kijk vol ontzetting toe. Als ze uitgelezen is geeft ze de brieven aan mij.

'Weet je hier iets van?'

Beste Poppy, zo begint de eerste brief. *We houden je in de gaten. Waarom zeg je niets? We wachten en wachten maar.*

Hier houdt de brief, zonder afzender, op. De tweede is nog erger. Met een misselijk gevoel lees ik de paar regels:

Probeer niet weg te komen. We krijgen je toch wel te pakken, waar je ook bent.

'We hebben ze in de slaapkamer van het meisje gevonden,' zegt de agent. 'Ze lagen in een plastic zak onder haar matras.'

Als je het aan je moeder vertelt, breek ik je nek.

'Iemand stuurde haar brieven,' fluister ik zwakjes. 'Ze wilde ze niet aan me laten lezen...'

'Aha.'

'Ik had erop moeten staan om ze toch te lezen...'

Sandra pakt de brieven voorzichtig uit mijn handen. 'We zullen ze natuurlijk moeten veiligstellen als bewijsmateriaal.'

'Ik luisterde nooit naar haar,' fluister ik. 'Ik had het altijd te druk...'

'Het is niet jouw schuld, Mel...'

'Jawel! Ze wilde helemaal niet verhuizen, maar ik stond erop! Al vanaf het begin was ze hier bang, maar ik luisterde nooit naar haar... Hoe kun je dan zeggen dat het niet mijn schuld is?'

'Mel, rustig aan...'

Maar het is te laat. De verdoving waardoor ik zo meegaand ben gebleven is eindelijk uitgewerkt. Rillend van afschuw sta ik op de betonnen vloer terwijl ik word bestormd door een oneindige reeks beelden en gedachten, alsof ik in een maalstroom van paniek ten onder ga. Poppy probeerde me te vertellen dat iemand het op haar gemunt had, maar ik nam haar niet serieus. Al die tijd dat ik alleen maar oog voor Jo had, was er werkelijk een spook. Hij stuurde haar ook brieven, waarmee hij wraak nam op Simon door zijn gezin aan te vallen. Ik kijk om me heen in de lelijke keuken, naar mijn vergeefse pogingen om hem op te vrolijken door Poppy's tekeningen op de muren te plakken, naar het vettige gasfornuis en de krakkemikkige aanrecht. Ik heb een bloedhekel aan dit huis, besef ik met een steek van woede. Ik had mijn intuïtie moeten volgen, die eerste miezerige dag in juni toen ik zo misselijk werd van de opvliegende spreeuwen. Al die tijd dat we probeerden hier ons huis van te maken was het doordrenkt van kwaadaardigheid, het stigma van de geheimen die Simon voor ons verborgen hield.

'Waar ga je naartoe?'

'Ik kan hier niet blijven…'

Ik loop half struikelend door de keuken, duw de agent ruw opzij en snel naar de deur. Ik moet weg uit dit pakhuis, door de modder naar de rivier en het moeras rennen, zo ver mogelijk weg van het kwaad dat nu uit elke baksteen en elke plank van het gebouw sijpelt. De deur vliegt open en ik hap gulzig naar de ijskoude lucht die me als een vuistslag tegemoetkomt. Onvast loop ik naar buiten en kijk geschokt om me heen.

De wereld is wit geworden. In de uren nadat ik de ladder naar de zolder beklommen heb, is er veel sneeuw gevallen, die de politiewagens op de oprit met een dikke laag bedekt. De werf en de buitengebouwen liggen onder een deken van sneeuw; er ligt zelfs een vervaarlijk balancerende laag op de top van elke bootmast, als getuige van de ijzige stilte. Boven me is de lucht helder geworden, bezaaid met sterren rond de heldere maan. Aan de andere kant van de rivier glinstert de verse laag sneeuw op het moeras in het licht. Er heerst een stralende stilte van ongekende schoonheid, wat me in mijn hart treft als een ijspriem. Net als Poppy's schoolboeken uitgespreid op tafel, de restanten van onze lunch in de gootsteen, of haar groene rubberlaarzen die ze bij de deur heeft laten neerploffen, benadrukt het slechts haar afwezigheid. Als ze hier nu was zou ze schaterend van opwinding naar buiten rennen en sneeuw bij elkaar vegen en eraan likken en erin rondstampen en er een bal van maken voor een sneeuwpop. Maar alles is omgedraaid: de anders zo stompe voorwerpen van het leven van alledag zijn dodelijk aangescherpt, waardoor de onverwachte sneeuw me naar adem doet happen van ellende.

Ik heb alleen een spijkerbroek met een sweatshirt aan en dunne honkbalschoenen aan mijn voeten, maar ik voel de kou nauwelijks. Ik ploeter door de maagdelijke sneeuw; hij kraakt onder mijn gewicht. Mijn enige zinnige gedachte is dat ik weg moet van het pakhuis waar Simons lijk ligt. Als ik zijn wasbleke gezicht en het zwarte bloed op zijn lippen weer voor me zie, wankel ik en val ik tegen de zijkant van een politieauto, waardoor er een brok sneeuw van de voorruit glijdt. Achter me hoor ik iemand door de krakende sneeuw lopen.

'Mel! Kom mee naar binnen!' Sandra trekt aan mijn schouders zodat ik met trappelende voeten achteruitglijd. 'Straks krijg je longontsteking,' mompelt ze.

'Kan me geen moer schelen! Ik moet Poppy vinden!'

'We doen wat we kunnen.'

Even haat ik haar om haar kalmte.

'Laat me met rust!' gil ik en ik duw haar weg. Tevergeefs. Andere handen pakken me beet; ondanks mijn verwoede pogingen om me los te wurmen word ik met ferme hand terug naar binnen gebracht, waar ik klappertandend in mijn natte spijkerbroek op de mat sta.

'We hebben de dienstdoende arts gevraagd om langs te komen en je iets te geven waar je wat rustiger van wordt,' zegt Sandra sussend.

'Ik wil niets waar ik...'

Ze laat me niet uitspreken. 'Dit kan wel eens een lange zit worden, Mel. Je moet goed voor jezelf zorgen. Als je nu wat kunt slapen, zul je je morgenochtend een heel stuk beter...'

'Hoe kan ik in godsnaam slapen terwijl Poppy vermist wordt? Ik kan niet slapen!'

Ik barst in snikken uit, snot en tranen sproeien over mijn gezicht terwijl ik op de grond ineenzak, ontdaan van alle waardigheid.

35

Omdat ik weiger in het pakhuis te blijven, wordt er geregeld dat ik bij Trish logeer. Sandra belt haar, waarna ze naar boven gaat om mijn spullen te pakken. De dokter is geweest en heeft een wit plastic potje vol Temazepam achtergelaten. Ik heb beloofd er twee in te nemen. Sandra heeft ze in mijn tas gestopt, samen met het nachthemd dat ze onder mijn kussen heeft gevonden, een pak luiers voor Jo en een stapeltje kleren 'voor morgen'. Het woord boezemt me afkeer in. Hoe kan ik na alles wat er vandaag is gebeurd morgen nog wakker worden?

Hoewel Trish' cottage maar een stukje verderop is, heeft men besloten dat Dave Gosforth me er in zijn auto naartoe brengt. Het duurt even voor hij de sneeuw van zijn voorruit heeft geschraapt, maar ten slotte rijden we met slippende banden weg; ik voorin met Gosforth en Sandra achterin met mijn weekendtas op haar schoot. Er glijdt een getransformeerde wereld aan ons voorbij, het pad naar de landweg is zacht en wit met glinsterende bomen. Het is bijna een uur 's nachts en er is geen mens te bekennen. Aan het eind van de glimmende landweg lijken de verlichte ramen van Trish' cottage op een galjoen dat op stille wateren drijft. Als de auto voor haar hek stopt, stappen we uit in een laag sneeuw van een centimeter of zes. Het geluid van onze voetstappen wordt gedempt als we langzaam door haar voortuin schuifelen.

Ze komt meteen naar de deur en steekt haar hand uit om me naar binnen te helpen. Ze is zo hoogzwanger dat ze meer waggelt dan loopt, met haar vrije hand als steun onder haar dikke buik.

'Gaat het, lieverd?' zegt ze zacht als we over de drempel van de kleine betegelde hal stappen. Ik ben niet in staat te antwoorden. Ik maak mijn hand los uit de hare en sla mijn armen om mijn middel alsof ik mezelf wil beschermen.

'Hoe is het met Jo?'

'Die slaapt als een roos in het babybedje boven.'

'Jij zult ook wel aan slaap toe zijn...'

'Nee joh, ik voel me prima.'

We lopen de knusse keuken in, waar de warme huiselijke sfeer zich als een zachte deken over mijn schouders plooit. Zoals gewoonlijk is alles glimmend schoon; de vloer is geschrobd, de geloogde houten tafel is opgeruimd en de wasmachine staat zoemend te draaien. Sandra zet mijn tas op de grond en draalt even. Ze geeft Trish haar mobiele nummer, legt uit hoeveel kalmerende tabletten ik moet innemen en hoe laat ze morgen terug is. Gosforth blijft bij de deur staan met een gemelijke uitdrukking op zijn gezicht. Ziet hij mij echt als verdachte?

'Het zou geweldig zijn als je Mel kunt overhalen om wat te slapen,' hoor ik Sandra fluisteren. 'Goed van je dat ze bij jou kan logeren.'

'Dat is wel het minste wat ik kan doen.'

Ik blijf houterig in de fleurige keuken staan en kijk om me heen. Misschien komt het eenvoudig doordat de tijd verder tikt, maar de eerste schrik begint langzaam af te nemen en wat bovenkomt is het landschap van onderliggende pijn, want in plaats van dat ik me beter voel nu ik niet meer in het pakhuis ben, wordt het juist erger. De toenemende angst die ik voelde begint op de een of andere manier vorm te krijgen en wordt bijna tastbaar. Kon ik die beelden van Simons gezicht in die bergruimte maar uit mijn gedachten bannen, dan zou ik misschien helderder kunnen denken.

'Je kunt in de logeerkamer slapen,' zegt Trish. 'Ik heb het bed opgemaakt.'

Ik knik en laat me door haar meevoeren naar de smalle trap. Simon is dood en Poppy is verdwenen, maar ondanks die simpele woorden is mijn geest niet in staat de betekenis ervan te bevatten. Ik kan alleen maar denken aan die afgrijselijke ogenblikken op zolder, toen ik ineengedoken tegen de muur zat gedrukt en Sandra en Trish de kamer in renden.

Ik loop achter Trish de krakende trap op naar een kleine slaapkamer. Hij is met Trish' flair ingericht, de houten vloer is geschuurd en witgeverfd, op het koperen bed ligt een grote quilt. Aan een kant van de kamer staat een ouderwetse porseleinen wastafel op een houten kolompoot; aan de andere een victoriaanse kaptafel, bedekt met een mooie lap Chinese zijde met franje. Net als de rest van het huis is ook deze kamer brandschoon. Heeft ze dan helemaal geen rommel?

Mijn hersenen verwerken die gedachte niet: zoals momenteel met alles drijven mijn indrukken van Trish' cottage stuurloos door mijn brein. Zwijgend ga ik op het bed zitten, dat doorbuigt onder mijn gewicht.

'Er ligt een handdoek bij de wastafel,' zegt Trish.

'Waar is Jo?'

'In de kamer hiernaast.'

Ze blijft bij de deur staan en kijkt me bezorgd aan. 'Wil je praten?'

Ik schud mijn hoofd. Wat ik het allerliefst wil is met rust gelaten worden. Misschien voelt Trish zich verplicht om over me te waken, want ze gaat niet weg, maar blijft tegen de deur geleund staan terwijl ze langzaam over haar buik strijkt. Ze heeft zich omgekleed in een joggingbroek en een donzige rode trui die haar vooruitstekende zwangere buik niet helemaal bedekt en heel modern een strook huid bloot laat.

'Ik kan me niet voorstellen hoe je je voelt,' zegt ze.

Ik haal mijn schouders op en wens dat ze zich omdraait en terug naar beneden gaat. Ik heb behoefte aan stilte om die prikkelende gedachte tot de basis te herleiden. Rosa verdween met Kerstmis, had de politie gezegd, vlak nadat Simon bij haar was geweest. Ze hadden haar bloed in haar huis gevonden en de beitel waarmee Jacqui Jenning was vermoord en die hoogstwaarschijnlijk van Simon was lag in haar tuin begraven. Dan was er de passagiersstoel van zijn bus, die hij zo ijverig had schoongemaakt. Al het gevondene wijst in zijn richting, maar nu is hij dood en krijgt iets anders gestalte in mijn gedachten. Het is zo dichtbij dat het bijna grijpbaar wordt.

'Ik moet even tot rust komen.'

'Die pillen staan in de keuken,' zegt ze meteen. 'Ik haal ze even...'

Als ik haar naar beneden hoor lopen, sta ik op en loop naar de smalle overloop, mijn vingers waaieren over de roze muren. Ik duw de aangrenzende deur open en loop naar binnen. Het kinderbed staat midden in de kleine kamer, waar het maanlicht op de vloer schijnt. Even dwaalt mijn blik over de muurschildering van dieren die Trish heeft gemaakt, het mobile met kleurige houten vissen dat langzaam boven Jo's slapende hoofd draait. Ik loop naar het bed, pak de spijlen beet en kijk neer op mijn baby. Hij ligt op zijn rug met zijn armen boven zijn hoofd gestrekt in zalige onwetendheid te slapen; zijn lange wimpers trillen op zijn huid. De aanblik van zijn volmaakt gevormde wipneusje en gewelfde lipjes roert me tot tranen. Ik veeg mijn wangen af aan mijn mouw en streel door de spijlen heen over zijn gladde wang. Werd hij maar wakker, dan had ik een excuus om hem uit bed te tillen en hem mee naar het koperen bed te dragen, maar hij slaapt door zonder iets te merken.

'Ik heb ze.'

Ik schrik van Trish' stem. Ik had geen idee dat ze achter me stond. Als ik me omdraai, steekt ze me een glas water toe en twee minuscule gele capsules.

'Je neemt ze toch wel in, hè?'

'Ja hoor.'

Ik doe de pillen in mijn mond en neem een slok water.

'Welterusten, arme schat. Laten we bidden dat er goed nieuws is als je wakker wordt...'

Ik knik met een klein glimlachje ter geruststelling en loop langs haar heen. In de logeerkamer trek ik de deur dicht en schuif de ouderwetse grendel ervoor. Dan spuug ik de bittere pillen uit in mijn hand.

Elke zenuw in mijn lichaam tintelt, alsof ik een elektrische schok heb gekregen.

36

Dave kon zich niet ontspannen. Hij wist dat hij niets meer kon doen. Het forensisch team was in het pakhuis en kamde elk spoor van bewijs uit; de Londense politie had Barry 'Boz' Uckfield in een pub in Kennington gearresteerd en Clive Jenkins was erheen gegaan om hem te ondervragen. Elke politiemacht in het hele land was op zoek naar de verdwenen auto. Hij kon maar beter wat slapen om de volgende dag fris te zijn, al was het maar een paar uur. Maar hoewel hij een kamer had genomen in de Travellodge aan Sittingbourne Road kon hij de slaap niet vatten.

Hij lag op zijn rug en staarde naar de schimmelige plafondtegels. Het was niet echt de zaterdagavond die hij voor ogen had gehad. Vandaag waren ze vijftien jaar getrouwd en Karen had een speciaal etentje gepland. Ze had de hele ochtend al staan koken: kip Kiev, tiramisu, al zijn lievelingsgerechten. Maar toen hij het telefoontje kreeg dat het kleine meisje werd vermist moest hij haar mededelen dat het feestmaal moest wachten. Nadat hij haar op de wang had gekust, pakte hij een fles cola en een varkenspasteitje uit de koelkast en denderde op zijn auto af als een stier op een rode lap. Nu had hij geen enkel idee wanneer hij weer thuis zou zijn. Als het meisje niet snel gevonden werd, zou hij moeten wennen aan de Travellodge.

Het bed was te smal voor zijn brede lichaam en de kamer rook naar schoonmaakmiddelen. Geërgerd draaide hij zich om. Hij voelde zich idioot, als hij eerlijk moest zijn. Dagenlang hadden ze ernaartoe gewerkt om Stenning in staat van beschuldiging te stellen voor de moord op Jacqui Jenning en Rosa Montague, maar nu was hun voornaamste verdachte dood en de zaak waaraan ze zo zorgvuldig hadden gewerkt in één klap aan barrels. Vanaf het begin was hij ervan overtuigd geweest dat Stenning hun man was. Hij had zijn visitekaartje op de lakens van Jacqui Stenning achtergelaten op de avond voor ze vermoord werd, was ongrijpbaar tijdens verhoren over zowel zijn handel en wandel als zijn relatie met Rosa Montague en was een beitel kwijt die bedekt was met Jacqui's DNA. Ook erg verdacht waren de vlekken op de passagiersstoel van zijn bus. De DNA-testresultaten moesten nog binnenkomen, maar de stof was gereinigd met bleekmiddel in een poging om te verwijderen wat volgens Dave beslist Rosa's bloed zou blijken te zijn. Bij de greep van het portier had een klein spatje gezeten en bij de hoofdsteun een paar haren. Stenning had een of ander onzinverhaal opgedist, dat Rosa zichzelf opzettelijk met een mes had verwond en hij haar naar het ziekenhuis had gebracht, maar de eerstehulpafdeling in Canterbury wist van niets. Stenning verborg het goed, maar Dave had een onderdrukte agressie in hem bespeurd, alsof er een kleine schakel normaliteit ontbrak. Ondanks haar hooghartige houding had hij medelijden met de echtgenote. Het was duidelijk dat ze geen flauw vermoeden had van wat er gaande was.

Toch hadden ze ondanks al het indirecte bewijs nog steeds niet voldoende voor het OM. Het forensisch bewijs was zonder meer twijfelachtig. Tot de DNA-testresultaten van de vlekken in Stennings bus terugkwamen konden ze hem van niets concreets beschuldigen. De vezels van Rosa's dekbed die ze op een trui van Stenning hadden gevonden bewezen alleen dat hij in haar slaapkamer was geweest, wat hij ook had toegegeven. Hij was naar haar toe gegaan om wat papieren terug te halen, had hij gezegd, en toen hadden ze ruzie gekregen. Ze was een 'nachtmerrie', had hem meer ellende bezorgd dan ze zich ooit konden voorstellen, maar hij had haar nooit iets aangedaan. Wat de overgeschilderde muur en de bloedspetters op de vensterbank betrof, bleef hij bij zijn verhaal. Ze hadden ruzie gekregen, waarna zij een mes in haar arm stak. Hij had haar naar Canterbury gebracht en haar bij de eerstehulpafdeling achtergelaten. Ze was zwaar gestoord. Het enige wat hij wilde was zo ver mogelijk bij haar vandaan blijven.

Er was ook geen direct verband met de moord op Jacqui Jenning. Er was inderdaad het sperma, maar de enige handafdruk die ze uiteindelijk op de muur van haar keuken vonden, kwam niet overeen met die van Stenning. Hun enige hoop was daarom de beitel. Degene die het stuk gereedschap in de achtertuin van Rosa Montagues cottage had begraven had het bloed er niet eens af geveegd en binnen vierentwintig uur hadden ze resultaat: het DNA was van Jacqui. De beitel hoorde bijna zeker bij de set gereedschap die Stenning nog in zijn gereedschapskist had liggen, met dezelfde gele handgreep als het andere gereedschap. Ze hadden zelfs achterhaald waar het ding vandaan kwam: het product werd eind jaren negentig door B&Q verkocht, maar was inmiddels uit de handel genomen.

Zonder beter forensisch bewijs was er nog steeds niet genoeg om hem in staat van beschuldiging te stellen. En nu was hij dood. Erger nog: het kleine meisje was nog steeds niet terecht. Bij de gedachte dat hij een ernstige inschattingsfout had gemaakt, zonk de moed hem in de schoenen. Hij had nog niet aan Karen verteld dat er een kind betrokken was bij de zaak, maar morgenochtend zou het in alle kranten staan. Hij dacht aan Harvey, lekker knus onder zijn Spiderman-dekbed, en hij kreeg een beklemmend gevoel. Gewoonlijk waakte hij ervoor dat zijn onderzoek van invloed was op zijn privéleven, maar hij wist dat het eerste wat hij zou doen als hij eindelijk weer thuis was, was zijn zoon in zijn armen nemen en hem boven op zijn blonde krullen kussen. Als het ooit zover zou komen, zou hij alles voor hem of Karen opofferen.

Zuchtend draaide hij zich nog eens om. Ondanks zijn gebruikelijke weerstand liet deze zaak hem niet los en nu weigerde zijn geest tot rust te komen. Stenning was zonder enige twijfel vermoord, geen greintje aanwijzing voor zelfmoord. Iemand had hem van achteren benaderd en hem in de rug gestoken. Toen, te zien aan de verwondingen, had diegene zijn boor gepakt en was daarmee op zijn hoofd tekeergegaan. Dat had een akelige knoeiboel gegeven. Over de hele vloer lagen plassen bloed; de muren zaten onder de spatten. Degene die hem vermoord had, zou zelf ook onder hebben gezeten.

Maar het allerergste was nog het kind. Ze waren uitgerukt om Stennings geleende Volvo op te sporen in de veronderstelling dat hij haar had meegenomen, terwijl hij al die tijd vermoord boven lag. Wat een stommelingen waren ze geweest! Waarom hadden ze het pand niet grondig doorzocht, zoals ze op de opleiding hadden geleerd? Goed, de zolder was niet zo makkelijk begaanbaar en had op slot gezeten en ze hadden de zoektocht meteen ingeperkt toen ze dachten dat Stenning het kind in zijn auto had meegenomen. Wat voor excuses ze echter ook aanvoerden, ze hadden een eersteklas misser gemaakt, wat bovendien betekende dat ze veel tijd waren verloren. Pas nu het kind meer dan twaalf uur werd vermist, haastten ze zich om Stennings louche zakencontacten na te trekken. Alles bij elkaar was het één grote ramp; geen wonder dat Mel Stenning zo kwaad was geweest. Met een zachte kreet van ellende dacht hij terug aan de uitdrukking in haar ogen toen hij haar een paar uur eerder had ondervraagd. Hij was eraan gewend dat mensen de pest aan hem hadden, maar om een of andere reden zat haar woede hem meer dwars dan normaal. Ondanks haar minachting voor hem, die ze zo duidelijk liet merken, had ze iets breekbaars, als een mooie vaas die vele malen was gebroken en weer gelijmd. Na wat er vandaag was gebeurd, was het niet meer dan logisch dat ze helemaal aan scherven lag.

Hij draaide zich weer om en deed zijn best constructief te denken. Als Stenning het meisje niet had meegenomen, wie dan wel in vredesnaam? De brieven die ze onder de matras hadden gevonden en de berichten op Stennings mobiele telefoon wezen in de richting van Barry 'Boz' Uckfield. Hij had in de jaren tachtig vijf jaar gezeten voor oplichting en in de jaren negentig nog eens achttien maanden voor witwaspraktijken; verder was hij in 1999 maar net aan een veroordeling voor zware mishandeling ontkomen toen de man wiens armen hij had gebroken weigerde te getuigen. Momenteel was hij in de weer als projectontwikkelaar aan de zuidkust, waar hij een onsmakelijke vinger in de pap had bij talloze illegale praktijken. Gisteren had Daves team ontdekt dat hij afgelopen zomer vijf ton aan Stenning had geleend, waarschijnlijk met nog twintigduizend erbovenop. Ze vermoedden dat Stennings reisjes naar Frankrijk daarmee te maken hadden, waarschijnlijk met het oogmerk om aan meer van Uckfields bedenkelijke projecten in de regio te werken. Sindsdien hadden ze onenigheid gekregen en Uckfield begon moeilijk te doen over het geld dat hij terug wilde. Ze zouden hem vierentwintig uur vasthouden voor verhoor, maar volgens Clive Jenkins, die hij twintig minuten geleden nog aan de lijn had gehad, bekende hij alleen de lening en de sms-berichten. Zelfs al had hij een appeltje te schillen met Stenning, waarom zou hij dan het stiefdochtertje ontvoeren? Hoe meer Dave erover nadacht, hoe onzinniger dat was.

Er was nog iets. Zijn benen strekkend trok hij het dekbed nog een paar centimeter verder over zijn omvangrijke lichaam. Het zat hem al dwars vanaf het moment dat hij Mel Stenning bij het huis van haar vriendin had afgezet en terugreed over de met zand bestrooide wegen, maar tot nu toe had hij het niet kunnen benoemen. Het had iets te maken met het huis van Rosa Montague in het bos, maar wat? Rillend onder het dunne dekbed probeerde hij zich te concentreren. Er klopte iets niet met dat huis, iets wat hij als feit had geregistreerd en pas nu in de stilte van de duisternis begon te ontrafelen. Rosa's bloedspatten zaten op de muur in haar huis, maar in tegenstelling tot de chaos in Stennings pakhuis was haar huis zo schoon en opgeruimd als een vakantiebungalow. Dave lag zo stijf als een plank in bed terwijl hij meegesleurd werd in een maalstroom van gedachten. Hij had zich net herinnerd wat hij in Rosa Montagues keuken had gezien.

37

Urenlang, naar mijn gevoel, lig ik roerloos boven op het bed. Aan de andere kant van de overloop hoor ik het doortrekken van de wc en de klik van een deur, dan heerst er weer stilte in huis. Slechts een paar meter verderop slapen Trish en Jo, maar ik ben klaarwakker, wakkerder dan ik ooit ben geweest sinds ik uit Londen vertrok. Uiteindelijk ga ik rechtop zitten en zwaai mijn voeten over de rand en zet ze op de grond. De dakspanten van het huis kraken en zwoegen onder het gewicht van de sneeuw; achter de plinten hoor ik iets krabbelen. Ik ga de trap af sluipen naar de keuken. Daar wil ik Sandra's kaartje van de schouw halen, waar ik haar dat een paar uur geleden tegen een tinnen vaas zag zetten. Ze zei dat ik haar de hele nacht kon bellen, maakte niet uit wanneer. Als ik het nummer heb, zal ik mijn mobiele telefoon uit mijn tas pakken en haar bellen. Ik zal haar het volgende vertellen: Rosa Montague is kennelijk voor Kerstmis verdwenen, maar ze was niet dood. In plaats daarvan was ze springlevend en gaf ze Simons geld uit in South Molton Street.

Als ik onder aan de trap ben blijf ik even op de ijskoude tegels staan. De keuken is rechts van me en de woonkamer die Trish aan het schilderen was links. Door de halfopen keukendeur knippert het groene lichtje van de wasmachine bemoedigend. Ik duw de deur open en schrik van het piepend protest. Ik loop naar binnen en kijk in het licht naar het opgeruimde aanrecht en de robuuste tafel met het artistieke stenenarrangement. De cijfers op de oven geven aan dat het 03:05 is. Het is bijna elf uur geleden dat ik Poppy voor het laatst heb gezien. Aan de andere kant van de keuken, boven de houtkachel waar ik vrijdag mijn hart bij Trish uitstortte, is de schouw. Sandra's kaartje is duidelijk zichtbaar in het schuin binnenvallende maanlicht. Op mijn tenen loop ik er over de tegels naartoe en pak het, waarna ik om me heen kijk op zoek naar mijn tas.

Die is verdwenen. Hij ligt niet op de grond, waar Sandra hem had achtergelaten toen ze me de keuken in dirigeerde. Ook is hij niet onder de tafel geschoven, noch zie ik hem op de leren fauteuil bij de kachel. Ik loop terug naar de hal en blijf even staan bij de deur van de woonkamer met mijn hand weifelend boven de klink. Ik weet niet waarom, maar ik voel me onverklaarbaar angstig. Ergens in de kamer zal ik of mijn tas, of Trish' telefoon vinden. Dan hoef ik alleen nog maar Sandra te bellen. Voorzichtig til ik de klink omhoog zodat hij geluidloos loshaakt en stap over de drempel.

Verbaasd kijk ik om me heen. Ik had verwacht met stoflakens bedekt meubilair te zien, een halfgeschilderde kamer die naar verse verf rook, maar er is geen enkel blijk van doe het zelfactiviteiten. Ik zie een Turkse kelim en een zware Marokkaanse lamp, een oude leren bank en houten luiken. Als ik mijn vingers over de muur laat glijden bespeur ik een slijtplek, een verschoten plek. Ondanks de kou heb ik klamme handen. Waarom zou Trish tegen me liegen over het schilderen van de kamer? Mijn blik blijft uiteindelijk steken op de muur boven de haard. Een ogenblik duizelt het me. Verward staar ik naar de muur, met een gevoel alsof er ijzige vingers om mijn mond zijn geklemd. Ik moet een telefoon vinden, maar door wat ik heb gezien deins ik met een zachte kreet achteruit.

Het is een schilderij van een engel. Niet de ingetogen beeltenis bij de kapel die Simon vorige winter voor me heeft geschetst, maar een van de opzichtige beelden bij de ingang van het kerkhof: stenen armen hemelwaarts gestrekt, enorme gespreide veren vleugels, klaar om op te stijgen. Uitdrukkingsloze ogen staren vanaf het doek. Net als bij het schilderij van het naakt in Simons keuken is de helft van het gezicht opzettelijk verborgen, deze keer onder de laag klimop. De klimplant spreidt zich uit over de stenen torso en klimt over hals en gezicht van de engel, waarbij de kleur overgaat van groen in bruin en donkerrood, en als uitgesmeerd bloed haar gelaatstrekken bezoedelt.

In die paar seconden dat ik tegenover het schilderij sta, begrijp ik alles. Roerloos blijf ik in de deuropening staan met mijn blik recht vooruit. Ik ben letterlijk versteend, met verstijfde armen en benen en een klomp ijs in mijn binnenste. Dit kán geen toeval zijn.

'Mel?'

Bij het horen van mijn naam draai ik me met een ruk om; mijn hart lijkt wel uiteen te spatten. Trish staat onder aan de trap en kijkt me verwonderd aan. Ze heeft Jo in haar armen.

'Wat is er?' vraagt ze glimlachend.

'Ik kon niet slapen…'

Ze loopt naar me toe met rimpels van valse bezorgdheid op haar gezicht. 'Hebben die pillen niet geholpen?'

Langzaam schud ik mijn hoofd. Mijn handen zijn zo klam dat ik ze aan de pijpen van mijn spijkerbroek moet afvegen. Ik heb het gevoel alsof ik stik.

'Mag ik Jo?' fluister ik.

Ze beweegt niet en drukt hem steviger tegen zich aan. 'Wat is er? Waarom kijk je zo naar me?'

'Jij bent Rosa, hè?'

Ze trekt een verbaasd gezicht, maar haar ogen flitsen heen en weer. 'Ik snap niet waar je het over hebt…'

'Jij bent Rosa…'

Ze glimlacht en ineens treft mijn haat voor haar me als een zweepslag. Hoe heb ik me zo makkelijk voor de gek kunnen laten houden? Ze heeft haar haren laten knippen en het blond laten verven, en vanwege haar zwangerschap is haar eerder zo slanke lichaam een kilo of vijftien zwaarder geworden, maar de donkere ogen en dunne lippen die zich momenteel in een sluwe glimlach krullen horen bij de vrouw op de boot. Rosa. Wat had Simon ook alweer gezegd? Ze is gestoord, ze deinst voor niets terug. Ik gaap haar vol afgrijzen aan, terwijl er allerlei fragmentarische herinneringen door mijn hoofd razen. Die eerste ochtend in mijn keuken zei ze dat haar vriend haar had laten zitten en ervandoor was gegaan met een of andere sloerie. Ze zon op wraak, had ze eraan toegevoegd. In mijn onschuld dacht ik dat ze dat als grap bedoelde.

'Hoe bedoel je?' zegt ze terwijl ze haar wenkbrauwen omhoogtrekt alsof ze helemaal perplex is.

'Jij bent ons hierheen gevolgd, hè? Je kwam erachter waar we woonden…'

Het duurt even voor ze antwoordt. 'Ik begrijp werkelijk niet waar je het over hebt.' Haar stem klinkt suikerzoet, maar nu ik eindelijk oplet, zie ik de waarheid in haar slanke polsen en sierlijke handen. De vingers die nu het hoofdje van mijn zoon vasthouden zijn dezelfde als die op de foto die ik voor de politie identificeerde, nonchalant over Simons schouders gedrapeerd, alsof hij haar bezit was. Ze moest opzettelijk deze cottage gehuurd hebben om zich in ons leven binnen te dringen. De charme waarmee ze mij voor zich had ingenomen was doordrenkt met vergif. En al die tijd dat ze deed alsof ze mijn vriendin was en me tot vertrouwelijke ontboezemingen en zogenaamde intimiteit verleidde wist ze precies wie ik was.

Ik doe nog een stap naar haar toe. Ik moet Jo uit haar klauwen zien te krijgen.

'Voel je je wel goed?'

Met een uiterste krachtsinspanning lukt het me om kalm te klinken.

'Jij hebt dit beraamd…'

Ze glimlacht ijzig. Ik durf te zweren dat ze Jo vaster tegen zich aan drukt. En nu springt eindelijk dat detail dat me sinds vanmiddag in mijn achterhoofd dwarszit naar voren. Het was toen ze deed alsof ze me gerust wilde stellen, in de tuin. 'Er was geen insluiper in het pakhuis,' had ze heel zelfverzekerd gezegd. Maar ik weet zeker dat ik haar nooit heb verteld wat Poppy zei dat ze had gezien.

'Je hebt bij ons ingebroken en ons bespioneerd,' zeg ik langzaam. Jij was degene die Simons atelier is binnengegaan…'

Ik kijk naar haar buik en maak een rekensom. Simon was eind mei met haar naar bed geweest, had hij bekend. Maar hij had nooit de moed opgebracht om me te vertellen dat ze zwanger van hem was. Nu ze voor me in de hal van haar cottage staat trekt ze weer een gezicht alsof ze verbijsterd is.

'Waar heb je het toch over…'

'Hoe wist jij iets over een insluiper?'

'Dat heeft Poppy me verteld,' zegt ze lachend, alsof ze de vraag wil wegwuiven. 'Of jij. Dat weet ik niet meer.'

Ze spert haar ogen open, nog steeds in een parodie van onschuld, maar haar gezicht is flatterend roze geworden. Met gebalde vuisten sta ik voor haar. Nu ik niet langer verward ben voel ik me heel kalm. Al die tijd dat ik haar als mijn vriendin beschouwde, was zij mijn vijand en smulde ze van mijn problemen in afwachting van haar moment van triomf.

'Jij hebt mijn tas gestolen, of niet soms?'

Haar wenkbrauwen zijn nog steeds gespeeld verbaasd opgetrokken en haar mond valt open in geveinsde onschuld. 'Luister eens, schat,' zegt ze langzaam. 'Zal ik nog wat Temazepam voor je halen? Je bent helemaal van streek.'

'Ik ben niet van streek. Ik wil alleen dat je Jo aan me geeft.'

Ik stap naar haar toe, maar ze duikt naar links en ontwijkt handig mijn uitgestrekte handen en loopt de kamer in. Wanneer haar blik op de engel valt slaakt ze een kreetje, alsof ze juist iets gênants heeft ontdekt – haar rok in het elastiek van haar onderbroek vastgehaakt misschien, of een klodder saus op haar kin.

'Oeps! Je hebt zeker mijn engel gezien.'

'Inderdaad.'

Ze vertrekt geen spier, maar draait zich om met een grijns waaraan ik zie dat ze genoeg heeft van doen alsof. Ze neemt me van top tot teen in zich op en giechelt vals. 'Ze is wel wat indrukwekkender dan jouw armoedige schetsje, vind je niet?'

Mijn maag draait om van het venijn in haar stem. Ze zou voor niets terugdeinzen om zich aan hem vast te blijven klampen, had Simon gezegd. Maar omdat ik zo verteerd werd door mijn egocentrische jaloezie verkoos ik hem niet te geloven.

'Wat wil je?' fluister ik.

'Wraak.'

Ze blijft glimlachen met de kille grijns van een psychopaat. Ik kijk naar haar bleke gezicht en mijn hart slaat een slag over. Ik heb me net het schilderij van Simon herinnerd, van de vrouw met baby. Dat was ik helemaal niet geweest, maar zíj. Poppy had boven een 'dik iemand' gezien op de avond nadat ik Trish had verteld dat Simon weer was begonnen te schilderen. Ze brandde natuurlijk van nieuwsgierigheid en wilde per se zien waar hij mee bezig was.

'Vuil kutwijf!'

Ik haal naar haar uit, maar ze springt opzij. En nog steeds heeft ze Jo vast. Hij is wakker geworden van mijn luide stem en begint te huilen. Rosa klemt hem tegen zich aan met zijn gezicht tegen haar trui gedrukt.

'Eerlijk is eerlijk, Mel!' zegt ze liefjes. 'Als je vrouwen hun man afpakt moet je niet verbaasd zijn als ze je terugpakken!'

'Ik heb Simon niet van je afgepakt...'

'Nee, dat weet ik, niet echt. Zijn echte passie gold alleen mij. Die arme stommeling was alleen te bang om dat te accepteren.'

Ze duwt me ruw opzij en loopt snel door de hal, Jo's gekrijs dempend door hem tegen haar schouder te drukken. Een paar seconden kan ik me niet bewegen. Ik denk aan haar wasmachine, die om drie uur 's nachts pas halverwege zijn programma is en zeepschuim tegen het plastic ruitje spat.

'Jij hebt hem vermoord, hè?' fluister ik, maar ze is al bij de voordeur en slaat haar parka om haar schouders terwijl ze met één arm mijn friemelende baby vastheeft. Ze moet zich omgekleed hebben voor ze mij vanmiddag te hulp kwam, maar ze vergat haar bebloede kleren in de was te doen. Misschien kwam ze Poppy tegen toen ze uit het pakhuis liep en werd ze zo betrapt toen het bloed letterlijk nog aan haar handen kleefde. Misschien heeft ze Poppy toen in Ollies Volvo gezet, waar, Simon kennende, de sleutels waarschijnlijk nog in het contact zaten. Toen ze een dik halfuur later mijn telefoontje beantwoordde, was ze niet in de supermarkt, zoals ze beweerde, maar waarschijnlijk hier om de auto in de garage te verstoppen en elk spoor van wat ze had gedaan uit te wissen. Nog een ogenblik draait ze zich naar me om. Haar gezicht is wit weggetrokken, haar mondhoeken hangen omlaag alsof ze op het punt staat in huilen uit te barsten.

'Dat bloed was zo'n smeerboel,' zegt ze somber. 'Al dat kleverige spul dat alle kanten op spatte. Maar ik kon niet anders omwille van onze relatie. Moet je nagaan, al die leugens die hij je vertelde. Hij zei toch dat hij nooit van me had gehouden? Ik kon niet toelaten dat hij dat soort praatjes rondstrooide.'

Dan, voor ik kan reageren, heeft ze de voordeur geopend en snelt ze naar buiten de bijtende kou in.

'Waar is Poppy?' gil ik. 'Wat heb je met haar gedaan?'

De deur slaat achter haar dicht. Een seconde later hoor ik een sleutel in het slot omdraaien.

Met een kreet van herkenning ging Dave rechtop zitten. Hij voelde zich zo opgejaagd en geschokt dat het was alsof er een hand onder het bed uit was geschoten en hem bij de enkel had gegrepen. Zijn ruggengraat tintelde, de haartjes op zijn armen gingen rechtop staan en zijn hart ging als een razende tekeer. Natuurlijk! Nu hij het verband had gelegd, was het verrekte duidelijk! Hij pakte zijn mobiele telefoon en sprong uit het motelbed.

Ze hadden het verhoor van Uckfield kennelijk afgerond, want Clive nam meteen op.

'Ja?'

Dave graaide zijn broek van de stoel naast het bed en schoot hem aan terwijl hij de telefoon tussen zijn schouder en kaak geklemd hield. 'Herinner je je de theedoeken in Rosa Montagues cottage nog?'

'Nee, niet echt.'

'Ze waren heel kunstig opgevouwen.'

Nu was Jenkins aan de beurt om de vermoeide cynicus te spelen. Hij had Uckfield per slot van rekening bijna de hele nacht ondervraagd. 'Godallemachtig, Dave! Bel je me om drie uur 's morgens om het over theedoeken te hebben?'

'Ja, klopt. Het schoot me net te binnen. Die vriendin van Mel Stenning waar ze vannacht logeert... nou, de theedoeken in haar keuken zijn net zo opgevouwen.'

'Nou en?'

'Dat is toch duidelijk? Ik heb mijn hele leven nog nooit zulke theedoeken gezien. Ze móét Rosa Montague zijn... daarom zag haar huis er zo keurig opgeruimd uit. Stenning heeft haar helemaal niet vermoord. Ze heeft haar spullen gepakt uit het huis van haar tante en is hem en zijn nieuwe vrouw naar hun fijne nieuwe onderkomen gevolgd...'

Aan de andere kant van de lijn was Jenkins sprakeloos. Dave worstelde nog steeds met zijn broek.

'Jij beweert dus dat het al die tijd om Rosa Montague gaat? En dat zij Stenning heeft vermoord?'

'Zou goed kunnen...'

Hij was inmiddels in het benauwde badkamertje en pakte zijn overhemd, dat hij over de radiator had gehangen.

'En Jacqui Jenning?'

'Misschien heeft ze haar ook vermoord. Ze kan die beitel

uit Stennings gereedschapskist hebben gestolen. Weet je nog waar we hem gevonden hebben?' Toen Jenkins niet antwoordde, vroeg hij: 'Heb je nog iets uit Uckfield gekregen?'

'Nada. Hij was de hele middag bij een voetbalwedstrijd. Er zijn wel honderd getuigen en…'

'Laat het team naar Faversham komen,' onderbrak Dave hem. Nu hij de touwtjes weer in handen had, begon de adrenaline door zijn aderen te pompen. 'Stuur ze naar het huis van de vriendin. Mel Stenning en haar baby zijn in gevaar.'

38

Ik moet naar buiten. Ik ram met mijn volle gewicht tegen de voordeur, maar het enige resultaat is een gekneusde schouder.

'Ga open, verdomme!'

Ik voel de stekende pijn nauwelijks. Ik sprint door de smalle gang naar de keuken en rammel aan de achterdeur. Net als de voordeur is die op slot en is er geen sleutel. Schreeuwend van woede schop ik er zo hard tegen dat de houtsplinters in het rond vliegen, maar de deur geeft niet mee. Door de schok hap ik naar adem, alsof ik van achteren een klap met een houten hamer heb gekregen. Al die tijd dat ik Trish als mijn beste vriendin beschouwde, zon ze op mijn ondergang. En nu heeft ze Poppy en Jo.

Ik draai me met een ruk om en ren terug door de keuken. Dat ik me hier ooit op mijn gemak heb gevoeld is verbijsterend. Met haar artistieke inrichting en knusse huiselijkheid schiep ze het decor om me in te palmen, me een toevluchtsoord te bieden, maar me in werkelijkheid in de val te laten lopen. Ik had door die obsessief schoongeboende oppervlakken heen moeten kijken om te beseffen dat Trish niet was zoals ze zich voordeed. Welk normaal mens zou er zo nauwlettend voor zorgen dat alles symmetrisch was? Als ik naar haar theedoeken naast de afwas kijk, die met psychotische precisie in een waaier zijn gevouwen, maai ik ze met een kreet van afschuw op de grond. Mijn haat voor haar is allesoverheersend.

Mijn enige hoop is nu de woonkamer. Half rennend, half glijdend over de tegels zwaai ik de deur open en zoek gejaagd naar de telefoon. Die staat in zijn houder op een tafel naast de bank. Ik grijp hem, druk op 'aan' en wacht op de kiestoon, maar de lijn is dood. Of zij heeft me opzettelijk afgesloten, of het komt door de sneeuw. Ik heb geen tijd meer om mijn mobiele telefoon te zoeken. Ik smijt de telefoon neer en snel naar het kleine erkerraam, hoewel ik weet dat het op slot is.

'Loeder!'

Op de vloer bij de deur ligt een zware metalen deurstopper in de vorm van een leeuw. Ik pak hem op, loop terug naar het raam en ram het ding er zo hard als ik kan tegenaan. De doodsangst geeft me kracht. Het glas versplintert door de slag, blijft even intact, als een cartoonpersonage dat, nadat het over een afgrond is gedenderd, nog even midden in de lucht doorrent alvorens sidderend omlaag te stuiteren.

Koude lucht blaast naar binnen. Met de leeuw sla ik het gekartelde glas dat is blijven zitten weg, hijs mezelf door het raam en beland met een zachte plof in de diepe sneeuw. Nu de sneeuwstorm is overgewaaid, is de maan weer zichtbaar, waardoor de kleine tuin in een zachte gloed baadt.

Alles is bedekt met een witte laag. Wadend door de opgestoven sneeuw die de wind naar de zijkant van de cottage heeft geblazen kom ik bij de dunnere laag op het gazon, glijdend op mijn sportschoenen. Mijn wangen doen pijn van de kou; mijn adem dampt in wolkjes om me heen. Mijn hart bonst zo hard dat ik bang ben dat het mijn borstkas uit komt. Ik loop naar de voorkant van het huis. De landweg is onherkenbaar onder de witte deken. Ik zie Rosa's verse voetafdrukken in de voortuin.

Als ik bij het hek ben blijf ik staan om mijn chaotische gedachten op orde te brengen. Het heeft geen zin om Bob en Janice wakker te maken. Ze hebben geen mobiele telefoon en te zien aan de scheefgezakte telefoonpaal aan de overkant, ligt de lijn plat door het weer, niet door Rosa. In de verte zie ik de verlichte ramen van het pakhuis. In deze barre omstandigheden zou het me minstens tien minuten kosten om er te komen en nog eens tien voor de politie haar sporen zou vinden; dan zou Rosa waarschijnlijk al voorgoed zijn verdwenen, met Poppy en Jo.

Hoewel ik geen hulp kan inroepen, geeft de sneeuw me de aanwijzingen die ik nodig heb. De sporen gaan niet verder de landweg op, maar langs een smalle steeg tussen Rosa's cottage en de aangrenzende garages. Al struikelend volg ik haar voetstappen achter de cottages langs. Daar komen ze uit op een smal weggetje, dat via het moeras uitkomt op het pad langs de rivier, ongeveer vijfhonderd meter ten noorden van het pakhuis. Hier liep ze het liefst, had Trish me ooit toevertrouwd. Als ze naar de riviermonding wandelde, waar de kievieten in het riet riepen en de bries haar haren deed opwaaien, vergat ze bijna wie ze was. Toen had ik instemmend geknikt, omdat ik dacht dat ze het had over de behoefte om aan de futiliteiten van alledag te ontsnappen, om de dagelijkse sleur van zich af te schudden. Maar nu ik achter haar aan snel besef ik dat ze iets veel luguberders bedoelde. De vrouw wier portret Simon vorige kerst van zijn keukenmuur trok, is een leugenaarster, een meesteres in vermommingen, die voor niets terugdeinst om haar gram te halen. Alles wat ze de afgelopen paar maanden heeft gedaan was ingegeven door haar drang om ons kwaad te doen. Ik moet bijna kokhalzen als ik bedenk hoe vaak ze voor me op Jo heeft gepast. Ik bid dat ze mijn kinderen niets heeft aangedaan en zet het op een rennen.

Voor me ligt het besneeuwde moeras. In de verte zie ik het water als een grauwe horizon, met het kluwen boten erbovenop. Ik versnel mijn pas over de knisperende sneeuw. Ik heb geen plan, slechts de loodzware zekerheid dat ik ergens in de verlaten boten die ik steeds dichter nader Poppy en Jo zal vinden. Ik herhaal hun namen als een mantra, alsof ik het kwaad zo kan afweren.

Ondanks de sneeuw wordt het terrein drassig; iets verderop heeft iemand loopplanken neergelegd. Ik glibber eroverheen, niet langer angstig. Ik ben de optelsom van Poppy en Jo geworden, mijn drang hen te vinden bant al het andere uit. Ik voel kou noch vermoeidheid, ook niet mijn schouder die pijn doet van de dreun tegen Rosa's voordeur. Bij de rand van het water blijf ik even staan en kijk om me heen. Laag in het water liggen twee verlaten boten, de ene zo wrakkig en verrot dat het een wonder is dat het ding nog drijft, de andere een ouderwetse vissersboot, waarvan de romp groen van de algen is. De houten cabine is op het oog verlicht door een lantaarn, die het gebogen silhouet van een volwassene onthult. Dat moet Rosa zijn. Bij het horen van mijn voetstappen kijkt ze op en in het dansende licht lijkt het wel of ze glimlacht. Ik bid hardop en smeek God om mijn kinderen te redden.

Aan de rand van het water spring ik over de krakkemikkige steiger en beland met een dreun op het dek. 'Waar zijn mijn kinderen?' schreeuw ik. 'Kom naar buiten!'

Ik krijg geen reactie, hoor slechts een zacht geklots als een kluit sneeuw van de zijkant van de boot in het water valt. Ik ren naar de cabine, rammel aan de roestige hendel van de deur en bonk met mijn vuist op het hout. Ik ruik benzine, een zware chemische lucht.

Het blijft doodstil. Ik hoor alleen het stromen van het zilte rivierwater. Als Poppy en Jo nog leefden zouden ze zich toch zeker wel laten horen?

'Val dood!' krijs ik terwijl ik mijn hele gewicht tegen de deur werp. Ik wil zo graag naar binnen dat ik in staat ben om de boot met mijn nagels aan stukken te rijten. Plotseling hoor ik iets bewegen in de cabine. Met een klik zwaait de deur open.

Rosa staat voor me. Een moment herken ik haar nauwelijks. Haar anders zo onberispelijk in model gebrachte haar zit over haar bezwete voorhoofd geplakt en haar gave huid is rood en pafferig. Onder haar bloeddoorlopen ogen zijn donkere kringen. In een luttel tijdsbestek is ze van een stralende zwangere schoonheid veranderd in een verfomfaaide psychopaat. Haar ogen flitsen heen en weer van mijn gezicht naar het moeras. Nu de deur open is, is de benzinestank overweldigend. Ik wil me op haar storten en haar tot moes slaan, maar iets houdt me tegen.

'Wat heb je met Jo en Poppy gedaan?' vraag ik op vlakke toon.

Ze negeert de vraag; misschien hoort ze me niet, want haar ogen hebben een vreemde gedesoriënteerde uitdrukking. 'Komt Simon?' fluistert ze. 'Simon moet me komen halen.'

Ze heeft iets in haar hand. Als ik scherper kijk zie ik Simons oude aansteker glinsteren, die hij beweerde kwijt te zijn. Ze streelt het ding met haar vingers en draait er kleine kringetjes over met haar duim.

'Hij komt niet,' zeg ik. 'Ik ben alleen.' Achter haar zie ik iets bewegen. Rosa kijkt me met een vage blik aan, alsof ze zich net herinnerd heeft wie ik ben.

'Je hebt alles verpest,' zegt ze zacht. 'Ik was zwanger van hem. Jij hebt hem van me afgepakt.'

'Dat is flauwekul. Trouwens, wie zegt dat dat kind van hem is?'

Ze grijnst en gooit schaterend haar hoofd achterover, alsof ik net een beestachtig goeie grap heb verteld. 'Natuurlijk is het zijn kind! Hij was zo geil op me dat hij niet eens vroeg of ik nog aan de pil was! Van wie zou het anders moeten zijn?'

Ik slik. Hier wil ik niet verder over nadenken. Niet nu.

'Hij was stapelgek op me,' vervolgt ze, kennelijk haar zelfvertrouwen hervattend. 'Het zou echt fantastisch worden. Alleen hij en ik en het kind. We hadden niks of niemand nodig. We waren zielsverwanten. Waarom was hij zo bang voor zoiets moois?'

'Je houdt jezelf voor de gek. Hij vond je labiel. Hij wilde niets liever dan van je af...'

'Hoe dúrf je!'

Ik weet niet of het komt door de hartstocht waarmee ze dat zegt of door iets anders, maar haar gezicht betrekt ineens. Even wordt haar greep op de aansteker onvast en haar vingers ontspannen zich, maar voor ik hem van haar af kan pakken, stapt ze achteruit en heeft ze hem weer stevig beet. Haar ademhaling is hortend.

'Ik moet... alles laten verdwijnen... Dit alles leidt hem alleen maar af...'

Als ze opzij stapt stokt mijn hart. Ik heb net een glimp van Jo opgevangen, die in een soort oude hondenmand op de grond van de cabine ligt. Ik wil Rosa ruw opzij duwen en hem oppakken, maar de manier waarop ze met die aansteker friemelt en het vlammetje als een slangentong aan en uit knipt, jaagt me de stuipen op het lijf.

'Je hebt hulp nodig,' zeg ik. 'Zo maak je alles alleen maar erger.'

Ze schudt haar hoofd en stapt achteruit. Wanneer ze de cabine in loopt, moet ik mezelf dwingen om het niet uit te schreeuwen. Wat ik net in een flits in een donkere hoek heb zien bewegen bezorgt me een mengeling van opluchting en paniek. Weggedoken in de schaduw naast Jo's mand zit Poppy, met haar bleke gezicht naar mij gekeerd. Ze kijkt gespannen toe, maar geeft geen kik. Haar haar is nat en op de deken om haar schouders zitten donkere vlekken. Ze siddert. Als ik naar haar kijk begrijp ik plotseling waarom het zo naar benzine stinkt.

'Geef me die aansteker,' zeg ik.

'Echt niet.'

Ik kan niet langer rationeel denken. Ik ben overgeschakeld op de automatische piloot; alleen mijn oerinstinct functioneert. Rosa hoeft zich maar naar Poppy en Jo om te draaien en in een flits haar duim omlaag te drukken, of alles is afgelopen.

'Geef me die aansteker!'

Ik haal naar haar uit en maai haar arm weg in een poging haar opzij te schuiven, maar ondanks haar zwangerschap is ze verrassend lenig. Ze wervelt van me weg met haar handen om de aansteker geklemd. Terwijl ik op het roer van de boot val, sprint ze over het dek naar de hoek waar Poppy ineengedoken zit.

'Je hebt hem tegen me opgezet,' fluistert ze. 'Alles was prima in orde voor hij jou tegenkwam!'

Ik moet die aansteker te pakken zien te krijgen. Ik spring haar op de rug en krab haar in het gezicht. 'Ga weg!' schreeuw ik.

Met één hand trek ik aan haar haren en de andere sla ik om haar enorme buik. Ze hapt naar adem en zakt op haar knieën, maar heeft nog steeds de aansteker. Ik beuk haar in het gezicht; mijn verleden, heden en toekomst zijn samengebald in mijn handelingen: in vuistslagen en de wil haar bewusteloos te slaan. Even lijkt het of er kortsluiting in mijn brein is en ik alleen Simons dode gezicht zie dat in de bergruimte naar me staart. Ik sla haar uit alle macht en probeer haar tegen de grond te werken zodat ik schrijlings op haar kan zitten, maar ze is zwaarder en sterker dan ik ooit had kunnen denken. Ze rolt zich om als een speelse zeehond, maakt zich los uit mijn greep en wurmt zich over de vloer naar Poppy en Jo. Met brandende aansteker strekt ze haar arm in hun richting, het blauwe vlammetje kan elk ogenblik contact maken met de benzinedamp.

Dan gebeurt er iets in een flits, zo snel dat ik het nauwelijks kan bevatten. Als Rosa naar Jo's mand uithaalt, springt Poppy uit haar hoek. Haar gebruikelijke kinderlijke onhandigheid is verdwenen. In de seconde dat ze door de lucht op Rosa af vliegt lijkt ze wel een tijger met fonkelende ogen. Terwijl ik Rosa om haar middel grijp en haar achteruittrek, zinken Poppy's tanden in haar pols. Gillend van pijn laat Rosa de aansteker los. Met een sierlijke armzwaai mikt Poppy het ding naar de andere kant van de cabine.

Dan verlies ik mijn zelfbeheersing. Als Rosa hijgend aan mijn voeten ligt, schop ik als een furie tegen haar billen en uitgestrekte benen. Er zit bloed aan mijn handen, misschien uit haar mond, die schuimt met rood speeksel. Ik zie plukken haar tussen mijn vingers. Ze is een zwangere vrouw, die slechts een paar uur geleden mijn enige vriendin was, maar nu wil ik haar en haar ongeboren kind vermoorden.

'Blijf godverdomme van mijn kinderen af!'

Ze gilt, een hoog gekrijs dat me doet denken aan een dier op de slachtbank, maar ik ken geen mededogen meer. Ik grijp een roeispaan die op de roestige bodem ligt en til hem hoog boven mijn hoofd om op haar in te slaan. Ik wil haar vermorzelen, haar van de aarde wegvagen.

'Mama, niet doen!'

Ik draai me om en zie Poppy, die is opgesprongen en de roeispaan van me probeert af te pakken. 'Straks vermoord je haar!'

Geschokt staar ik naar mijn dochter en laat de roeispaan vallen. Ik was bijna vergeten waar ik was, maar nu weet ik het weer.

'Ga hier weg!' roep ik met een wild gebaar naar de metalen deur. Met grote ogen van schrik rent Poppy door de cabine en laat de deur met een klap achter zich dichtvallen. Ik duik over de vloer en til Jo op. Hij is wakker geworden en schreeuwt het uit met zijn armen boven zijn hoofd. Het liefst zou ik hem aan mijn pijnlijk gezwollen borsten leggen, maar hij zal moeten wachten, want Rosa kan elk ogenblik weer naar de aansteker grijpen.

Als ik me omdraai, zie ik echter dat ze niet de aansteker probeert te bemachtigen, maar ineengedoken in de hoek zit met haar armen om haar knieën, alsof ze buiten adem is. Ze stoot een laag dierlijk gekreun uit, grommend bijna. Bij haar voeten ligt een plas vocht, alsof ze het in haar broek heeft gedaan.

'O god, help me...'

Even bezie ik het tafereel zwijgend. Ze knielt met haar handen uitgespreid op de gladde vloer. Haar bebloede gezicht is van pijn vertrokken en zweet parelt op haar voorhoofd. Ze heeft net gebraakt.

'O god, ik ga dood...'

'Stel je niet zo aan,' hoor ik mezelf zeggen. 'Je gaat heus niet dood. Je bent aan het bevallen.'

Ze zucht en zakt achterover als de wee voorbij is. Als ze haar mond afveegt en wazig om zich heen kijkt, zie ik dat ze in de strijd haar twee voortanden is kwijtgeraakt.

'Is het altijd zo erg?' vraagt ze met een klein stemmetje.

'Ja,' zeg ik. 'Altijd.'

Opnieuw wordt ze overvallen door een wee. Wanneer ze heen en weer wiegt van de pijn, draai ik me om en ren naar de metalen deur. Ik gooi hem open en val op het dek, waar Poppy tegen een besneeuwde rol touw zit.

'Mama!'

Vanuit de cabine hoor ik Rosa's gruwelijke kreten. Ik sla mijn vrije arm om Poppy en druk haar tegen me aan. Zelfs als er tijd was om iets te zeggen zou ik het niet kunnen. Ik hijs haar op mijn heup en klauter met haar en Jo de ijzige rivieroever op. Ik weet niet waar ik de kracht vandaan haal om hen zo te dragen, maar ik ren zo hard ik kan over de houten steiger, zo ver mogelijk weg van Rosa's gegil als menselijkerwijs gesproken mogelijk is. Nu ik mijn kinderen terug heb wil ik hen nooit meer kwijt. Pas als Poppy haar betraande gezicht tegen het mijne drukt en me een kus geeft, besef ik dat ik huil.

We komen niet ver. De kinderen zijn te zwaar en na nog een paar meter begeven mijn knieën het. Als we in de sneeuw vallen, houd ik Poppy en Jo dicht tegen me aan, kleine vingers om mijn armen geklemd, benen om mijn middel, gezichten tegen mijn borst. Ik moet ze warm zien te houden, daarom trek ik ze zo dicht mogelijk tegen mijn lichaam, met mijn handen om hun hoofdjes. In die enkele heldere ogenblikken voor de zaklampen van de politie ons in hun stralen vangen en we omringd worden door mensen en licht, weet ik dat dit het enige belangrijke is: bij mijn kinderen te zijn, van ze te houden en voor ze te zorgen. Ik verberg mijn gezicht in Poppy's met benzine besmeurde haren en omhels haar.

'Het spijt me zo, schatje...'

Ze slaat haar armen zo stevig om me heen dat het pijn doet. Aan het begin van de landweg hoor ik het geloei van sirenes. De lichten komen hobbelend dichterbij over het glinsterende moeras. In de verte roept iemand mijn naam.

39

Negen maanden later

Volgens Dave Gosforth bestonden er twee groepen mensen op de wereld. De eerste groep vormde de overgrote meerderheid: in principe goed, eerder slachtoffer dan misdadiger. Sommige mensen wilden wel eens van het rechte pad af raken, maar in principe waren het fatsoenlijke burgers die zich aan de wet hielden en hun best deden. In die categorie plaatste hij zijn familie, vrienden en zijn meeste collega's. Verder had je de anderen: slechteriken, zoals Harvey ze zou noemen. Een kleine, maar belangrijke minderheid. Gedreven door hebzucht, niet in staat tot mededogen voor hun slachtoffers en nooit bereid verantwoordelijkheid te nemen; zij waren de boosdoeners. Gosforth had het tot zijn levenstaak gemaakt om hun kwalijke praktijken te bestrijden. Hij had genoeg ervaring om te weten dat zo'n samenvatting soms wat kort door de bocht was, dat goede mensen door omstandigheden tot vreselijke dingen in staat waren, maar in principe klopte het wel. Goed, je had de trieste gevallen die als kind mishandeld waren of psychische problemen hadden en daardoor het verkeerde pad op gingen; ook al had hij een hekel aan wat hij de 'slachtoffercultuur' noemde, dat erkende hij. Maar na twintig jaar in het vak had hij één ding geleerd: goede mensen, hoezeer ook getart, werden geen moordenaars. In zijn werk was het de ultieme uitdaging om de schapen van de wolven te onderscheiden.

Simon Stenning was geen slechterik. In de eerste fase van hun onderzoek hadden Dave en Clive Jenkins hem wel verdacht, maar nu was het duidelijk dat hij slechts een zielenpoot was die zich behoorlijk in de nesten had gewerkt en zich er niet uit kon redden zonder steeds dieper in de problemen te raken. Zijn grootste fout was geweest dat hij zich met Rosa Montague had ingelaten. Ook loog hij tegen zijn vrouw, iets wat nooit hielp. O ja, en dan ook nog dat akkefietje dat hij Rosa had bezwangerd terwijl hij een relatie had met Mel. Wat dat betrof: eigen schuld, dikke bult. Zelf was Dave Karen volledig trouw. Als hij eerlijk was, verachtte hij kerels die hun pik achternaliepen.

Rosa Montague daarentegen was door en door slecht. Ze had Jacqui Jenning vermoord in een opwelling van jaloezie, nadat Stenning haar in de Starlite-nachtclub had opgepikt. Het was allemaal zijn schuld, had ze tegen de politie gezegd toen de artsen eindelijk toestemming gaven om haar te ondervragen. Hij was wreed geweest en had zelfs gedreigd hun relatie te verbreken. Dus toen hij woedend bij haar was weggelopen, was ze hem gevolgd, alleen maar om er zeker van te zijn dat hij niets verkeerds zou doen. Toen ze hem uit de club zag komen met die kleine slet aan zijn arm, was er iets in haar geknapt. Ze had het hele trottoir ondergekotst, vertelde ze Dave. Zíj was degene van wie Simon hield, niet die slet. Ze waren zielsverwanten, voorbestemd om altijd samen te zijn. Dat hij te laf was om de waarheid onder ogen te zien, betekende echt niet dat ze moest opgeven wat ze samen hadden. Het was toch zeker niet meer dan normaal dat ze ervoor had gekozen hun relatie te beschermen? Daarom had ze de hele nacht voor Jacquis appartement gewacht tot ze haar geliefde eindelijk zag weggaan. Toen was ze naar binnen gegaan en had haar rivale doodgeknuppeld en als toegift haar hoofd met de beitel bewerkt. Haar handafdruk kwam overeen met de afdruk die ze in de hal hadden gevonden, en bingo: haar vingerafdrukken zaten op de beitel.

Daves team moest de rest van het verhaal zelf invullen, want nadat Rosa de moord op Jacqui had bekend weigerde ze verder elk commentaar. Ondanks de poging van de verdediging om Simon Stenning te portretteren als een leugenachtige rokkenjager, die zijn emotioneel kwetsbare vriendin tot het uiterste had gedreven, ging Dave ervan uit dat hun verhaal zou standhouden. Gebaseerd op wat Mel en zijn vriend Ollie Dubow hun hadden verteld, hadden ze een beeld van Rosa Montague weten samen te stellen waaruit bleek dat ze een manipulatief-obsessieve persoonlijkheid was, die weigerde te accepteren dat haar relatie met Stenning voorbij was. Ze was er bedreven in om mensen om haar vinger te winden, had Dubow in zijn verklaring gezegd. Het was haar zelfs gelukt om hem het nieuwe adres van Simon en Mel te ontfutselen, door hem 's avonds laat in tranen te bellen. Ze was zwanger, had ze snikkend verteld, ze moest Simon spreken. Daarom gaf hij haar het nummer, waarna ze Simon belde en hem naar haar huis in het bos had gesommeerd. Er was een vreselijke scène geweest. Volgens Dubow had Simon Rosa verteld dat hij was getrouwd en een zoon had sinds hij haar voor het laatst had gezien. Ook al was Rosa zwanger van hem, hij zou niet naar haar teruggaan. Rosa had hem in het gezicht geslagen en zich met veel misbaar in haar polsen gesneden. Het was typisch iets voor haar, een en al drama. Simon had haar met zijn bus naar het ziekenhuis gebracht en haar bij de eerstehulpafdeling achtergelaten. Uiteindelijk zou hij Mel de waarheid moeten vertellen, had hij Ollie toevertrouwd, maar hij was als de dood voor haar reactie. Hij had Mel beloofd dat hij haar nooit zou bedriegen, en toen Rosa zwanger bleek te zijn, was hij doodsbang haar kwijt te raken. Wat de creditcards betrof, Dave en Clive concludeerden dat Simon ze opzettelijk bij Rosa had achtergelaten; misschien dacht hij dat ze hem met rust zou laten als ze zijn geld kon uitgeven. Na de scène met Simon moest ze zonder behandeling uit Canterbury naar huis zijn teruggekeerd. Toen had ze de rotzooi opgeruimd en was ze na haar geldsmijterij in Londen naar Kent vertrokken.

Dave sloeg zijn armen over elkaar en stapte achteruit van de voordeur om op te kijken naar het grote donkere huis. Het straalde oud geld uit, hoe vervallen het ook was geworden. Als je Simon Stennings bekakte stem in aanmerking nam en de snerende minachting waarmee hij op de vragen van de politie had gereageerd, klopte dat wel. Ze zouden die klimop van de bovenste ramen moeten weghalen, dacht hij, en het huis een lik verf geven. Zelfs in deze staat was het zeker een ton of zeven, acht waard.

Vanachter de deur hoorde hij schel gelach en het geschuifel van kleine voeten, toen een vrouwenstem. Met een klik ging de deur open.

Mel Stenning stond voor hem. Ze was afgevallen sinds vorig jaar; haar haar was kortgeknipt en viel in puntige lokken om haar gezicht, waardoor ze er tegelijkertijd jonger en kwetsbaarder uitzag. In plaats van de vale spijkerbroeken en slobbertruien van de winter en de formele broekpakken die ze tijdens het proces had gedragen, was ze nu gekleed in een lange rok en een zwart vest, wat haar mediterrane teint flatteerde. De wanhopige uitdrukking die haar knappe gezicht in de periode vlak na de moord had overschaduwd was eindelijk verdwenen. Haar gezicht straalde nou ook weer niet bepaald van vreugde en ze had donkere kringen onder haar ogen, maar Dave vond dat ze er weer normaal uitzag. Nu hij voor haar op de stoep stond, glimlachte ze zelfs.

'Hallo!'

'Hoe is het met je, Mel? Kom ik gelegen?'

'Ja hoor.'

Ze stapte achteruit om hem binnen te laten. Poppy kwam stilletjes naast haar moeder staan en liet haar hand in de hare glijden.

'Alicia is met Jo weg. Ze is met hem naar een peuterspeelzaal in het dorp, kun je het je voorstellen?'

Hij glimlachte en keek naar de ruime hal en gewelfde trap. Sandra, die intensief contact met haar had gehouden, had hem tot in detail verteld dat Mel en haar kinderen bij Simons moeder waren ingetrokken. De vrouw was nogal excentriek, had Sandra gezegd, maar het was een verrassend goede oplossing gebleken.

'Mooi huis.'

'Ja. We zijn met de voorjaarsschoonmaak bezig. Sorry voor de rommel.'

Ze liet hem binnen in een enorme kamer die vol stond met

in zijn ogen chique troep, waarschijnlijk een fortuin waard.

'Poppy, waarom ga je niet even in de boomhut spelen? Neem Ginger mee.'

Het meisje knikte. Ze was ongeveer even oud als Harvey en toen ze Dave zwijgend aankeek, kon hij het niet laten om haar een knipoogje te geven. Dat negeerde ze en ze draaide zich om en huppelde de kamer uit.

'We hebben een konijn voor haar gekocht,' zei Mel. 'Ze neemt hem overal mee naartoe.'

'Hoe gaat het met haar?'

Mel haalde haar schouders op en glimlachte geforceerd. 'In het begin was ze heel aanhankelijk, maar het gaat steeds beter.'

Ze gingen zitten. Ondanks zijn ervaring met nabestaanden voelde Dave zich ongewoon nerveus. Hij had zich als regel gesteld om nooit persoonlijk betrokken te raken, maar Mel Stenning had hem niet onberoerd gelaten. Ze maakte zo'n eenzame indruk, misschien kwam het daardoor. Haar breekbaarheid in combinatie met haar koppige trots riep bij hem de behoefte op haar in zijn armen te nemen. Hij zou het nooit toegeven, maar diep in zijn hart voelde hij zich ook verantwoordelijk voor wat er was gebeurd. Als hij per slot van rekening eerder achter de waarheid was gekomen, zou Simon misschien nog leven.

'Ze werd gepest op school,' zei Mel. 'Daar draaiden die brieven om. Een gemeen klein kreng, ene Megan, stuurde ze.'

Hij knikte. Dat had Sandra ook verteld. 'Ja, dat heb ik gehoord.'

'Blijkbaar vonden ze het enig om haar ermee te pesten dat ze een stiefvader had. Ik vind het vreselijk dat ik dat niet in de gaten heb gehad.'

'Dat soort dingen gebeuren nu eenmaal, denk ik.'

'Alleen als ouders niet opletten. Ik kan niet geloven dat het zo lang aan de gang was zonder dat ik het wist.'

'Ik weet zeker dat het niet jouw schuld was.'

Er viel een lange stilte, waarin Dave zich uitzonderlijk ongemakkelijk voelde. 'En,' zei hij, terwijl hij zijn vlezige handpalmen met zijn duimen masseerde. Hij voelde zich een echte pummel, zittend op de chaise longue. 'Ik hoop dat je het niet erg vindt dat ik je zo overval. Het is een beleefdheidsbezoek, om na het proces met je te evalueren. We zijn natuurlijk blij met de uitkomst.'

Ze knikte, haar vermoeide ogen op de zijne gericht.

'Ze komt nooit meer vrij, hè?'

'Ze zal voor de rest van haar leven vastzitten.'

'En de baby?'

'Dat wilde ik je ook vertellen. Ik heb een goed lang gesprek met Jenny Millburn gehad, gisteren. Weet je wel, die maatschappelijk werkster? De baby wordt geadopteerd door een heel sympathiek gezin in Chelmsford. Rosa zal hem niet meer te zien krijgen.'

Mel fronste en plukte aan de zijden draden van de herenfauteuil waarin ze zat. Dave kon haar niet veel meer vertellen. Ze had het hele proces bijgewoond, stil achter in de rechtszaal gezeten met haar handen in haar schoot gevouwen, en had aandachtig naar alles geluisterd. Toen de jury Rosa schuldig had bevonden aan moord met voorbedachten rade op Jacqui Jenning en Simon Stenning, alsmede aan de ontvoering van Poppy en Jo Stenning, had ze tevreden geknikt, was opgestaan en had de rechtszaal verlaten. Toen Dave zich een weg had gebaand door het mediagajes, was ze weg.

'En jij?' vroeg hij. 'Hoe gaat het met jou?'

Ze leek zo'n persoonlijke vraag niet te hebben verwacht. Ze keek naar hem op met stil bewegende lippen, alsof er iets uit moest barsten wat ze niet langer kon inhouden.

'Ik...'

'Je zult het proces wel moeilijk hebben gevonden...'

Ze schudde haar hoofd, alsof dat onbelangrijk was. 'Ik denk steeds maar dat ik het lef had moeten hebben om Simon te vertrouwen,' fluisterde ze. 'Ik dacht dat hij tegen me loog.'

'Dat is echt niet vreemd als je bedenkt wat er is gebeurd...'

'We hadden elkaar beloofd om elkaar te vertrouwen, maar vanaf het begin had ik mezelf ervan overtuigd dat hij nooit van me zou kunnen houden. Nu weet ik dat alles wat hij me vertelde waar was.'

'Kom op nou, je moet jezelf niet de schuld geven.'

'Waarom niet?' Ze wendde haastig haar gezicht af en wreef met de rug van haar hand over haar ogen. Sinds die vreselijke avond toen ze het lijk van haar man had gevonden, was dit de eerste keer dat hij haar zag huilen. 'Ik ben niet bepaald goed wat relaties betreft, snap je. Ik maak er altijd een puinhoop van...'

'Dat is vast niet zo.'

Hij wilde troostend een hand op haar schouder leggen, maar haar kaarsrechte rug maakte hem nerveus. Hij stond op het punt het praatje af te steken dat hij voor sommige slachtoffers reserveerde: dat het kwaad soms goede mensen treft, maar ze was hem voor.

'Weet je, Dave, ik heb nooit echt richting in mijn leven gehad. Voor ik Simon leerde kennen leefde ik vrij doelloos en wachtte ik eigenlijk alleen maar af. Daarom ben ik waarschijnlijk met hem getrouwd. Ik dacht dat hij me kon redden, en betekenis aan alles kon geven.'

Dave knikte, maar wist niet wat hij moest zeggen. Mel was opgestaan en liep naar het grote erkerraam, waar de zomerzon doorheen glinsterde. Buiten in de tuin zagen ze Poppy over het gras rennen.

'Maar het was allemaal onzin, nietwaar? Denken dat al mijn problemen opgelost zouden worden als ik een nieuwe man zou ontmoeten die mijn leven zou veranderen. Hij dacht dat we maar met een toverstokje hoefden te zwaaien om alles uit het verleden te laten verdwijnen. Wat een onzin bleek dat te zijn...'

'Misschien geloven veel mensen toch dat het zo werkt.'

'Nietwaar.' Ze draaide zich naar hem toe met ogen die vuur schoten. Op haar jukbeenderen waren twee vuurrode vlekken van woede verschenen. 'Dat zeggen ze misschien, maar de meeste mensen hebben het te druk met leven om hun tijd te verdoen met onzinnige fantasieën. Het leven draait niet om wachten tot iemand je komt redden. Het was mijn taak om er iets van de maken, niet die van een ridder op het witte paard.'

Ze keek hem bijna beschuldigend aan. Hij wendde zijn ogen af van haar felle blik en tuurde naar zijn schoenen. Hij was eraan gewend dat mensen emotioneel werden; aan het verdriet, de woede of onverholen angst die uit hen vloeiden zodra ze in zijn verhoorkamer werden neergezet. Maar deze ontmoeting was anders. Het was bijna alsof hij normaal watten in zijn oren had en die om de een of andere reden vandaag niet in had en of hij eindelijk luisterde.

'Ik denk niet dat ik ooit echt heb geweten hoe ik hem moest liefhebben,' zei Mel zacht. 'Ik dacht dat ik het wist, maar toen het erop aankwam, kon ik het niet. Als ik echt van hem had gehouden, had ik hem toch vertrouwd? Dan was ik toch niet zo bang geweest om te horen wat hij me wilde vertellen?'

'Ach, zo moet je het niet zien ...'

Ze was niet geïnteresseerd in zijn verzachtende woorden. Haar ogen flitsten weg van de zijne en haar gezicht betrok van de gedachten die ze niet wilde delen.

'Mama!' riep Poppy. 'Ginger eet paardenbloemen!'

Bij het geluid van haar dochters stem ging ze nog rechter zitten. Haar gezicht, dat even hard was geweest, verzachtte. 'Het gaat erom dat ik niet meer doelloos wil leven,' zei ze bijna met een glimlach. 'Alleen de kinderen zijn nu nog belangrijk. Dat had ik vanaf het begin moeten beseffen. Daarom blijf ik hier bij Alicia wonen en zal ik mijn best doen ze een normaal leven te geven... Oké, lietje! Ik kom eraan!'

Ze stond op en liep door de woonkamer naar de tuindeuren.

Het was na drieën. Hij besloot niet terug te gaan naar het bureau en het papierwerk, maar er een korte werkdag van te maken. In de ochtend was het vochtig en bewolkt geweest, maar nu was de lucht stralend blauw. Toen hij bij de tweebaansweg was draaide hij de autoramen open en trapte het gaspedaal in, genietend van de warme lucht die naar binnen blies en het felle zonlicht op zijn gezicht. Tijdens zijn korte gesprek met Mel had hij zich somber en bedrukt gevoeld. Hij vond de gedachte dat er achter de troostrijke huiselijkheid waarmee hij zijn leven afschermde duistere complexe problemen lagen akelig, maar dat was wel waar zij op had gedoeld. Nu hij echter buiten was, verdween het deprimerende gevoel als optrekkende mist. Misschien konden ze naar het strand gaan en wat barbecuevlees uit de supermarkt meepikken. Of Karen en hij konden een fles wijn opentrekken in de tuin en gezellig keuvelen terwijl Harvey een balletje trapte.

Hij was geen mens zonder richting en was ook niet filosofisch aangelegd. Mel Stenning had een ingewikkelde visie op het leven, maar in zijn ogen hoefde je geen filosoof te zijn om te weten hoe je geluk kon vinden: in vast werk, haalbare doelen en de liefde van een vrouw en kinderen. Hoe moeilijk was dat nu helemaal? In een ander leven zou hij voor iemand als Mel hebben kunnen vallen, voor haar trieste blik en haar zachte gekwelde stem. Maar hij had zijn Karen en zijn professionaliteit, en hij zou haar waarschijnlijk nooit meer zien.

Hij reed inmiddels Herne Bay binnen. In de verte zag hij de glinsterende zee en de glimmende motorkappen van de auto's die bij het strand geparkeerd stonden. Hij reed een paar kilometer door het centrum van de stad, waarna hij afsloeg naar de weg naar de buitenwijk waar hij woonde. Om de hoek, langs de brievenbus: een flink gebied met huizen uit de jaren zestig, met hun keurige voortuinen en goed onderhouden gazons. Langs kinderfietsen en glimmende sedans die glinsterden in de zon. Hij minderde vaart en zette de richtingwijzer aan. Sommige buren hadden klimrekken en glijbanen voor hun kinderen, anderen hadden vrolijke bloembakken bij de voordeur. Zo meteen zou hij thuis zijn. Hij draaide de oprit op en keek met plezier naar de kleurige voortuin. Geraniums, ridderspoor en pioenen: bloemen waarvan je wist wat je eraan had.